L'ART
DE SE FAIRE ACCEPTER

DISTRIBUTION:

• Pour le Canada:
AGENCE DE DISTRIBUTION POPULAIRE INC.
955, rue Amherst, Montréal H2L 3K4 (Tél.: (514) 523-1182)

• Pour l'Europe:
VANDER, S.A.
Avenue des Volontaires 321, B-1150 Bruxelles, Belgique
(Tél.: 02-762-9804)

Cet ouvrage a été publié sous le titre original:
HOW TO SELL YOURSELF
par Simon & Schuster, New York 10020
Copyright © 1979, par Joe Girard
All rights reserved

Copyright ©, 1981 par:
Les éditions Un monde différent ltée
Pour l'édition en langue française
Dépôts légaux 3e trimestre 1981
Bibliothèque nationale du Québec
Bibliothèque nationale du Canada

Conception graphique de la couverture:
MICHEL BÉRARD

Traduit de l'anglais par:
Le Bureau de Traduction TRANS-ADAPT Inc.

ISBN: 2-920000-79-9

Joe Girard
L'art de se faire accepter

**«Joe Girard peut vous aider,
j'en suis sûr, car il m'a aidé.»**

Norman Vincent Peale

Les éditions Un monde différent ltée
3400, boulevard Losch, Local 8
Saint-Hubert, QC, Canada
J3Y 5T6

À June, ma femme, mon amie. Que ces lignes servent d'inspiration auprès de ceux qui s'engagent sur la voie de la réussite comme tu le fus pour moi.

Table des matières

Avant-propos 11
1. S'assumer soi-même 15
2. Se faire accepter des autres 29
3. Acquérir de l'aplomb et du courage 47
4. Manifester des attitudes positives 65
5. Exercer l'enthousiasme 83
6. Apprendre à écouter 101
7. Le don des langues 115
8. Cultiver sa mémoire 133
9. Dire la vérité 153
10. La portée d'une promesse 175
11. La magie d'un sourire 191
12. Le second souffle 211
13. Se faire accepter comme femme 225
14. Se faire accepter comme jeune personne 245
15. Se faire accepter dans l'âge mûr 271
16. Se faire accepter avec
    ses antécédents ethniques 291
17. Se faire accepter avec son produit 321
18. Se faire accepter avec ses services 343
19. Se faire accepter sans se détruire 365
20. La chaîne de miracles de Joe Girard 383
21. La persévérance récompensée 397

L'art de se faire accepter

Avant-propos

Un livre bien rédigé, mettant l'accent sur la motivation et présentant la somme des expériences d'une personne heureuse dans ses entreprises, peut se révéler d'un secours inestimable auprès de ceux qui visent à tirer le maximum de leur vie. On y trouvera des moyens de communiquer des idées innovatrices, de changer des attitudes et de pousser l'esprit vers des sphères encore plus élevées.

L'Amérique peut se réclamer d'un plus grand nombre de femmes et d'hommes heureux qui jonglent avec le succès que n'importe quelle autre nation dans l'Histoire. Ce phénomène repose sur le fait que les Américains s'adonnent à la lecture de plus de bouquins à portée motivante que partout ailleurs. Et le présent ouvrage, *L'art de se faire accepter,* de Joe Girard, est un des meilleurs dans le domaine. À mon sens, il est appelé à devenir un classique de la littérature de notre temps.

J'ai demandé un jour à l'un de nos plus grands éditeurs: «Quel est le facteur déterminant dans l'évaluation d'un ouvrage?» La réponse m'arriva comme un déclic de mitraillette: «L'auteur! A-t-il quelque chose à communiquer et peut-il passer la rampe? Il est encore plus important qu'il reproduise dans sa vie le message qu'il désire transmettre.» M'appuyant sur cette norme, je puis affirmer que voilà un livre remarquable car l'auteur, un de ces rares hommes, énergiques, enthousiastes et compétents, fruits du système américain de la libre entreprise, s'est vu décerner l'honneur de voir son nom inscrit dans *Le livre des records Guinness* en qualité de meilleur vendeur au monde. L'habileté, l'énergie, la personnalité de cet homme transcendent toutes les pages de ce livre. Dans cet écrit, Joe Girard partage sans ambages et avec un plaisir non dissimulé ses expériences et son savoir-faire acquis au cours de son ascension du bas de l'échelle jusqu'aux sommets de sa profession de vendeur.

Cependant, ces pages offrent plus que les secrets de la vente. On y retrouve la présence d'une personne bien vivante, énergique, capable de transmettre sa dynamique. On y ressent même une telle joie de vivre que le lecteur a l'impression d'entendre la voix d'un ami persuadé que vous pouvez faire la même chose que lui. Il vous assure que vous possédez en votre for intérieur la capacité de vous réaliser. Il croit en vous car il a appris par expérience à croire en lui-même.

Joe Girard est un homme intègre. Ses écrits sont vraiment le reflet de sa pensée; il ne fait état que de ce qu'il connaît car ce dont il parle part de son expérience personnelle. Il est convaincu que des choses aussi merveilleuses peuvent se produire à votre endroit. Il agit à la façon d'un entraîneur qui vous révèle vos possibilités et la manière de les développer. Il se range ensuite à vos côtés pour vous aider dans votre ascension.

L'objet principal de cet ouvrage se résume en ce que vous devez savoir pour vous bien faire accepter des gens. Ces derniers achèteront d'un vendeur s'ils sont persuadés de sa sincérité, de sa droiture; ils l'aimeront et lui feront entièrement confiance car, à leurs yeux, son produit est comme lui. L'art de vendre est en réalité un processus de persuasion par lequel un individu est poussé de façon subtile vers la voie de l'entente avec le vendeur. L'élément principal de cette démarche de persuasion réside dans la loyauté d'un homme ou d'une femme qui désire aider, qui veut servir. C'est ce qui a fait de Joe Girard le vendeur par excellence du monde. C'est pourquoi il peut vous aider à monter vers les sommets dans le domaine où vous évoluez.

J'aime ce bouquin parce que j'admire beaucoup Joe Girard. Il est un de mes meilleurs amis et il m'inspire. Quand je le rencontre, je sens que ma motivation se recharge. En prenant connaissance du manuscrit de cet ouvrage, j'ai senti le même phénomène s'opérer en moi: repartir de plus belle et faire mieux qu'auparavant.

J'ai goûté cet écrit surtout parce qu'il foisonne de pensées positives, de toutes sortes de bonnes idées pour s'améliorer soi-même. C'est un livre intéressant, différent et innovateur. Seule la personne humble, mais réaliste et confiante en elle-même, pourra s'élever au-dessus du commun des mortels. Joe Girard peut vous aider, je le sais, car il l'a fait pour moi.

Norman Vincent Peale

1

S'assumer soi-même

J e me présente: Joe Girard.

J'ai passé mon enfance et ma jeunesse dans la capitale de l'auto, à Détroit, dans le Michigan, cette ville qui a motorisé le monde entier.

Je suppose qu'il allait de soi que, comme la plupart de mes concitoyens, je devienne un des rouages de cette grande industrie en qualité non pas de fabricant mais de vendeur. Pour tout vous dire, mon nom figure dans *Le livre des records Guinness* sous la rubrique: *Meilleur vendeur de voitures au monde*.

Au cas où vous seriez porté à croire que je me suis attribué ce titre de mon propre chef, permettez-moi de vous éclairer; il me fut conféré par *Le livre des records Guinness*. Je le détiens toujours et mon nom se trouve toujours dans le livre. Au moment où j'écris ces lignes, personne n'a encore menacé mon titre, personne n'a encore battu ce record de 1 425 voitures neuves vendues en une seule année, des ventes faites une à une, au détail, et non en gros.

Ce que *Le livre des records Guinness* ne mentionne pas, c'est que je vends vraiment le produit le meilleur au monde, et ce n'est pas une voiture, c'est moi, Joe Girard. Je l'ai toujours fait et je ne suis pas prêt d'arrêter car personne ne peut me vendre mieux que moi-même.

Maintenant, laissez-moi vous épater. Le produit le meilleur au monde est également *vous* et personne ne peut réussir à *vous* vendre mieux que *vous-même* quand vous savez comment vous y prendre. Voilà de quoi traite ce bouquin: comment vous faire accepter. Lisez-le attentivement, digérez-le et mémorisez-en quelques extraits.

À la fin de chaque chapitre, vous trouverez des choses à faire maintenant, pour compléter votre lecture de chaque jour, des choses qui feront de vous le meilleur vendeur de vous-même au monde. Faites ces choses et vous réussirez. Je vous le certifie.

Me vendre, dites-vous? Mais oui, bien sûr! Nous sommes tous des vendeurs dès le premier instant de l'éveil de notre raison jusqu'à notre dernier souffle. J'ai entendu un jour le père Clément Kern, un des prêtres catholiques les plus aimés de notre ville, attaché à l'église de la Très Sainte Trinité, et maintenant à sa retraite, affirmer quelque chose en ce sens: même après notre mort, nous ferons encore tout notre possible pour nous faire accepter de saint Pierre.

Tous des vendeurs

L'enfant qui tente de persuader sa mère de le laisser regarder la télé une heure de plus le soir fait de la vente.

La jeune fille qui fait part à son ami de sa préférence pour un film romantique plutôt que pour une joute de hockey fait de la vente. Lorsque ce dernier tâche de l'en dissuader et de l'amener à la patinoire, lui aussi fait de la vente.

L'adolescent qui s'arrange pour obtenir l'usage de la voiture de son père pour le samedi soir fait de la vente également.

Le gars qui augmente la tension en disant bonsoir à sa petite amie sur le seuil de la porte fait de la vente.

La personne qui demande une augmentation à son patron fait de la vente.

La mère qui tente de faire avaler des épinards à son enfant en lui en chantant les vertus de ceux-ci fait elle aussi de la vente.

Qui que vous soyez, où que vous soyez, quoi que vous fassiez, vous vous adonnez à la vente. Il est possible que vous ne vous en soyez jamais rendu compte, mais tel est bien le cas.

Alors dites-moi: qui est mieux qualifié pour vous aider à vous faire accepter que la personne qui a couronné sa carrière en voyant son nom inscrit dans *Le livre des records Guinness* en tant que meilleur vendeur au monde?

Mais commençons par le commencement.

S'assumer soi-même

Avant de pouvoir vous faire accepter des autres pour ainsi vendre vos idées, vos désirs, vos besoins, vos ambitions, votre habileté, vos produits et services, il faut que vous soyez entièrement sûr de vous-même, que vous vous assumiez complètement.

Vous devez être sûr de vos capacités, croire en vous et avoir confiance en votre réussite. En d'autres termes, vous devez être persuadé de votre propre valeur.

La connaissance de ma valeur me fut inculquée par ma mère, Grace Girard, qui m'enseigna également le sens de la dignité personnelle malgré la désapprobation totale de mon père.

Jusqu'à ce jour où je franchis le cap du demi-siècle, au moment où je me prépare à accrocher mes gants de vendeur et à prendre une retraite que je crois méritée, je me rappelle clairement les conflits qui nous opposaient, mon père et moi. D'après lui, je ne pouvais rien faire de bien. Pour des raisons

17

que je ne comprendrai jamais, il s'acharnait à me faire sentir que je serais un raté toute ma vie. Enfant d'ascendance sicilienne, je colportais des journaux et cirais les chaussures dans les bistros; il semblait que je devais être plafonné aux sottises de garnements de rues. Insidieusement, les paroles de mon père faisaient leur chemin et je commençai à y croire. Ma dignité personnelle dégringola à un tel point que, dans mon adolescence, je me retrouvai face à la perspective de l'école de réforme. J'y ai échappé de justesse car, Dieu merci, ma mère ne partageait pas les idées de mon père.

Ma mère, Dieu ait son âme, a passé la majeure partie de sa vie à me persuader que je pouvais devenir le meilleur. Elle mettait toujours l'accent sur l'importance de s'assumer, de croire en sa valeur personnelle. À sa façon, elle me répétait ce que mon ami le docteur Norman Vincent Peale allait me dire plus tard: «Joe, tu es ce que tu crois être, tu es le reflet de tes pensées.»

Tout débute avec l'opinion que l'on a de soi-même. *Qui êtes-vous donc?*

Vous êtes un exemplaire unique

Je me souviens du sourire de ma mère lorsque, me tenant la main, elle me disait: «Joey, il n'y a personne comme toi au monde, tu es unique en ton genre.» Heureusement, la plupart d'entre nous sont dotés de mères qui pensent ainsi. La mienne était à mes yeux un être à part et, parce que je l'aimais tant, je croyais aveuglément à tout ce qu'elle me disait. Et puis, je n'avais pas de jumeau; alors, qui pouvait me ressembler?

Cependant, j'ai connu des frères jumeaux dans mon quartier dont je me souviens très bien: Eugene et John LoVasco. Ils étaient identiques, de parfaits sosies l'un de l'autre. Même leur mère avouait qu'elle s'y perdait parfois. Tous les gens savaient qu'ils étaient des jumeaux identiques, mais l'étaient-ils vraiment? De nombreuses années plus tard, j'avais quitté

Détroit et je me trouvais en compagnie d'un ami, agent du FBI, à qui je demandai si la théorie des jumeaux identiques était solide.

Écoutez bien ce que j'appris alors: le FBI possède des milliers d'empreintes digitales et aucune de ces empreintes n'a sa contrepartie. Personne, depuis les débuts de l'humanité, n'a porté des empreintes digitales identiques à un autre et il s'avère donc impossible que, dans l'avenir, on retrouve des empreintes ou même des paumes parfaitement semblables chez deux personnes.

Ce n'est pas tout. Mon ami du FBI me dit qu'il se faisait maintenant des impressions de la voix humaine, sous forme de murmures, articulations de mots, chants ou cris, et que ces impressions faisaient partie de l'identification formelle. Tout comme pour les empreintes digitales, il n'existe pas deux personnes qui aient exactement le même timbre de voix. Il est possible que l'oreille humaine soit incapable d'en déceler la différence, mais les impressions ne mentent pas.

Voilà un fait indéniable: il n'existe pas deux personnes douées de la même personnalité. Les jumeaux soi-disant identiques peuvent, à l'oeil nu, paraître semblables à tel point que même leurs parents aient de la difficulté à les reconnaître, mais essayez seulement d'assortir le côté droit du visage de l'un avec le côté gauche de l'autre et vous verrez qu'ils ne concordent pas.

Vous êtes unique. Personne au monde ne vous ressemble parfaitement, ne possède les mêmes empreintes digitales, la même voix, les mêmes traits, la même personnalité. Vous êtes un original au plein sens du mot, *le numéro un*. Maintenant que vous êtes au courant, vous devez vous mettre à la tâche de vous persuader irrévocablement de ce fait tous les jours.

Manifester son originalité

Au revers de mon veston, j'affiche une épingle disant que je suis le *Numéro un;* elle ne me quitte jamais. J'avais l'habitude de la porter parce que je suis le vendeur par excellence. Mais même si j'ai quitté le domaine de la vente des voitures et que ma vie se résume en un tourbillon de conférences auprès de groupes appartenant aux affaires et à l'industrie, auprès d'étudiants d'universités, à rédiger le fruit de mes expériences afin d'en faire bénéficier d'autres, je continue à porter cette épingle parce qu'elle me rappelle que je dois toujours avoir confiance en mes moyens. *Je m'assume,* et cette épingle le proclame bien haut.

Vous ne sauriez croire combien de personnes m'en demandent la signification. Des étrangers dans les avions, ceux avec qui je partage une table ronde lors d'une conférence ou devant les caméras, même des gens rencontrés dans les ascenseurs, de ceux qui ordinairement gardent les yeux dans le vague et ne disent rien. Tous me posent la même question.

Invariablement, je leur réponds: *«Je suis la personne qui compte le plus dans ma vie.»*

Ces paroles peuvent vous sembler égocentriques. D'autres, plus charitables, le virent comme un manuel pratique de l'égoïsme éclairé. Je crois que tous ont fait fausse route dans leur appréciation. Voici le message que j'en ai retiré moi-même: *Si vous n'êtes pas persuadé que vous êtes le meilleur, personne ne le fera à votre place.* C'est bien cette croyance que vous devez, rechercher.

Maintenant, je vous invite à faire ce qui suit: présentez-vous dans une grande joaillerie ou au rayon des bijoux d'un grand magasin. Vous y trouverez une épingle comme la mienne; on en trouve un peu partout dans ces établissements. J'en ai vu même dans des catalogues. Ce pourrait aussi bien être un collier, un bracelet, une breloque ou une bague. Peu importe où vous porterez le bijou, il captera les rayons du soleil et scintillera dans la lumière d'une pièce. Il frappera constamment votre regard et vous rappellera que vous êtes le meilleur. C'est un peu ce que je qualifierais d'influence sur le psychisme, d'attrait pour soi-même.

Muhammad Ali: se préparer psychologiquement

Depuis le temps où Joe Louis, le Bombardier brun, opéra sa montée spectaculaire du même ghetto de Détroit où je fis mes premières armes et devint le champion poids lourd du monde en 1937, on n'avait pas encore rencontré un autre champion de la classe de Muhammad Ali dont l'audace et la détermination ont épaté le monde entier. Vous vous souvenez qu'il a changé son nom en cours de route? Comme je me propose de vous entretenir plus longuement de Joe Louis plus tard, je vais me concentrer pour le moment sur Ali. Sous le nom de Cassius Clay, il devint champion pour la première fois en 1964 et la seconde fois sous le nom de Muhammad Ali en 1974.

Ce dernier disait à qui voulait l'entendre (en privé, dans le vestiaire, au microphone, devant les caméras de la télé et du cinéma, dans les journeaux et les revues) qu'il se considérait comme le meilleur. En fait, ces paroles devinrent sa marque de commerce: *«Je suis le plus grand!»*

Vous pouvez l'en croire. J'ai observé Ali lorsqu'il commence à se motiver avant un combat. Il affirme aux reporters, et en poésie s'il vous plaît: «En cinq, je le descendrai/ Une chute il prendra/ Un jab ne pourra placer/ Quartier, il demandera.» Ali aimait prédire la ronde où il abattrait son adversaire. Que faisait-il en fait? Il vendait sa marchandise lui-même. Il ouvrait à plein toutes ses soupapes afin d'obtenir l'adrénaline nécessaire au combat. Et qu'arrivait-il? Son opposant l'entendait ou lisait ces paroles et, inconsciemment, se détruisait lui-même. Pour finir le plat, dans l'arène, Ali fixait intensément l'adversaire pendant que l'arbitre leur rappelait les règles du jeu et lui disait exactement ce qu'il se proposait de lui faire. Tout cela faisait partie de sa technique de vente.

La première fois qu'il rencontra Leon Spinks, il ne fut pas fidèle à son rituel et le monde vit alors le grand Ali mordre la poussière. Il avait oublié de se répéter qu'il était le plus grand, de se persuader qu'il allait remporter la victoire. Il en fut autrement à sa seconde rencontre avec Leon Spinks et il reprit son titre de champion poids lourd du monde. Il est le plus grand!

Dans la vie, vous rencontrez toutes sortes d'adversaires, toutes sortes d'obstacles. Vous êtes constamment dans l'arène à combattre. Vous pouvez gagner ou être descendu pour le compte. Pourquoi ne seriez-vous pas victorieux? C'est bien plus intéressant, plus rentable et beaucoup plus agréable.

Un type que je connais, John Kennedy, dépisteur pour les Argonauts de Toronto, aime répéter un dicton répandu chez les athlètes: «C'est la victoire qui compte. Arriver deuxième, c'est un peu comme embrasser sa soeur.»

Point n'est besoin de faire usage de force physique, de dire à vos adversaires, à vos obstacles, ce que vous vous proposez de leur faire. Ayez fermement l'intention de réussir et dites-vous que vous êtes le plus grand. Agissez sans tarder. Répétez tout haut ces paroles: *«Je suis le plus grand!»* Ne vous lassez pas de les redire. Si vous êtes seul en ce moment, lancez-les à haute voix. Faites-en trembler les murs. Comment vous sentez-vous maintenant? Bien, n'est-ce pas? Bon, reprenez votre lecture.

Tous les gens qui réussissent à se faire accepter ont commencé par s'assumer eux-mêmes. Le fait de s'assumer comporte différentes formes qu'on peut résumer dans ces mots: apprendre à s'aimer. Comment?

George Romney: trois étapes vers l'acceptation de soi

George Romney, ancien président d'American Motors, ancien gouverneur de l'état du Michigan, ancien secrétaire de la section Urbanisme et Logement, homme d'une intégrité, d'une habileté et d'une spiritualité reconnues, avança ces pensées un jour, à ce que l'on m'a dit, dans une conférence qu'il donnait aux membres de sa communauté mormone:

1. Ne posez jamais un acte dont vous pourriez avoir honte plus tard.
2. Ne craignez pas de vous féliciter de temps à autre.
3. Vivez de façon à pouvoir désirer vous avoir vous-même pour ami.

Cette formule en trois étapes est fantastique et je crois que Romney mettait vraiment en pratique ce qu'il prêchait. Je l'ai observé durant de longues années, je l'ai vu prodiguer gratuitement le fruit de son expérience et de son habileté à ses compatriotes, et je puis vous affirmer que non seulement est-il porté vers les autres, mais il est parfaitement conscient de ses capacités.

N'allez pas croire qu'il n'a pas rencontré de nombreux obstacles. Je me rappelle la première fois où il avait décidé de briguer les suffrages au poste de gouverneur de l'état du Michigan; il mentionna alors honnêtement qu'il avait beaucoup prié avant de prendre une telle décision. Vous ne pouvez imaginer les moqueries et le persiflage dont il fut l'objet de la part de certains média. En une autre occasion, il fit allusion tout bonnement au fait qu'on lui avait «lavé le cerveau» en ce qui avait trait à certains aspects des affaires intérieures et militaires. De nouveau, les média et d'autres lascars lui rirent au nez. Pourtant, imperturbable, il continua son bonhomme de chemin, se servant de ces obstacles pour avancer vers son but.

Transformer les huées en compliments

Si vous persistez à vous motiver, à vous persuader de votre valeur personnelle, vous n'éprouverez pas de difficultés à vous maintenir en tête. Vous rencontrerez une foule d'obstacles que vous devrez être prêt à affronter. Très tôt, ma mère me mit en garde contre les problèmes des années futures mais elle prit soin de me dire de ne pas m'y arrêter indûment. S'y arrêter, disait-elle, équivaut à se préparer à tomber dans le piège du négativisme. J'ai bien failli m'y laisser prendre et j'y ai échappé par miracle.

L'année où je fus déclaré *vendeur par excellence,* on m'honora à un dîner commandité par la compagnie qui m'employait, dîner qu'on appelait *Legion of Leaders banquet* (Banquet de la Légion des chefs de file). Je fus applaudi à tout rompre sans me douter des obstacles qui allaient massacrer mon image plus tard.

L'année suivante, j'étais de retour (la Légion des chefs) et les applaudissements furent moins nourris. La troisième année, ils se changèrent en huées.

Je me tenais debout devant le pupitre de l'orateur complètement sidéré, tellement bouleversé que je ne pouvais bouger. Je jetai un regard vers ma femme assise à l'autre bout de la table d'honneur: elle avait les larmes aux yeux. Je regardai alors la foule des autres vendeurs et je ressentis un choc: J'avais soudain l'impression qu'ils se posaient tous en obstacles gigantesques sur ma route vers les sommets.

Tout en écoutant les railleries et les huées de mes confrères (ceux qui ne parvenaient pas à atteindre le sommet), je repris soudain courage en me souvenant d'un autre homme qui avait supporté les huées de la foule. À mon sens, il fut l'un des plus grands joueurs de baseball de son temps. Je veux parler de Ted Williams, qui avait conservé une moyenne à vie au bâton de .406. Je me souvins que chaque fois que le stade résonnait des huées à son adresse, sa moyenne remontait. C'est à ce moment précis de ma vie que je compris qu'il me fallait ignorer les railleries et aller de l'avant sans répit.

Donc, ce soir-là, je mis de côté le discours que j'avais préparé et je demandai à ceux qui me faisaient la vie dure de se lever afin de bien les voir et de les remercier. *Oui, oui, de les remercier!*

Je dis alors: «Je vous remercie de tout coeur. À l'an prochain!» Je m'armai d'un sourire de cent mille volts et continuai: «Vous venez de me donner le droit de revenir. Vous avez rechargé ma batterie et relancé mon moteur.»

Je rejoignis ensuite ma femme qui n'avait pas bougé et dont le mascara lui striait les joues. Je lui demandai pourquoi elle pleurait et elle me répliqua qu'elle avait honte et se sentait gênée par les gens qui me huaient. Elle versait des larmes de sympathie à mon égard et de rage envers les autres.

Je lui serrai la main: «June, le jour où ils cesseront de me huer sera le signal de ma déchéance. Ils viennent tout simplement de me faire le plus grand compliment.»

Je revins pour de nombreuses années encore et toujours, j'étais reçu par des railleries et des quolibets. Chaque fois, je me servais de leurs mauvaises manières et de leurs huées pour opérer une volte-face complète et me maintenir à la tête du peloton.

Huit ans plus tard, pendant lesquels j'étais demeuré le vendeur par excellence, le réseau NBC-TV dépêcha ses caméras sur les lieux afin de filmer le phénomène en vue d'une émission à portée nationale. NBC avait entendu parler des huées décernées par ses propres confrères au vendeur par excellence du monde entier. L'événement avait été rapporté dans les journaux: Automotive News et Newsweek, par télétype, United Press International et La Presse associée.

Une fois de plus, sous les feux de la caméra et sur les ondes de la télé nationale, la même chose se reproduisit. Je souris comme d'habitude et dit: «Je vous remercie. À l'an prochain!»

Durant toutes ces années, seul dans ma chambre le soir, j'ai essayé de comprendre l'attitude de mes confrères dans la vente. Était-ce l'envie, la jalousie? Peut-être se refusaient-ils à trimer aussi dur que je le faisais, à payer le prix de la gloire; ou ils refusaient simplement de verser leur contribution.

Je décidai sur-le-champ que, si je voulais continuer ma route vers les sommets, je devais ignorer tous ces obstacles: envie, jalousie, l'idée de me contenter de la seconde place, d'abandonner la partie. Je compris soudain ce qui s'était produit à ces dîners. *Ceux qui se contentent de deuxièmes et de troisièmes places dans la vie ne sont pas satisfaits tant qu'ils n'ont pas ramené les premiers à leur niveau.*

C'était là le piège dont me parlait ma mère et contre lequel elle m'avait prévenu.

Trois sortes de gens

L'humanité pourrait être divisée en trois catégories.

Il y a les gagnants faciles à discerner, ceux qui se sont assumés, les victorieux, les agissants. Ils sont remplis d'enthousiasme, ne se plaignent jamais et sourient volontiers. Ils sont la preuve positive que vous récoltez ce que vous semez dans la vie. Ils possèdent le don de recharger votre batterie par leur énergie débordante. *Voilà des gens que vous désirerez imiter.*

On retrouve les deuxièmes dans tous les bureaux, départements, boutiques, salles de classe, vestiaires: des éternels insatisfaits toujours à la recherche d'une épaule compatissante, d'une oreille attentive et charitable. Rien ne tourne rond chez eux: *ce sont des gens à éviter à tout prix.* Ils font partie de la classe des défaitistes et des pessimistes et il faut les fuir comme la peste afin de ne pas devenir comme eux.

N'oublions pas également les troisièmes, ceux qui ont tout simplement abandonné la partie. Ils semblent dire par leur attitude; «À quoi bon!» Leur devise se résume à ces mots: «Laissons faire les autres!» En un sens, ils sont plus à plaindre que les précédents car ils n'ont jamais fait le moindre effort. *Évitez-les!*

Le chemin de la victoire

La seule façon de remporter la victoire dans la vente de soi-même consiste à croire que vous êtes le plus grand et à agir en conséquence, en vous rappelant chaque jour que vous l'êtes vraiment, oralement ou par un signe quelconque. Tout comme la plante a besoin de fertilisant, de même votre esprit a besoin de fortifiant. Placez bien en évidence un petit carton indiquant que vous êtes le plus grand. Regardez-vous dans la glace chaque matin et répétez-vous que *vous êtes votre meilleur vendeur.* Suivez le conseil du docteur Norman Vincent Peale, pasteur du Marble Collegiate Church de New York et auteur du best-seller *The Power of Positive Thinking* qui vous pousse à répéter constamment que vous êtes le plus grand. Vous êtes vraiment tel que vous vous concevez vous-même.

C'est une question de représentation. Robert L. Shook, éminent auteur et homme d'affaires, affirme dans son ouvrage *Winning Images* (Images de gagnants)* ce qui suit: «Si vous voulez créer chez les autres une excellente image de vous-même, vous devez commencer par la développer chez vous.»

Mon ami Lowell Thomas m'écrivait dernièrement: «Combien j'aimerais pouvoir recommencer ma vie et suivre ton cheminement!» Ces paroles venant d'un homme qui est lui-même un des plus remarquables cerveaux de notre temps, le plus grand reporter au monde, sont le compliment le plus précieux que j'aie jamais reçu. Elles me prouvent que, à ma façon, j'ai réussi à me faire accepter par lui.

---

* Publié aux Éditions «Un Monde Différent» Ltée

À votre façon personnelle, vous pouvez vous aussi vous faire accepter avec autant de succès. La condition primordiale est la confiance en vous, qui êtes le plus grand produit de la terre, un individu qui n'a pas son pareil nulle part.

Vous êtes le plus grand!

Actes à poser MAINTENANT!

- Procurez-vous une petite épingle ou une bague, un bracelet, un collier, une breloque marquée du numéro 1, et portez vaillamment ce bijou tous les jours.
- Sur une carte de 3" X 5", dactylographiez les mots *Je suis le plus grand* et collez ce carton dans la glace de votre salle de bains où il captera votre regard dès votre lever. Lisez-le et souriez.
- Conservez une carte semblable bien à la vue dans votre boutique, sur votre bureau, dans la cuisine, dans votre casier. Agrafez-en une au pare-soleil de votre voiture.
- En vous levant le matin, répétez ces mots une bonne dizaine de fois: «*Je suis mon meilleur vendeur.*»
- Au moment de vous retirer le soir, répétez encore ces mots autant de fois: «*Je suis la personne la plus importante dans ma vie.*»
- Associez-vous aux gens qui savent se faire accepter, des gagnants.
- À partir de maintenant, évitez de frayer avec les défaitistes.
- Faites maison nette des pensées négatives: envie, jalousie, avarice, haine; chassez-les de votre vie.
- Prenez la résolution de considérer chaque huée, chaque quolibet comme autant de compliments et faites-les tourner à votre avantage.
- Au moins une fois par jour, félicitez-vous de quelque chose.

2

Se faire accepter
des autres

P our qu'il y ait vente, il faut un acheteur. Donc,
mettez-vous à la place d'un acheteur et demandez-vous
un moment si quelqu'un aimerait vous acheter.

Puisque vous tentez constamment de vous faire accepter
d'une certaine manière par certains groupes ou certains indi-
vidus, vous devez vous faire remarquer. Vous ne pouvez vous
payer le luxe d'être un produit quelconque; on fait fi d'un tel
produit.

Afin de faire mouche auprès des autres, vous devez présenter une image attrayante de vous-même. Vous essayez de
persuader d'autres personnes d'agir comme vous l'entendez,
de voir les choses de votre point de vue; vous voulez changer
leur optique, vous faire aimer.

Au premier chapitre, j'ai mentionné certains cas mais il s'en
trouve d'autres très nombreux: essayer d'obtenir un rendez-
vous pour une sortie du samedi soir, c'est de la vente; solliciter
une augmentation de salaire de la part du patron, c'est vendre;
demander quelques jours de vacances de plus, une promotion
ou une mutation dans un autre service, c'est de la vente
également. N'importe quel écolier tentant de se libérer d'un
devoir de classe fait de la vente. Supplier l'entraîneur de vous
laisser jouer au lieu de réchauffer le banc, c'est vendre. Les
dentistes, les médecins, les avocats, les enseignants, tous s'offrent en vente en tout temps. Il en va de même pour les
policiers, mais eux vendent souvent mal leur produit.

Il y a quelques années, les policiers américains commencèrent à perdre le respect de la jeunesse qui en vint à les traiter de *flics* pour ensuite les qualifier de *chiens*. En certains cas, l'appellation était nettement obscène. Comment expliquer un tel changement d'attitude? Une des raisons repose sur le fait que les dépositaires de la loi avaient cessé de se considérer comme les amis des jeunes. Ils se posèrent en ennemis acharnés des cheveux longs, des jeans et des colliers chez les garçons. Ils associaient cet accoutrement, parfois à tort, avec l'usage de la marijuana et le monde de la drogue. Les policiers paraissaient souvent plutôt les ennemis que les protecteurs de ceux qui prônaient l'originalité. Un vol dans le but de se procurer un joint était souvent puni plus sévèrement qu'un détournement de fonds. Les jeunes se révoltèrent.

Il fallut alors beaucoup d'efforts et de travail acharné de la part des policiers pour redorer leur blason, pour redevenir des amis et des protecteurs. Je cite en exemple la *Police Athletic League* (Ligue athlétique des policiers) pour les jeunes fondée par les policiers de ma ville natale, Détroit, et je pourrais en énumérer d'autres. Ce n'est pas un hasard que le sigle anglais soit PAL (ami). Qui voudrait nier que l'image de *l'ami* n'est pas cent fois supérieure à celle du *chien*?

Pensez sérieusement à l'image que vous présentez aux autres, contenant et contenu.

L'importance d'un produit vendable

Vous ne serez pas accepté si vous êtes un quelconque produit. Les manufacturiers, les agences publicitaires, les recherchistes du marché et les détaillants consacrent des milliers de dollars à la façon de procéder afin de rendre un produit plus vendable auprès de clients éventuels. Durant des semaines et des mois interminables, ils discutent de la couleur, de la dimension, de la forme et de la présentation. La nourriture, les chemises, les produits de beauté, les boissons, les tournées touristiques ont été conçus à partir de deux principes: l'attraction visuelle et la suggestion d'acheter.

Bien peu de gens se laissent tenter devant un colis-surprise car ils sont toujours déçus lorsqu'ils y succombent. La plupart du temps, le contenu ne vaut rien et ne mérite que le mépris. L'enveloppe même ne peut en camoufler l'insignifiance.

Idéalement, le contenant et le contenu devraient faire la paire.

Le contenu représente ce que vous êtes foncièrement: votre personnalité se manifeste dans vos yeux, votre sourire devient engageant, vos paroles reflètent votre pensée, votre disposition à écouter, votre énergie, votre enthousiasme, vos attitudes et votre façon de voir.

Le contenant représente votre apparence extérieure: votre mise, votre propreté, votre tenue soignée, votre teint, votre taille, vos vêtements et votre façon de les porter, votre posture, votre démarche.

Dans cet ouvrage, je mets surtout l'accent sur le contenu, sur votre attitude intérieure et les moyens de vous développer de telle sorte que de vous faire accepter deviendra pour vous un jeu d'enfant. Pour le moment, arrêtons-nous sur l'aspect extérieur. Après tout, c'est là la première chose qui frappe le regard et votre acceptation commence à ce moment-là. Votre enveloppe joue un grand rôle dans ce cas.

Vous avez sans doute déjà reçu un colis qui avait été malmené en cours de route: on l'avait échappé peut-être, le papier d'emballage en était souillé, déchiré ou la ficelle relâchée. Au moment où vous en avez pris possession, vous vous êtes demandé ce qu'il en était du contenu.

Il en va de même pour les personnes. Nous devons refléter dans notre apparence extérieure les qualités que nous désirons faire connaître de ceux qui nous approchent. Si notre aspect externe fait naître des doutes dans l'esprit de nos interlocuteurs, elle sonnera alors le glas de notre acceptation.

Huit règles sur les soins à donner au corps

1. *Prendre une douche ou un bain chaque jour.* Vous paraîtrez mieux et vous vous sentirez mieux dans votre peau. Faites usage d'une eau de cologne discrète.

2. *Prendre soin de ses cheveux.* Lavez-les régulièrement. Autant que possible, suivez la mode du jour. Ne permettez jamais aux pellicules de gâcher votre apparence.

3. *Femme, faire usage de cosmétiques d'une façon discrète.* Appliquez-les avec soin afin de faire ressortir vos traits principaux. Le maquillage épais n'est plus de mise. Vous désirez seulement influencer, non pas conquérir.

4. *Homme, se raser aussi souvent que cela s'impose...* deux fois par jour si nécessaire. Le visage ombragé de barbe vers les cinq heures n'est pas excusable. Cela ne vous fait pas paraître plus viril; au contraire, vous avez l'air négligé. Gardez toujours sous la main un rasoir supplémentaire et faites usage d'une bonne lotion après rasage.

5. *Femme, prendre bien soin de ses ongles régulièrement.* Choisissez un vernis qui enjolive vos doigts, non un vernis qui jure. Évitez le noir et le rouge flamboyant.

6. *Homme, garder ses ongles bien taillés et propres.* Vous pouvez avoir recours aux services d'une manucure si vous le préférez. Attention aux taches de nicotine. (Le même avis s'adresse aux femmes.)

7. *Surveiller sa condition physique.* Si nécessaire, défaites-vous des livres que vous portez en trop; cela est possible et nous traiterons de la question plus loin dans ce chapitre. Soumettez-vous à un ensemble d'exercices dès maintenant.

8. *Surveiller sa tenue.* Redressez-vous, marchez droit, les épaules rejetées en arrière, le vendre rentré. Vous êtes le plus grand! Les gens de ce calibre ne se laissent pas aller, ni debout ni assis.

Parlons maintenant des vêtements

Rappelez-vous que vous êtes souvent jugé sur votre apparence extérieure. *L'habit fait le moine* est une expression qui vaut toujours son pesant d'or. L'endroit et le moment de porter tels vêtements sont encore des facteurs importants. Une robe du soir et des fourrures chez une femme sont à leur place dans un restaurant ou au théâtre; ils détonnent si on les porte à un rendez-vous d'affaires. J'exagère? Loin de là, car j'ai été témoin de ce qui se produisait dans ces cas.

Je connais un homme qui, dans son travail de conseiller et de psychologue, porte des vêtements discrets. C'est bien ainsi car il doit inspirer confiance à ses clients. Cependant, le soir, lorsqu'il est invité à une partie, il se métamorphose complètement: on le voit arriver en pantalon de coutil ou de cuir complété d'un collier ou d'une breloque astrale, et même parfois d'un anneau d'or à l'oreille gauche. Cela ne lui fait ni chaud ni froid d'être pris parfois pour un homosexuel, ce qu'il n'est certes pas. Mais pouvez-vous vous représenter l'impact qu'un tel accoutrement aurait à son travail? Ses conseils auraient le même effet que l'eau qui coule sur l'aile d'un canard.

Un pionnier dans l'art d'enseigner les moyens de réussir dans la vente, surtout dans la vente de voitures, se nomme Jamison Handy. Il a aujourd'hui quatre-vingt-dix ans bien sonnés et est toujours actif dans le domaine des communications audio-visuelles. On m'a dit qu'il se faisait un point d'honneur de porter des complets faits sur mesure sans poche de poitrine. Il soutient que ces poches de poitrine sont de véritables distractions pour ses interlocuteurs car elles sont ordinairement garnies de mouchoirs, crayons, stylos, cigarettes ou cigares. Il croit que ces objets retiennent l'attention des gens et les empêchent de prêter l'oreille au message du conférencier qu'il est.

À mon point de vue, ce n'est là qu'une excentricité. En autant que j'ai pu déduire de sa façon de vendre au détail, je crois qu'il fait erreur en agissant ainsi. Je connais des gens qui seront d'autant plus distraits par l'absence d'une poche de poitrine. Ils sont hypnotisés par ce manque non conventionnel et une partie du message se perd quand même.

Il n'y a rien de plus éphémère que la mode. Une année, nous retrouvons les revers de vestons larges et les cravates monstres; l'année suivante, c'est un retour aux cravates étroites. Vous avez le choix de même couleur que le veston ou de teinte contrastante. La longueur? Encore là, elle monte et descend à la façon d'un ascenseur. Les chapeaux et les casquettes vont et viennent. Partout sur le globe, les *jeans* font la une. Pour tout dire, la mode est une affaire de goût personnel... de choix aussi. Voici quelques suggestions qui vous aideront à voir clair dans ce fouillis:

Huit règles sur la façon de se vêtir

1. *Acheter ce que l'on peut s'offrir de mieux.* Ne lésinez pas sur le coût. Des vêtements de qualité seront tout à votre honneur et à votre profit car ils dureront plus longtemps. Qu'il s'agisse d'un complet, d'une robe, d'un chapeau, de chaussures, assurez-vous qu'ils vous vont parfaitement bien.

2. *Se monter une garde-robe complète.* Elle devra comprendre des vêtements pour le travail, les affaires, le soir, les voyages, le repos. Choisissez-les avec soin. Vous pouvez souvent combiner des articles et ce sera tout à votre avantage.

3. *S'habiller en rapport avec la situation.* Portez toujours les atours que demande l'occasion. Vous ne vous présenteriez certes pas devant un président de banque en jeans, non plus que vous ne porteriez un habit de cérémonie pour aller jouer au ballon.

4. *Suspendre ses vêtements avec soin.* Les complets, robes, chandails et pantalons garderont leur forme plus longtemps si vous prenez soin de les suspendre correctement. Traitez-les avec respect et vous en aurez pour votre argent.

5. *Faire nettoyer et presser ses vêtements régulièrement.* Les taches et les plis, les froissures ne font jamais bon effet. Le fait d'entretenir ses vêtements leur assurera également une plus longue durée.

6. *Choisir les accessoires qui complètent une toilette sans distraire.* Les cravates doivent être discrètes chez les hommes tout comme la femme doit éviter de porter des boucles d'oreilles trop longues ou trop grosses. Il faut aussi éviter le port de boucles de ceintures voyantes et de bracelets à nombreuses breloques. Une chemise à rayures avec un complet tartan donne le vertige.

7. *Les chaussures doivent compléter l'habillement.* Tenez-vous-en aux couleurs noire ou brune et ne portez pas au bureau des chaussures que vous porteriez à une réception, à vos heures de loisirs ou pour le sport.

8. *Prendre grand soin de ses chaussures.* Des embauchoirs à chaussures aideront à conserver leur forme. Veillez à ce qu'elles soient bien cirées en tout temps, qu'elles ne soient pas élimées ou qu'elles n'aient pas les talons éculés. Le seul homme que je connaisse qui ait pu s'en tirer avec un trou dans la semelle de sa chaussure, comme des millions de téléspectateurs purent le constater, fut le regretté Adlaï Stevenson. Rappelez-vous cependant qu'il a perdu son élection.

En résumé, faites tout votre possible pour présenter une image acceptable à tous. Demandez-vous alors: «*Serais-je disposé à me faire confiance tel que je suis?*»

Connaissez bien votre produit

Chaque fois que je me mets en frais de me faire accepter, je me demande dans quel but je le fais. Est-ce que je désire persuader ma fille, qui m'assure qu'elle ne sait pas cuisiner, de tenter de réussir une recette de sa mère pour mon plat favori, une pasta agrémentée d'une sauce à faire rougir un Italien?

Est-ce que je me propose de convaincre le directeur des ventes d'une firme d'automobiles étrangères que les méthodes de vente sont les mêmes partout au monde et que le fait d'avoir été à l'emploi d'une société américaine pendant de longues années n'est pas un obstacle?

Est-ce que je désire persuader un détaillant d'articles nautiques que ses vendeurs trouveront autant de profit que les vendeurs de voitures à suivre le cours de huit semaines dispensé par le *Joe Girard Sales Training School* (l'école de formation à la vente de Joe Girard)?

Ou bien, est-ce que je tente tout simplement de convaincre le petit porteur de journaux de mon quartier que je suis son client le plus aimable dans le but de l'empêcher de lancer mon journal à dix milles de mon porche tout en pédalant à toute vitesse?

Une fois que l'objectif est bien défini et que la vision de ce que je désire accomplir est bien précise, je me demande alors ce qu'il me faut faire pour réussir.

Je ne parviendrai jamais à convaincre mon directeur des ventes de voitures étrangères si je lui rabats les oreilles de mes hauts faits en Amérique au lieu de lui démontrer mes possibilités dans la vente de ses propres voitures. Mon passé ne l'intéresse guère; c'est son avenir qu'il voit devant lui et ce que je puis faire pour le seconder. C'est cela que je vends en réalité.

Je dois également mettre l'emphase sur les principes de vente de bateaux auprès du détaillant d'articles nautiques au lieu de parler automobiles si je veux qu'il envoie ses vendeurs à mon institut. *Les trucs de vente qui ont fait leurs preuves* sont vraiment ce que je tente de passer. Dernièrement, j'enseignais les principes de base de la qualification et de la conclusion de la vente à un vendeur de bateaux, le seul dans un groupe de trente-neuf vendeurs de voitures. Vers la fin de la deuxième semaine, les vendeurs d'automobiles faisaient preuve d'amélioration, tout comme le vendeur de bateaux. Ce qui prouve que des personnes destinées à la vente de produits différents peuvent profiter tout aussi bien des mêmes principes.

Tout comme le petit porteur de journaux doit se faire accepter de moi, je dois en faire autant face à lui. J'appelle cela une assurance de bonne livraison. Je serai certainement le client le plus populaire de sa route si je paie rubis sur l'ongle et si je lui montre mon appréciation de sa façon de procéder: un journal sec les jours de pluie ou de neige, et déposé sur le palier à portée de la main.

Pour réussir à vous faire accepter,
il faut bien connaître votre produit.

Tous les jours, les gens essaient de se faire accepter et plusieurs se cassent la figure parce qu'ils tentent de se présenter sous un autre jour que le leur.

Le golfeur professionnel

Il y a quelques mois, je fus témoin d'une violation malheureuse de ce principe. J'avais été invité à participer, sur réseau privé, à une émission radiophonique pendant laquelle l'animateur fait des entrevues; je devais mousser la vente d'un de mes livres. À cette occasion, je savais que je devais faire accepter deux choses: mon livre et moi-même. Puisque mon bouquin traitait de la vente, il aurait été de mauvais aloi de me lancer dans des discours sur des sujets comme l'éducation sexuelle dans les écoles publiques, l'admission de la Chine rouge aux Nations unies ou les conseils préventifs des médecins sur l'usage de la cigarette. Je n'étais pas là pour cela.

J'ai donc disposé de mon temps d'antenne pour parler de mes antécédents comme vendeur et surtout, j'ai épilogué sur les raisons qui m'avaient poussé à rédiger mon ouvrage. Ces instants furent consacrés totalement à la vente, rien d'autre.

Mon co-invité était un jeune homme du Midwest, golfeur professionnel et, à ce qu'on m'a dit, parmi les meilleurs puisqu'il avait récemment remporté un championnat sur un parcours de dix-huit trous, tournoi commandité par une vedette de cinéma bien connue. Le jeune homme devait maintenant participer à un autre tournoi professionnel dans quelques semaines et ses chances de remporter la victoire semblaient excellentes.

Il avait là la chance toute rêvée d'asseoir sa popularité et celle du club dont il était le représentant, mais il manqua royalement le bateau. Au lieu de s'en tenir à son sport, il parla avec ferveur de la discotèque de l'endroit comme s'il voulait y attirer des clients. Il causa également des perspectives de réussite dans la pêche au saumon coho. Pour finir le plat, il se lança dans un discours sur la paix au Moyen-Orient.

Tous ces sujets sont fort intéressants, je vous l'accorde, et le jeune homme a démontré qu'il avait une certaine culture; cependant, il ne passait pas à l'antenne en qualité d'analyste de la situation mondiale. On l'avait invité pour parler golf. De tout le temps alloué, je ne crois pas qu'il employa plus de trente secondes pour parler de sa carrière et de son sport. Il avait oublié de vendre son meilleur produit: lui-même.

Il est de prime importance de bien connaître son produit et de savoir le présenter aux gens intéressés au bon moment. Cela demande un solide inventaire des moyens à notre disposition. Permettez-moi de vous donner un autre exemple pour illustrer la nécessité de réviser ses moyens avant de se lancer à l'attaque, de s'assurer de la beauté de l'enveloppe de façon à ce que les gens acceptent facilement son contenu, c'est-à-dire *soimême*.

Oral Roberts: homme d'action

Récemment, je fus invité à adresser la parole à plus de cinq mille étudiants lors de l'ouverture de la session d'automne de l'Université Oral Roberts à Tulsa, dans l'Oklahoma.

Oral Roberts est un homme à la foi profonde; il est aussi un homme d'action. Il se peut que votre religion ne concorde pas avec la sienne, comme c'est le cas pour moi. Il n'en reste pas moins qu'il est un homme remarquable. Durant la majeure partie de sa vie, lui et sa famille ont été en butte à des obstacles sans nombre et à une opposition systématique. Mais il ne s'est jamais détourné de la voie qu'il s'était tracée. Se servant des principes de vente de soi dont je me fais le héraut, il en vint à opérer de véritables miracles chez ceux qui l'écoutaient. Il fit passer son message sur les ondes de la radio et de la télévision. Il fonda une université qui forme des milliers de jeunes gens de bonne qualité destinés à répandre la bonne parole dans le monde. Aujourd'hui, il préside aux destinées d'un hôpital à Tulsa dédié à la guérison par la médecine combinée avec la foi.

Oral Roberts, l'homme d'action par excellence. Voilà quelqu'un qui sait se faire accepter et qui y travaille sans relâche. Avant de m'inviter à adresser la parole à ses étudiants, monsieur Roberts avait écouté une de mes allocutions enregistrée sur une bobine que lui avait procurée mon ami Lowell Thomas. Dès les derniers mots, il dit: «Cet homme vient de changer ma vie.» Je me sentis bien petit, bien humble.

Oral Roberts vise la réussite par l'action et c'est de cela qu'il désirait me voir entretenir ses étudiants. Ils étaient là, eux, des universitaires, devant moi qui n'avais même pas terminé mes études secondaires.

Cette occasion se serait présentée trois ans plus tôt que je n'aurais certes pas été invité. Pourquoi? Tout simplement parce que, à l'époque, *j'étais comme on peut dire mal dégrossi.* Je ne puis trouver d'autres mots pour qualifier mon apparence physique de ce temps-là. Mon amour de la mangeaille n'avait d'égale que mon ambition de vendre des voitures et ce n'est pas peu dire, je vous l'assure.

À l'Université d'Oral Roberts, il existe un règlement auquel tous doivent se soumettre. On pourrait le résumer ainsi: *«Garde-toi en bonne condition physique ou disparais!»* Cela peut sembler cruel mais c'est tellement vrai. Un(e) étudiant(e) ne peut se permettre de surpoids. On lui donne la chance de se départir des livres supplémentaires mais, si cela ne se produit pas, il lui faut partir.

Il est possible que vous ne soyez pas d'accord avec une telle politique mais il s'agit après tout d'une école privée. D'une part, vous pouvez dire que cette façon de procéder est arbitraire. Pourtant, il faudra bien que vous admettiez que l'étudiant ne peut que bénéficier du côté santé physique lorsque son poids est maintenu à un niveau normal. Devant une telle exigence, peut-on concevoir qu'ils invitent un gros bouffi à prendre la parole? Il m'aurait certainement été difficile de me faire accepter alors.

Heureusement, lorsque le temps fut venu de me présenter devant les étudiants, ma condition physique ne laissait rien à désirer. Je leur parlai d'abord de diverses étapes de ma vie avant d'attaquer le sujet du surpoids. Sans mentionner le règlement de leur université en ce domaine, je leur dis que l'homme de 85 kilos qui se tenait devant eux avait déjà fait osciller la balance à 110 kilos et présentait un tour de taille que j'étais assez mal à l'aise d'avouer. Je leur affirmai également que, si l'un d'entre eux devait perdre du poids, il le pourrait facilement car, si j'en avais été capable, n'importe qui pouvait le faire.

Je vais vous dire maintenant ce dont je n'ai pas eu le temps de les entretenir à ce moment-là: comment je m'y suis pris pour maigrir. Je le dois à un des plus beaux spécimens d'homme qu'il m'ait été donné de rencontrer, Jack La Lanne.

Jack La Lanne: releveur de défis

J'ai rencontré Jack La Lanne pour la première fois à l'été de 1975 en compagnie de nombreux hommes d'affaires lors de la réception des *Golden Plate Awards* décernés aux plus remarquables performances de l'année. J'avais été proclamé le meilleur vendeur, Jack avait mérité sa récompense pour ses efforts en vue de promouvoir une bonne condition physique. Tout son corps n'était que muscles solides, le mien était un vivant modèle de graisse non digérée.

Après le dîner, où j'avais été glouton plus que jamais, Jack me parla: «Joe, me dit-il, j'admire ta philosophie. J'aime beaucoup ce que je vois au-dessus de ton col mais, à franchement parler, je ne puis en dire autant de ce qui se présente au-dessous.» Il me regardait fixement, surtout mon ventre bedonnant. «Tu es le meilleur vendeur au monde mais il y a ici une vente que tu ne peux réussir.»

Il me défia alors de réduire mon poids et de m'y maintenir. De plus, il me passa des tuyaux dans l'art d'y arriver. Il me décrivit certaines habitudes alimentaires sensées: diminuer les féculents et augmenter ma consommation de fruits et de protéines. Il me suggéra de déjeuner de son et de jeûner un jour par semaine (le jour où je serais le plus occupé, afin de n'avoir pas de temps pour penser à la nourriture). Il me prévint également, comme je le fais pour vous, de consulter un médecin avant de me lancer dans un régime d'amaigrissement.

Trois exercices pour se tenir en forme

Jack m'indiqua ensuite trois exercices fort simples. Il me dit de commencer doucement et d'augmenter graduellement jusqu'à ce que je réussisse à en faire quarante-deux. Pourquoi quarante-deux? Il avait probablement supputé mon tour de taille et avait décidé d'y attirer mon attention ou de me taquiner. Voici de toute façon les trois exercices proposés:

1. 42 redressements assis matin et soir.
2. 42 tractions sur les mains matin et soir, en partant de la position agenouillée.
3. 42 tours de pédalier couché sur le dos matin et soir.

Je rentrai à la maison et je décidai de *le faire plus tard.*

Voyez-vous, mon corps avachi dominait encore mon esprit qui pourtant aurait dû prendre le pas sur la matière. (J'en toucherai un mot au prochain chapitre.)

Trois mois s'écoulèrent. Un matin, au sortir de la douche, je regardai mon corps. Oh! lala! Quel bedon! J'avais vraiment l'air d'un *Obélix* et je me dégoûtais à tel point que je décidai sur-le-champ, avec l'aide de Dieu, de relever le défi que m'avait lancé mon ami Jack La Lanne.

Je passai un examen médical complet. Je me mis à manger raisonnablement et, chaque fois que j'étais tenté de faire une encoche à mon régime, je forçais mon corps à obéir à ma volonté. Je jeûnai une fois la semaine et lorsque la tentation de passer outre se présentait, mon esprit était le plus fort et la chassait. J'entrepris de faire les exercices *42-42-42* et, quand mes muscles endoloris me suppliaient de cesser la *torture,* mon esprit les poussait à continuer.

Un an plus tard, je pesais 85 kilos: 25 kilos en moins de graisse inutile. Je n'avais plus de ventre et mon tour de taille était réduit à soixante-dix-huit centimètres. Je m'empressai d'écrire une lettre à Jack en clamant qu'il avait perdu son pari. Sa réponse? «Peux-tu conserver ce poids maintenant?» Un an plus tard, je n'avais pas bougé de ce poids et c'est toujours le cas aujourd'hui, ce dont je suis très fier.

Donc, j'avais bien mérité le privilège d'adresser la parole et de parler de régime amaigrissant à ces cinq mille étudiants de l'Université Oral Roberts. Ce que j'avais pu faire, ils le pouvaient également. C'est cela se vendre soi-même.

Merci encore, Jack La Lanne!

Se faire accepter suppose toujours une prise de conscience, un inventaire, pour employer un terme du métier.

Les membres d'une association de chiropracteurs m'invitèrent à leur adresser la parole. Comment allais-je m'y prendre pour me faire accepter, moi, un ex-vendeur de voitures, d'un groupe de docteurs? Ils désiraient connaître des techniques de vente d'eux-mêmes au public. Ils en avaient assez de se faire traiter de rebouteurs, d'amateurs de vertèbres disloquées. Durant une heure, je tâchai de leur résumer ce que je répète tout au long de cet ouvrage.

Un commandant de la marine américaine me demanda de parler à des recruteurs de sa section. Ceux-ci devaient se consacrer au recrutement de jeunes hommes et femmes pour grossir leurs rangs. Qu'est-ce que je pourrais bien leur dire? Je me sentais complètement démuni et j'en fis part au commandant qui me répondit: «Monsieur Girard, je vous parie un dollar que vous prendriez la parole si vous saviez qui va se trouver à la table d'honneur .»

«Qui donc?»

«Que pensez-vous du président des États-Unis, Gerald Ford?»

Je repris: «Où voulez-vous que je fasse parvenir mon dollar et quand voulez-vous que je me présente?»

Ce n'était pas un motif très valable, je l'avoue mais, tout de même, je me mis à faire l'inventaire de mes moyens. Je savais que les recruteurs de l'Oncle Sam avait un bon produit en main: le service du pays, un bon programme de retraite, une occasion d'apprendre un métier, d'aller à l'université et de se bâtir une carrière. Il y avait certes beaucoup plus dans le procédé de recrutement que des chants patriotiques et *une fille dans chaque port*. Une fois de plus, la vérité me frappa en plein visage. Se faire accepter est le premier pas à franchir chez le recruteur, se présenter comme une personne en qui les jeunes Américains pouvaient avoir confiance. À eux également, je résumai ce que je vous passe dans cet ouvrage.

Chaque minute de la journée, vous faites de la vente... de vous-même. Vous le savez probablement mais ce que vous ne savez peut-être pas, c'est la façon de procéder et de l'améliorer encore. Le reste de ce bouquin va vous le démontrer.

Actes à poser MAINTENANT!

- Chaque matin, à votre réveil, demandez-vous *si vous seriez prêt à vous accepter*. Ne cessez pas jusqu'à ce que vous disiez oui.
- Assurez-vous que votre apparence extérieure attirera les gens qui voudront savoir ce qu'il y a au-dedans. Soyez toujours acceptable.
- Tous les jours, surveillez votre physique: corps propre, visage net, bien rasé si vous êtes un homme, bien maquillée si vous êtes une femme.
- Redressez-vous, rejetez les épaules vers l'arrière comme une personne bien se doit de le faire. Si vous êtes corpulent, allez... 42-42-42!

- Passez votre garde-robe en revue. Les vêtements sont nettoyés et pressés? Les chaussures cirées? Complets, chemises et cravates se complètent? Robes, chemisiers, jupes et tailleurs de bon goût mais très simples?
- Habillez-vous pour l'occasion: lorsque vous rencontrez le patron, évitez colliers et chaînettes.

3

Acquérir de l'aplomb et du courage

L e *manque de confiance* n'existe pas; chacun a confiance en quelque chose. Vous vous sentez déprimé et vous l'admettez; cela prouve que vous avez un certain degré de foi en votre état. Vous ne manquerez jamais d'aplomb. Ce qui peut vous faire défaut, ce sont les choses dans lesquelles vous placerez votre confiance.

Pour réussir à vous faire accepter, vous devez avoir une confiance absolue dans vos moyens et l'assurance que vous ne manquerez pas votre coup. La confiance à son tour engendre le courage. Ceci étant dit, nous devons nous assurer que notre confiance travaille pour nous car, en tâchant de nous faire accepter, nous plaçons notre confiance en nous-mêmes.

Il vaut mieux agir ainsi car, autrement, comment pouvons-nous espérer obtenir celle des autres?

J'appelle ce procédé *acquérir de l'aplomb* car, à l'instar des enfants bâtissant avec des blocs, il nous arrive de jeter bas notre édifice et de devoir recommencer à nous forger une nouvelle confiance.

Cela m'est arrivé à plusieurs reprises. Je serais un peu mortifié d'en parler si je n'avais pas profité de ces expériences et acquis plus d'assurance et de courage en retour.

Laissez-moi vous parler d'une époque où la confiance en moi-même m'a presque déserté. Au début de 1976, je reçus un appel du docteur Norman Vincent Peale, un des plus éminents conférenciers sur le sujet. Il a aidé un nombre incalculable de personnes à se sortir des voies du désespoir et à vaincre leurs craintes. Il est aussi mon ami. Je vous en ai déjà parlé et je le ferai sans doute de nouveau, non seulement en raison de mon admiration pour lui mais surtout parce qu'il m'a donné des leçons éminemment précieuses sur la vie. Il m'a qualifié de plus grand penseur au monde. Si cela est vrai, je le lui dois.

Notre conversation se déroula à peu près comme suit:

«Joe, je voudrais que toi et ton épouse assistiez à un service dans mon église de New York. Je vous en prie, venez tous les deux.»

Je le connaissais suffisamment pour soupçonner que cette invitation avait un autre motif. J'attendis la suite.

«Joe, je veux te voir à New York pour prier avec moi.»

Prier avec lui! Pouvez-vous vous imaginer l'effet que ces paroles ont produit sur moi, Joe Girard? Moi, prier avec Norman Vincent Peale, probablement le meilleur et le plus connu de tous les pasteurs des États-Unis! Qui étais-je pour seulement penser que je pouvais apporter quelque chose à un homme dont la vie était consacrée à aider les autres?

Mon assurance personnelle commença à s'estomper à la manière d'un bronzage d'été. Le 4 avril 1976, je me suis donc retrouvé dans la première rangée de l'église de mon ami et, je vous prie de le croire, tout yeux tout oreilles.

Les mots les plus puissants au monde

S'adressant à l'assistance, le docteur Peale prononça: «Je voudrais vous parler des deux mots les plus puissants au monde. Le premier ne comporte que trois lettres et pourtant, il peut mouvoir les montagnes.» La phrase tombant de ses lèvres semblait avoir la résonnance du tonnerre. «Ce mot, c'est la *foi*.» Il l'épela avant de continuer: «La foi en soi, dans les autres, dans ses capacités, dans le moment présent, dans les jours à venir. Si vous ne l'avez pas, qui l'aura à votre place?»

Il parla ensuite du second des deux mots les plus puissants, si puissant qu'en le perdant, vous perdez également la foi. «Ce mot, dit-il d'un ton qui montrait le dédain qu'il lui inspirait, contient quatre lettres et c'est la *peur*.» Il épela aussi ce mot. «La peur de ne pouvoir être quelqu'un ou faire quelque chose, la peur du passé et de ses effets, la peur du lendemain, ne sachant ce qu'il nous réserve, la peur de l'échec.»

En mon for intérieur, je pensai que si ce dernier mot n'était pas classé parmi les jurons, il le devrait. Je n'eus pas le temps de m'étendre sur cette pensée car je m'aperçus soudain que le docteur Peale parlait de moi. Afin de rendre plus clair le sens de ses paroles, il se servait de mon exemple. J'étais renversé. Il nous pointait du doigt, June et moi, assis dans la première rangée. À ce moment précis, mon aplomb plongea verticalement car je sentais tous les yeux rivés sur ma nuque.

La peur et la foi... l'échec et la réussite... voilà l'histoire de ma vie. Ma pensée retourna en arrière. Je revis mon enfance et ma jeunesse dans mon ghetto de Détroit, j'entendis le rappel constant de mon père à l'effet que je ne ferais jamais rien de bon de ma vie et l'assurance non moins constante de ma mère que je pouvais surmonter n'importe quel obstacle si seulement je le voulais.

Je vous résume ce dont le docteur Peale a parlé en ce dimanche matin d'avril:

Jeune, j'avais réussi à me forger une carrière heureuse dans la construction de maisons faites sur mesures. Ma vie conjugale était au beau fixe avec mon épouse et mes deux remarquables enfants, Joe fils et Grace. Puis, un jour, des circonstances presque cauchemardesques jetèrent tout par terre. J'avais dépassé ma marge de crédit, j'avais eu confiance dans des promesses faites à la légère et soudain, je me retrouvais en dette de 60 000$. Les huissiers, armés d'un mandat du shérif, étaient prêts à me déposséder de tous mes biens. La banque se disposait à prendre mon automobile en gage. Pour finir le plat, dans un très court laps de temps, il ne restait pratiquement plus de nourriture dans la maison et je n'avais plus un sou pour subvenir aux besoins de ma famille.

Du jour au lendemain, je me trouvai aux prises avec la peur. Je garais ma voiture à quelques pâtés de maisons plus loin afin que l'envoyé de la banque ne puisse la voir. Je pénétrais dans ma propre maison par la fenêtre arrière pour éviter l'huissier qui m'attendait devant. Moi, Joe Girard, j'agissais sournoisement, furtivement!

Je me laissai même aller à jouer un jeu malhonnête avec mes enfants parce que je craignais dur comme fer de rencontrer l'huissier qui allait me servir une sommation. Je leur dis que nous faisions un concours avec les voisins qui consistait à ne pas ouvrir les portes avant ou arrière; le premier à le faire perdrait.

Bien sûr, aucune de ces tactiques ne fut rentable. Le jeu n'en valait même pas la chandelle. J'ai bientôt perdu ma maison, ma voiture et le respect de moi-même exactement comme je l'avais prévu. J'ai dû apprendre par le malheur que l'on ne rebâtit pas sa confiance en soi en fuyant ses obligations.

Mon anxiété augmenta le jour où ma femme me dit qu'il ne restait plus une once de nourriture dans la maison. Tout-à-coup, le futur se présenta à moi sous la forme d'un sac d'épicerie qu'il me fallait me procurer à tout prix. Pourtant, j'ignorais quels moyens prendre.

Je tombai alors à genoux et suppliai le Seigneur de me redonner ma confiance. Le miracle se produisit car Il travaillait de concert avec ma femme.

J'avais presque touché le fond de la vague lorsque June me serra dans ses bras et me dit: «Joe, tu te souviens que nous ne possédions rien lorsque nous nous sommes épousés? Puis, durant un certain temps, nous avons nagé dans l'abondance. Maintenant, nous devons repartir de nouveau à zéro. J'avais confiance en toi en ce temps-là et j'ai toujours confiance en toi; je crois en toi.» Quelle femme merveilleuse! Durant sa courte existence, jusqu'à sa mort qui survint en 1979, elle ne m'a jamais déprécié une seule fois, ne s'est jamais plainte, n'a jamais perdu confiance en moi. Comment aurais-je pu la laisser tomber? J'ai appris cette vérité si importante:

*Un des meilleurs moyens de bâtir la foi et la confiance
en soi consiste à les accepter de la part des autres.*

Les paroles du docteur Peale ce dimanche-là firent resurgir une foule de souvenirs.

Je me remis à l'oeuvre et m'attaquai à la tâche de recharger mes batteries. Je me présentai auprès d'un des principaux détaillants de voitures de Détroit et postulai un poste dans la vente de voitures. Le directeur des ventes, Don Haley, celui qui fut à l'origine de ma remontée, manifesta très peu d'enthousiasme au début.

«Avez-vous déjà vendu des voitures?»

«Non.»

«Qu'est-ce qui vous fait croire que vous le pourrez?» Le conseil même du docteur Peale - *quand on veut, on peut* - ramena cette question de Don Haley à la surface.

«Eh bien, j'ai vendu d'autres choses: journaux, cirage de chaussures, maisons, denrées. Mais ce que les gens achetaient de préférence, c'était moi. Je me vends, moi, monsieur Haley.»

Je me bâtissais déjà une réserve d'assurance suffisante pour me faire oublier que j'avais alors trente-cinq ans et que la vente semblait un domaine réservé aux jeunes.

Monsieur Haley sourit: «Girard, nous sommes au beau milieu de l'hiver. Les ventes sont à leur niveau le plus bas. Si je vous embauche, je risque une petite révolte de la part des autres vendeurs. Il n'y a pas suffisamment d'achalandage pour ceux qui sont déjà en poste.»

Je pensai à la foi de ma femme et en ressentis un regain d'énergie. Je dis alors: «Monsieur Haley, si vous ne m'embauchez pas, vous ferez la plus grave erreur de votre vie. Je n'irai pas vers les visiteurs. Donnez-moi seulement un bureau et un téléphone. Dans deux mois, j'aurai dépassé le record de votre meilleur vendeur. Je vous le promets.»

Monsieur Haley me concéda un bureau empoussiéré dans un coin à l'étage et rebrancha un téléphone libre, mis au rancart. Je commençais une nouvelle carrière.

Il suffirait de décrocher une première vente et le reste de la journée en serait tout ensoleillé. C'est à ce moment-là que je découvris une autre grande vérité.

La confiance engendre la confiance

Cela est vrai dans toutes les sphères de l'existence, non seulement dans la vente des voitures. Comme je l'avais dit à Haley, je me vendais moi-même. La première réussite de la journée donne le ton au reste de celle-ci.

C'est ainsi que je repris ma montée vers les sommets à partir d'un bureau poussiéreux et d'un annuaire téléphonique. Les ventes commencèrent à affluer. Haley n'en croyait pas ses yeux. Dans l'espace de deux mois, comme je le lui avais promis, j'avais battu tous les records de vente de la maison.

Le jour où je pus atteindre ma dette de 60 000$, je retrouvai le respect de moi-même: sou pour sou, je remis ce que je devais aux compagnies de bois de construction, aux briqueteurs, aux terrassiers. Un phénomène se produisit alors qui fit monter mes ventes en flèche. Mes créanciers devinrent mes premiers clients. Leur confiance en moi me redonna encore plus d'aplomb. La confiance engendre la confiance. C'est ainsi que j'atteignis 1 425 ventes dans une seule année, qu'après avoir été descendu pour le compte, je fis une remontée spectaculaire vers le trophée du vendeur de voitures par excellence du monde entier.

Voilà en résumé l'homélie que le docteur Peale a prononcé sur mon compte, relatant l'histoire de ma découverte de vérités primordiales, de principes importants concernant la confiance en soi et le courage de se lancer à l'assaut.

Maintenant, si je puis réussir à vous passer ces principes, et si vous pouvez les mettre en pratique comme je vous en crois capable, alors je saurai que j'aurai réussi à me vendre moi-même.

Peur et foi

Quand j'étais jeune, il me semblait toujours être entre deux feux: d'un côté, mon père me nourrissait de pensées négatives: «Tu n'arriveras jamais à rien qui vaille... tu seras toujours un raté... tu ne vaux rien.» Il m'enfonçait ces idées dans la tête.

D'un autre côté, ma mère s'acharnait à me remonter le moral en me répétant des pensées positives: «Aie confiance en toi... tu peux remporter la victoire... tu peux devenir ce que tu veux être.» Toujours, elle me remplissait de principes de foi.

À mes yeux, mes parents ont toujours symbolisé la peur et la foi. À proprement parler, nous sommes tous sujets à ces suggestions de peur et de foi à un degré plus ou moins élevé, de quelque façon que ce soit.

La peur murmure: «Tu ne peux pas faire cela... tu ne réussiras pas à te faire accepter... c'est trop fort pour tes maigres moyens... tu n'oserais jamais...»

La foi suggère: «Tu peux tout faire si tu le crois fermement... tu possèdes plus de courage, d'énergie que tu ne le penses... les gens te respecteront et te feront confiance parce que tu le mérites...«

Que faire en face de suggestions aussi contradictoires? Voici mon expérience personnelle. Je conduisais ma voiture sur l'autoroute lorsque la pensée me vint qu'une excellente façon de bâtir une confiance à toute épreuve et d'acquérir l'énergie nécessaire pour réussir consistait à faire la sourde oreille aux suggestions de la peur et à refuser d'écouter les pensées ou les paroles défaitistes.

Tout en continuant mon chemin, je découvris que moi, un humain de 85 kilos, j'étais le maître incontesté d'un véhicule de 2 500 kilos. Aussi longtemps que j'en conserverais la maîtrise, nous arriverions à bon port. Mais si je permettais à ma voiture de prendre le dessus, ce serait la catastrophe.

Un de mes amis, chirurgien neurologue de renom, me dit un jour que chaque complet ou chàque robe abrite deux *personnes*: l'esprit et le corps. L'esprit, que l'on pourrait appeler le commandant de bord, est de la taille d'une gomme à effacer. Pourtant, si petit qu'il soit, s'il contrôle la matière, des transformations fantastiques peuvent s'opérer. Malheureusement, comme mon ami le neurologue me le faisait remarquer, seulement 5 pour cent des humains permettent à l'esprit de dominer la matière. Les autres donnent la prépondérance au corps. De la même façon, il y en a trop peu qui se laissent guider par la foi et beaucoup trop qui cèdent à la peur.

L'esprit affirme: «Va de l'avant! Aie confiance! Tu peux le faire, maintenant!» C'est la foi qui parle ici, le premier des deux plus puissants mots au monde.

Le corps dit: «Attention! Tu peux échouer! Tu ne peux faire cela! Attends à plus tard!» Voilà le langage de la peur.

Dans le processus de construction de la foi en soi, il n'y a pas de place pour une action remise à plus tard. À Détroit, dans un de mes restaurants favoris tenu par un Grec, où l'on peut déguster le meilleur agneau en dehors d'Athènes, le propriétaire a affiché la phrase suivante: «On vous donnera tout le crédit que vous désirez... demain.»

Une offre sans danger car tout le monde sait très bien que demain n'existe pas. Le jour présent décide de ce dont demain sera fait. Aujourd'hui seul compte. Débarrassez-vous de toutes les frayeurs, des faiblesses et des pensées négatives, défaitistes d'il y a une semaine, un mois, un an. Aujourd'hui, vous devez décider de laisser la petite portion de votre esprit de la grosseur d'une gomme à effacer prendre le haut du pavé et maîtriser votre matière. Aujourd'hui, vous faites fuir la peur pour toujours. Vous vous demandez comment vous y prendre?

Cinq règles à suivre pour se débarrasser de la peur

Voici cinq règles propres à vous aider à bannir la peur et à la remplacer par la foi en vous-même et le courage. Elles me sont fort utiles et elles le seront également pour vous.

1. Ayez confiance en vous.
2. Frayez avec des gens remplis d'assurance.
3. Branchez-vous sur la confiance.
4. Soyez le seul maître à bord.
5. Tenez-vous toujours occupé.

Étudions-les une à une, voulez-vous?

Premièrement: *Ayez confiance en vous.* L'assurance prend ses racines dans la confiance en soi. Rappelez-vous les mots merveilleux: «*Quand on veut, on peut.*» Affichez-les dans la glace de votre salle de bains et sur le pare-soleil de votre voiture. Centemplez-les tous les jours, laissez-les vous pénétrer. Ajoutez-leur simplement deux mots: *Je veux!* Vous pourrez si vous le pensez sincèrement.

J'ai grandi dans un voisinage difficile, brutal. Du moment qu'un enfant mettait le nez dehors, il devait se battre afin de faire son chemin. J'ai dû comme tant d'autres devenir cogneur afin de survivre, me battre avec tous les durs du quartier. Ici encore, ma mère vint à ma rescousse avec ses conseils en faveur de la confiance en moi-même: «Tu y arriveras, Joey, si tu penses vraiment que tu le peux.» Au bout d'un certain temps, je m'aperçus que j'avais effectivement confiance en mes moyens et que je n'avais plus besoin de mes poings pour me faire respecter. Ma confiance en moi-même avait attiré le respect de la part des autres gars.

Deuxièmement: *Frayez avec des gens remplis d'assurance.* Fuyez les gens défaitistes comme la peste. Je me souviens qu'il y a quelques années, les États-Unis étaient menacés d'un embargo sur le pétrole et la difficulté de refaire le plein d'essence d'une voiture se présentait comme un sérieux handicap dans la vente d'automobiles. Les gens avaient cessé d'acheter. Des vendeurs de la maison où je travaillais perdirent tout espoir et quittèrent leur emploi. Je résolus de ne frayer qu'avec ceux des vendeurs qui nourrissaient encore des espoirs dans l'avenir, dans leur habileté, embargo ou non. Ce faisant, j'augmentai ma confiance en mes moyens. Souvenez-vous que la confiance attire la confiance.

Troisièmement: *Branchez-vous sur la confiance.* Un conférencier, très en demande auprès de groupes de vendeurs et fréquemment invité à prendre la parole à des séminaires, cherchait un jour un sujet propre à inspirer les gens à se bâtir une confiance en soi à toute épreuve. En se rendant à une de ces conférences en Ohio, il vit une large affiche qui chantait les louanges de tel additif connu à incorporer lorsque vous faites le plein à la station-service. Ce produit allait nettoyer votre carburateur et vous permettre de rouler plusieurs kilomètres supplémentaires avec la même quantité d'essence. Bingo! Il venait de trouver le sujet de sa conférence: «Nettoyez le carburateur de votre confiance en vous-même en y ajoutant la foi.» Il avait raison. Votre machine-confiance continuera à vous bien servir si vous la gardez propre, bien alimentée, huilée et en bonne condition.

Quatrièmement: *Soyez le seul maître à bord.* Brigham Young, le célèbre chef de file mormon, conduisit son peuple de la vallée du Mississippi aux terres inexplorées de l'Utah. Ils se trouvèrent en face de forêts sauvages qu'ils transformèrent par leur foi et leur courage en une métropole florissante et prospère, Salt Lake City. Les mormons ne consomment pas de tabac. Comme Brigham Young craignait ne jamais pouvoir vaincre cette attirance chez lui, il avait coutume de conserver dans sa poche une tablette de tabac à chiquer. Je me souviens d'une scène d'un film à son propos qui le montrait en proie à la tentation de chiquer. Il sortait la manoque de sa poche, la regardait attentivement et disait: «Suis-je plus grand que cette chique ou cette chique est-elle plus grande que moi?» Sachant qu'il était le plus grand, la chique retournait dans sa poche. La foi dépasse la peur, l'esprit contrôle la matière.

Henry Ford disait que tous les gens remplis de confiance avaient développé leur courage en affrontant leurs craintes au lieu de leur tourner le dos et de détaler. Vous devez apprendre à faire de même. Regardez vos doutes bien en face et dites: «Suis-je plus grand qu'eux ou bien sont-ils les plus forts?» Remettez-les décidément dans votre poche et redevenez seul maître à bord.

Cinquièmement: *Tenez-vous toujours occupé.* Lorsqu'une personne est occupée, il n'y a pas de place pour le doute ou la crainte chez elle. En 1974, la semaine de travail dans la vente au détail de l'automobile passa de six jours à cinq dans le Détroit métropolitain, le seul endroit où les vendeurs ne travaillaient que du lundi au vendredi inclusivement.

Comme le samedi était toujours ma plus grosse journée de vente, je prévoyais alors une diminution marquée dans mon chiffre d'affaires... jusqu'à ce que je me remette à écouter les suggestions de ma foi. Je refis le plein de mon aplomb, nettoyai mon carburateur-confiance, m'attelai à la tâche. Je me répétais que le marché était toujours là et que les gens désiraient toujours des voitures. Je savais tout simplement que je devrais faire le travail de six jours en cinq.

J'étais tellement occupé que je n'avais pas le temps de penser si j'allais réussir ou non. Qu'arriva-t-il? La première année, j'ai vendu presque autant de voitures en cinq jours que j'avais l'habitude de le faire en six. En fait, mes ventes n'accusaient qu'un retard de quelque quarante-neuf voitures sur l'année précédente.

Au cours de vacances récentes, je m'amusai de temps en temps à prendre des photos à l'aide d'un appareil photo Instamatic dont ma femme m'avait fait cadeau. Ses paroles à ce moment-là se rapprochent du sujet de ce chapitre: «Joe, on me dit que cet appareil fait tout le travail à ta place. Tu peux prendre des photos en toute confiance. Tu n'as même pas besoin de t'occuper du temps d'exposition ou du réglage du point de mire. Tu ne dois même pas te tracasser des résultats.»

Elle avait raison. Mon appareil m'apporta davantage que de prendre de bonnes photos. J'ai voulu savoir comment on en était arrivé à un si haut degré d'efficacité dans un modèle tellement réduit qu'on pouvait le porter dans sa poche. J'ai trouvé la réponse dans un ouvrage de B.C. Forbes: *Men Who Made America Great* (les hommes qui ont fait la gloire des

États-Unis). C'était un passage fantastique traitant de l'art de dompter ses craintes et de se bâtir une confiance en ses moyens. Personne n'en avait plus besoin qu'un jeune inventeur de New York qui, avec le temps, allait faire des Américains des mordus de la photographie. Sa seule confiance en lui devait l'empêcher de sombrer dans la pauvreté et le désespoir, lui enseigner comment se défaire de la peur et le mettre sur la voie de l'invention d'un appareil propre à capter des images et à les imprimer d'une façon si élémentaire que tout le monde pourrait s'y adonner.

George Eastman et le Brownie

Enfant, George Eastman vint habiter Rochester, dans l'état de New York, où il gagna sa pitance comme rafistoleur ambulant et inventeur, homme à tout faire, et bricoleur. Mécanicien amateur, les outils semblaient bien à leur place dans ses mains. Bien sûr, Eastman n'a pas inventé l'art de la photographie car on prenait déjà des photos lors de sa naissance dans les années 1850; en fait, quelques-unes des plus belles du temps portent la signature de Matthew Brady sous Abraham Lincoln. Dans sa jeunesse, on photographiait à l'aide d'une plaque mouillée bien encombrante. George se mit donc en devoir d'inventer un nécessaire portatif et, plus tard, améliora le procédé de la plaque en employant de la gélatine.

Sa renommée s'étendit et il en vint à ne plus trouver de temps pour fabriquer ses plaques tant la demande était forte. Soudain, sans avertissement, catastrophe! On arrête d'acheter ses plaques, les détaillants retournent leurs stocks à la petite usine d'Eastman, les plaintes affluent de tous côtés; la principale était que les plaques perdaient de leur sensibilité. Pour tout dire, les photos étaient un désastre.

George Eastman devait donc repartir à zéro, comme moi lors de l'effondrement de ma carrière de constructeur. Il dut se faire accepter des détaillants, des photographes, du public en général. La panique s'empara de lui. Sa confiance en ses moyens et en son habileté déclina et la peur s'installa en reine et maîtresse dans tous ses agissements. Il craignait de ne pouvoir produire la plaque susceptible de plaire aux photographes. Il allait de la réussite vers la pauvreté, de la confiance vers le doute.

Eastman tenta par tous les moyens de découvrir ce qui n'allait pas. Il se rendit en Angleterre où, d'après ce que l'on disait, le procédé de la plaque sèche semblait jouir d'une bonne popularité. Même avec les formules qu'il rapporta de là-bas, le succès semblait fuir. Il en arriva à un point où son univers sembla crouler autour de lui et il fut prêt de tout abandonner. Il devait dire plus tard que toutes les difficultés rencontrées par la suite n'étaient rien en comparaison de ce qu'il supporta en ces temps difficiles.

Son associé, Henry Strong, avait confiance en lui et, comme ma femme June, il le lui dit en le poussant à redoubler d'efforts. Il se mit en devoir de l'aider à se débarrasser de ses craintes et à se bâtir petit à petit une nouvelle confiance.

George Eastman reprit donc de l'aplomb. Il se morigéna, se répétant qu'il avait un esprit alerte, une curiosité insatiable et une ambition extraordinaire.

Il décida de ne frayer qu'avec des gens positifs, remplis de confiance en eux et en lui également. L'un d'eux fut Bill Walker qui avait laissé derrière lui les plaques sèches et encourageait George dont l'esprit toujours en effervescence pouvait trouver le moyen de concevoir un matériel flexible propre à capter des images. George se mit à l'oeuvre et créa bientôt, avec Walker, la première bobine de pellicule. Il eut un regain de confiance et la confiance engendre la confiance.

Il rechargea sa batterie en y ajoutant une foi grandissante dans l'avenir du film en bobine. Il était également persuadé que son avenir et sa fortune reposaient non seulement sur la pellicule mais encore plus sur l'appareil qui allait la contenir.

Il cessa, comme il l'avait fait dans sa jeunesse, de laisser aller son bateau au gré de sa fantaisie. Il devint maître à bord, regarda les difficultés en face et les élimina l'une après l'autre.

S'en débarrasser lui fut d'autant plus facile qu'il n'avait pas le temps d'y penser. Il travaillait jour et nuit, tellement qu'il dormait à l'usine afin de ne pas perdre un temps précieux pour accomplir ce qu'il s'était proposé de faire.

À la fin, ses efforts furent couronnés de succès. Sa foi et sa confiance avaient donné naissance à Kodak, un mot qui ne voulait absolument rien dire mais résonnait bien à l'oreille. L'appareil Brownie fit le tour du pays. Même un enfant pouvait se servir de cet instrument portatif merveilleux qui prenait des photos sur simples bobines de pellicule. Le fameux slogan d'Eastman: «*Vous pressez le bouton et nous faisons le reste!*» se répandit avec la rapidité de l'éclair.

J'étais donc là, en vacances, avec mon Instamatic, pressant le déclic, sachant que je pouvais prendre d'aussi belles photos que n'importe qui. J'avais confiance. Même en ce cas, le vrai bouton à presser, c'est encore la *confiance en soi*. Personne n'a appris cette vérité de plus belle façon que George Eastman qui réussit de manière si formidable dans la reconstruction de sa confiance et de son courage.

Le monde est rempli de gens qui ont trouvé le succès, des gens d'action qui avaient placé leur confiance en eux-mêmes. Elle les a aidés à vaincre tous les obstacles rencontrés sous leurs pas. Voyons quelques exemples:

Récemment, l'aéronaute Maxie Anderson et deux compagnons réussirent à franchir l'Atlantique dans une montgolfière là où tous les autres avaient lamentablement échoué. Les trois hommes exprimèrent la raison de leur victoire en touchant le sol de France par ces mots: «*Nous n'avons jamais douté de notre réussite.*»

Eleanor Roosevelt eut recours à la confiance en ses moyens pour se placer au-dessus de son manque de beauté physique et devint une véritable inspiration pour un président handicapé par la polio et pour toute une nation.

Shirley MacLaine prouva qu'elle pouvait se doubler d'un excellent écrivain en plus d'être une remarquable comédienne simplement parce qu'elle avait confiance en sa réussite. Le titre d'un de ses best-sellers trahit cette attitude intérieure: *You Can Get There From Here* (vous pouvez arriver au but en partant d'ici). Pouvoir... mot magique!

Charles (Boss) Kettering réussit à inventer un autodémarreur pour les moteurs à combustion en dépit d'allégations contraires. On en fit un essai concluant sur une Cadillac.

La liste pourrait s'allonger à l'infini. Chaque cas prouve que celui qui réussit à se faire accepter dans le monde des affaires, dans la politique, dans le monde du spectacle ou en qualité d'écrivain est une personne qui ne craint pas de s'affirmer. Elle se répète qu'*elle peut*.

Vous pouvez transformer la faiblesse en force. Vous pouvez vous forger du courage afin de faire face à n'importe quelle situation où vous devez vous faire accepter. Les doutes peuvent se métamorphoser en confiance en soi.

James K. Van Fleet, dans son ouvrage intitulé *Miracle Power People* (les thaumaturges), conseille d'agir comme s'il était impossible d'échouer dans l'accomplissement des choses que l'on craint d'entreprendre. Allez de l'avant!

Actes à poser MAINTENANT!

- Croyez en vos possibilités. Affichez des rappels partout dans la maison, au bureau, dans votre voiture, à l'usine, dans votre vestiaire, se lisant comme suit: *Je crois en moi!*
- Répétez ces paroles dix fois par jour.
- Répétez les mots *je veux* dix fois par jour.
- Mettez une sourdine aux pensées de doute et augmentez plutôt le volume de la foi.
- À partir de maintenant, frayez avec des gens animés de foi. Laissez leur confiance déteindre sur vous.
- Mettez de l'ordre dans votre mécanisme. Vous aurez plus de courage «au litre» si vous y ajoutez les suggestions positives de la foi.
- Tenez-vous occupé. Les doutes ne font pas long feu dans ce cas.
- Chaque matin, au lever, dites-vous: «*Je suis le maître à bord!*» Conformez-vous à ces paroles le reste de la journée.
- Peu importe ce qui se produit chaque jour pour provoquer la peur chez vous, attelez-vous à ce que vous craignez de faire.
- Agissez comme si vous ne pouviez échouer, et vous réussirez.

4

Manifester des attitudes positives

R éussir à vous faire accepter des autres dépend énormément de votre attitude à leur égard, et votre attitude
envers les autres dépend en grande partie de votre attitude
envers vous-même.

Il y a plusieurs mois, après une de mes conférences sur la
vente, un jeune homme (appelons-le Laurent) s'approcha de
moi durant la pause-café. Il me toucha l'épaule et me demanda: «Monsieur Girard, pourquoi m'avez-vous dit plus tôt ce
matin que je ne vends pas d'équipements sportifs quand vous
savez très bien que c'est précisément cela que je fais? Je vends
la meilleure collection d'équipement athlétique, les meilleurs
skis au monde.» Je sentais l'orgueil, la fierté dans sa voix et je
souris devant son enthousiasme juvénile.

Il faisait allusion à ce moment particulier de mes conférences où je demande à un membre de l'assistance de se lever,
de se présenter et de donner un aperçu de son expérience
comme vendeur. Quelques-uns hésitent, d'autres foncent
mais je n'ai jamais vu le procédé changer depuis le temps que
je donne mes causeries.

Chaque vendeur se lève, se tourne vers le groupe, donne son
nom et le nom de sa compagnie et, infailliblement, mentionne
un produit ou un service.

«Je vends des meubles.»

«Je vends des voitures et des camions.»

«Je vends de l'assurance.»

«Je vends des appareils stéréo et des téléviseurs.»

Laurent, qui se tenait près de moi en ce moment, sirotant un café et grignotant un petit gâteau, avait dit: «Je m'occupe de la vente d'équipements de ski: des skis, des bottines, des attaches, des bâtons, des canadiennes.»

À tous, j'avais répondu d'un ton péremptoire: «Oh non, ce n'est pas ce que vous faites.» (Bien sûr, c'est ce qu'ils font mais je tentais de leur insuffler une plus forte dose d'enthousiasme dans leur profession.) Laurent, qui avait relevé mon commentaire, attendait maintenant une explication. Je lui dis alors:

«Dites-moi, Laurent, comment va la vente?»

Il hésita avant de répliquer: «Je m'en tire assez bien.»

«C'est tout? Rien que cela? Hé là, ce n'est pas l'attitude d'un gagnant. Je dirais plutôt que c'est très négatif. Un gars qui réussit aurait répondu: *Ça marche très bien!*»

Je sentais que je l'avais ébranlé.

«Je suis sincère, Laurent. Les skis, les bottines, les attaches, tout le fourbi pour la neige, ne représentent pas ton véritable produit. Ton vrai produit, c'est *toi*. Voilà l'attitude que tu dois prendre et maintenir envers la vente, une manière constructive de voir les choses et de te garder dans la bonne perspective.»

«Je n'avais jamais considéré les choses sous cet angle auparavant», dit-il songeur.

Chez la plupart des vendeurs, chez les chevronnés également, l'attitude envers eux-mêmes et non envers le produit qu'ils tentent de passer a grand besoin d'une approche plus positive, plus ouverte.

Laurent devait donc réviser ses positions quant à son emploi, son produit, lui-même et probablement sa façon d'aborder l'existence. Il pouvait continuer dans sa voie actuelle mais il lui manquerait la satisfaction profonde qui résulte de son acceptation de la part des autres.

Il est possible qu'au contraire de Laurent, vous n'ayez rien à voir avec la vente. Qui que vous soyez, médecin, avocat, marchand, négociant, chef de service, mécanicien de première classe, secrétaire émérite, épouse et mère par excellence, quoi que vous fassiez pour subvenir à vos besoins ou pour l'entretien d'une maison, le même facteur positif s'applique également. Quelle est votre attitude à votre égard? Êtes-vous d'une nature gaie, optimiste, constructive, agissante, fière sans être arrogante, autoritaire, humble sans faire preuve de servilité? Ou bien faites-vous preuve de pessimisme, de défaitisme, de négativisme?

Pour le moment, mettez-vous à la place du consommateur et examinez la situation. Supposons que vous ayez besoin d'une nouvelle voiture et que vous vous proposiez d'en faire l'acquisition. On s'attend bien à ce que vous magasiniez un peu avant de décider. Disons que vous avez fixé votre choix, vous avez choisi le genre, le modèle et la marque, pensé à une alternative et vous possédez une bonne idée du prix que vous allez payer.

Arrive le facteur attitude. Deux vendeurs différents vous offrent un marché à peu près semblable, presque équivalent. Lequel des deux réussira à vous convaincre? Celui qui vous vend *seulement* une voiture, de l'équipement supplémentaire, des trucs de sécurité et plus de puissance au moteur, en oubliant de s'intégrer dans l'échange? Ou bien choisirez-vous celui qui, en plus de toutes ces offres, est amical, avenant, sûr de lui, secourable et rempli d'égards à votre endroit, celui qui tente de vous vendre plus qu'un produit, *qui s'intègre dans la transaction?*

À qui accorderez-vous la préférence? Nous connaissons bien la réponse, n'est-ce pas? Vous irez vers celui qui ne cherchera pas uniquement à vendre son produit qu'il connaît bien, mais aussi sa personnalité dont il fait une partie de la transaction.

Mon jeune ami Laurent avait besoin d'apporter quelques petits changements dans son attitude. Les autres également, mais c'est Laurent qui m'avait posé la question. Il ne s'était pas préoccupé de se vendre lui-même, il s'était contenté d'écouler ses skis. Eh bien, durant cette pause-café, Laurent m'assura qu'il allait essayer ma façon sérieusement. Il allait dorénavant s'inclure dans la vente, se considérer comme le vendeur par excellence et son meilleur produit. Des semaines s'écoulèrent avant que je le rencontre de nouveau. J'éprouvai alors autant de joie que lui d'apprendre que le total de ses ventes avait augmenté de quarante pour cent. À l'entendre, vous auriez cru qu'il était le seul de toute l'Amérique à garder les remonte-pente en état de fonctionnement. Une toute petite transformation de son attitude négative, insouciante, vers la détermination de réussir avait complètement changé sa perspective. Inouï ce qu'une telle attitude peut faire! Ces derniers mois, j'ai suivi attentivement la carrière de mon jeune ami: sa réussite est pour le moins spectaculaire. Il est devenu une vedette dans la vente des articles de sport parce qu'il a appris à se vendre lui-même. Tout ce dont il avait besoin, c'était d'un petit coup de pouce dans la bonne direction.

Vous devrez probablement changer votre attitude si vous désirez réussir à vous faire accepter. Comme pour toutes choses dans la vie, toute attitude a ses côtés contrastants: le positif et le négatif, le constructif et le défaitiste, l'optimiste et le pessimiste, la largesse ou l'étroitesse de l'esprit. Dans le sport, c'est le coeur au travail ou l'abandon. En musique, on parle de majeur et de mineur. Le secret du succès que vous devez connaître et maîtriser réside dans l'art de développer des attitudes plus positives chez vous. Il en résultera une disposition semblable envers les autres. Vous serez ainsi plus en mesure de vous faire accepter sans vous préoccuper de qui vous voulez persuader et dans quel but.

Afin de développer chez vous plus de dispositions constructives, il existe trois règles fondamentales:

Trois règles élémentaires d'une attitude positive

1. Élargir ses horizons.
2. Faire volte-face.
3. Utiliser son pouvoir de concentration.

Examinons-les une à une.

Premièrement: *Élargir ses horizons.* Nous regardons tous la vie à travers des lentilles, indépendamment de celles que nous devons porter pour corriger des troubles visuels. Certaines gens, nous le savons, se bercent constamment d'illusions et, à travers leurs verres colorés en rose, ne voient les choses que d'une façon excessive et entièrement imaginaire. Ma mère m'a raconté un jour que, lorsqu'elle était enfant, un des bouquins les plus lus de sa génération s'intitulait *Pollyanna,* portant en sous-titre: *La semeuse de joie.* Cette fille respirait tellement la joie qu'elle donnait sur les nerfs des gens réalistes. C'était une rêveuse.

Certaines personnes semblent porter un éternel corset de fer et vont dans la vie soumises à un mal de tête incessant. Elles sont également un mal de tête pour ceux qui les approchent.

Il existe aussi des gens qui portent toujours des verres de contact invisibles qu'ils devraient enlever de temps en temps comme on le fait pour les vrais car, pour une bonne partie de leur vie, ils passent à côté de leur objectif.

Perspective! Tout dépend de la façon dont nous vivons notre vie et de quels verres nous nous servons pour l'observer. Les gens dont la vue n'est pas au point ressemblent aux adeptes de la chanson qui dit: «Mon Dieu, le ciel va me tomber sur la tête», tandis que les autres fredonnent «Tout va pour le mieux dans le meilleur des mondes».

Votre manière de concevoir les autres reflète votre manière de concevoir la vie. Un des premiers pas à franchir dans l'art de vous faire accepter des autres, de sortir victorieux d'une entreprise, consiste à élargir vos horizons à l'égard des personnes, des endroits et des événements. Les seuls verres dont vous avez besoin pour réussir ce tour de force sont vos propres jumelles.

L'homme qui fouilla les cieux

Afin de rendre mes conférences et mes écrits plus dramatiques, j'ai souvent eu recours à l'anecdote suivante. Un père, italien comme moi, donna un jour un télescope à son fils en guise de cadeau pour ses dix ans: le genre qui s'ouvre, s'allonge, un peu comme celui que le capitaine Horatio Hornblower utilise dans le film. Le père du garçonnet venait d'une génération d'hommes où le télescope servait de longue-vue pour épier les agissements d'autres personnes. Heureuse coïncidence, car son fils reçut une leçon qu'il n'oublia jamais.

Un jour, le garçon dit à son père: «Papa, ce télescope est inutile. Je vois bien mieux avec mes yeux seuls. Tout est tellement petit avec lui!» Le père sourit. Naturellement, l'enfant utilisait le mauvais bout de son instrument. Il ne voyait pas grossir ses jouets, ni l'énorme tour penchée de sa ville natale ni même la vie. Il ne voyait que le petit côté des choses. Gentiment, le père prit le télescope et lui présenta simplement l'autre bout.

En agissant ainsi, le père élargissait les horizons de son fils. C'était heureux qu'il en fut ainsi car, en grandissant, le jeune garçon améliora son télescope et parvint ainsi à découvrir les lunes de Jupiter, les anneaux de Saturne et les montagnes de notre propre lune. Il devint par la suite le plus grand astronome de son temps. On l'appelait Galilée.

Nous devons nous aussi connaître le secret enseigné par le père de Galilée: afin de voir les choses dans la bonne perspective, nous devons élargir nos horizons. Lorsque vous considérez la vie, les choses, les événements, votre emploi, votre famille, les voyez-vous intégralement ou en partie? Sondez-vous les deux aspects d'un problème? Êtes-vous de bonne foi ou critique invétéré? Vos perspectives sont-elles étroites, biaisées ou extravagantes? Êtes-vous large d'esprit, conciliant? Il est possible que vous soyez vous-même un obstacle à votre propre réalisation. Le préjudice ou les idées préconçues contre quelque chose faussent-ils votre jugement? Prenez-vous, pour employer une expression courante, des vessies pour des lanternes?

Perspective signifie exactement ce que le mot implique de sens. Regarder vers l'extérieur, plus loin, et non retourner vers soi pour se contempler le nombril; aller vers les autres et cesser de se prendre pour le centre de l'univers. À l'instar de Laurent, voyez votre produit comme étant vous-même. Considérez que c'est vous-même que vous vendez.

Une perspective juste envers les autres, la famille, les associés en affaires, les amis, les idées, les produits et services, peut vous être d'une grande utilité pour vous créer une nouvelle entité, une personne que tout le monde voudra connaître, fréquenter et aussi aimer.

Comment élargir vos horizons

Chaque fois que vous vous surprendrez à contempler les gens et les événements d'un point de vue étroit, biaisé, dites-vous: «Toute médaille a son revers.» Puis, posez-vous la question: «Ai-je bien pesé les deux côtés de l'affaire? Me suis-je contenté de regarder le côté miniature sans prêter attention au côté grossissant? Ai-je vraiment fait un effort pour comprendre tous les aspects, scruter toutes les ombres au tableau?»

Représentez-vous alors tenant un télescope par le bon bout, comme le père de Galilée le lui avait enseigné, et voyez le problème prendre de plus grandes proportions et se mettre au point devant vos yeux. Vous serez surpris alors de voir comme votre optique grandira proportionnellement à l'élargissement de l'image ainsi produite. Ce procédé est nécessaire afin de développer des attitudes positives qui vous aideront à vous faire accepter des autres.

Deuxièmement, considérez l'autre aspect de la question. Comme vous pouvez le constater, cela demande un virage à 180°, une volte-face complète, une attitude diamétralement opposée à la négative. C'est une chose de penser de façon positive et c'en est une autre de se débarrasser des mauvaises habitudes du négativisme. Ce dernier processus demande du temps et des efforts constants.

Avant que je ne m'attaque à mes habitudes négatives, j'étais une nullité à tous points de vue, financer ou autrement. Il m'a fallu opérer une volte-face complète avant de réussir à changer le cours de ma vie. J'étais fauché, endetté jusqu'aux oreilles, effrayé devant l'avenir et mal à l'aise devant ma famille à qui je ne pouvais présenter que des revers financiers. Je détournais mes regards de mes propres enfants car je ne voulais pas qu'ils voient mes larmes. Je me sentais amer et rancunier. J'en avais marre de me buter la tête contre les murs, d'être acculé au pied du mur. Pour tout vous dire, j'étais le roi des négatifs.

Un jour, ma femme me dit: «Veux-tu bien arrêter de t'apitoyer sur toi-même. À mes yeux, tu es l'homme le plus important au monde et je ne supporterai pas plus longtemps que tu te diminues ainsi.» Elle me força à réfléchir à la situation.

C'était sa façon à elle de me présenter l'autre bout du téles-cope. Je me mis donc à étudier mon attitude, tentant de me voir comme le plus grand et non comme un croûton jeté derrière une malle. Avec son aide, je découvris bientôt qu'il ne s'agis-sait pas simplement de fouiller les angles, il me fallait faire *une volte-face complète dans mon attitude, un véritable virage de 180 degrés.* Un virage plus petit ou plus accentué peut éparpiller les énergies. Il n'y a que la volte-face complète de 180 degrés pour vous détourner définitivement du négativisme et du défaitisme. Tout comme il est nécessaire, lorsque votre voi-ture s'enlise dans la boue ou le sable, que les roues tournent à vide sur la neige ou la glace, de faire marche arrière doucement pour mieux vous élancer en avant, de même devez-vous ren-verser la vapeur de temps en temps pour pouvoir mieux repar tir vers les hauteurs. C'est ce que je fis et mon échec se transforma en victoire.

Si vous êtes porté au négativisme, il est temps d'accentuer le positif et de vous débarrasser de toute entrave. Si vous broyez du noir, levez la tête et amorcez un virage. Si le fardeau semble trop lourd pour vos épaules, faites volte-face à 180 degrés et tendez le cou vers l'avant. Si vous nourrissez des rancunes, des ressentiments, balayez le tout comme disait ma mère. Si vous vous apercevez que vous êtes en train de perdre du terrain, passez les vitesses afin de renverser la tendance et retrouver votre poste de premier plan.

Comment amorcer ce virage de 180 degrés? Voilà toute une opération de l'esprit, bien sûr, mais j'ai toujours trouvé utile d'allier l'esprit au physique. J'ai expliqué cette technique d'acquisition d'attitudes positives à des gens de toutes les classes et catégories imaginables. Dernièrement, j'ai commu-niqué cette idée à plusieurs nouveaux jeunes vendeurs de voitures chez qui les vilaines habitudes n'étaient pas encore établies. Il leur était pourtant tout aussi nécessaire de se bâtir des attitudes positives dès le début. Ils se sont mis à l'oeuvre et ont trouvé le succès. J'ai reçu une lettre fortement teintée de satisfaction de leur patron, Joseph Lunghamer, vice-président et directeur général de Stadium Chevrolet, dans la ville de Pontiac au Michigan, et qui disait en substance: «Nos deux vendeurs travaillent à conserver une attitude positive en dépit de ce qui se passe autour d'eux. Notre industrie a besoin de plus d'instructeurs de votre trempe pour développer le professionnalisme chez nos employés.»

Voici le truc physique infaillible:

J'ai réservé dans mon bureau un espace libre que j'appelle *l'arpentage*. Il me sert à faire les cent pas lorsque je pense ou que je désire me lever pour me dégourdir les jambes. Il m'est aussi utile pour opérer mes virages à 180 degrés. Je ne possède pas l'exclusivité de cette invention et vous pouvez la copier à coeur content. Cet espace mesure un mètre sur deux et demi et va d'est en ouest. Qu'il aille du nord au sud ou qu'il s'agisse de n'importe quelle pièce du bureau, de la maison ou de l'usine, cela n'a pas d'importance. À l'extrémité ouest de mon *arpentage* se trouve une petite table et un panier à rebuts juste en dessous. Sur le mur est, j'ai suspendu un calendrier contenant suffisamment d'espace dans les cases des dates pour me permettre d'y annoter certaines idées, certains détails.

Lorsque je suis assailli d'une pensée négative, je la note sur un bout de papier, marche vers l'extrémité ouest de la pièce et le jette en boulette dans le panier sous la table. Alors, à moins de marcher à reculons, je dois opérer un virage de 180° afin de pouvoir aller vers le mur où se trouve le calendrier. J'écris dans la case du jour l'action positive que je dois poser afin d'effacer celle que je viens de détruire. J'ai donc fait trois efforts physiques: jeter la pensée négative au panier, opérer un virage de 180 degrés et porter au calendrier sa remplaçante à la date d'exécution. Ce pourrait être le jour même, le lendemain, la semaine suivante, mais je prends soin de me fixer une date précise. Ne vous méprenez pas sur mon *arpentage;* je vous assure qu'il est efficace. Voyez-vous, en me détournant de ma boulette de papier, j'ai pris une décision irrévocable, *un engagement.*

Vous seriez renversé de savoir combien d'idées négatives j'ai ainsi jetées au panier: impossibilité de trouver un instructeur compétent pour envoyer à Chicago... rien de valable à dire aux membres d'une association de dentistes... impuissance à vendre des bobines vidéo venant de San Francisco... répugnance envers le maire de Détroit...

Après ma volte-face vers mon calendrier, les notes indiquent ce que ce petit truc peut faire: passer une annonce à Chicago même pour trouver un vendeur-instructeur, et non à Détroit... ne pas parler d'art dentaire aux dentistes mais plutôt de l'art de se faire accepter... vendre les bobines vidéo à un autre et le laisser les mettre sur le marché... aller faire une visite au maire pour découvrir qui il est vraiment; ça pourrait être intéressant...

J'appelle ces attitudes des façons positives de faire volte-face. Bien sûr, j'emploie ma propre sténographie pour les indiquer au calendrier, mais cela importe peu. Que vous connaissiez la sténographie ou non, l'important est de conjuguer le physique avec l'esprit... en même temps. Effectuez vos propres virages afin de développer des attitudes positives.

Troisièmement: *Utiliser votre pouvoir de concentration.* Combien souvent vous est-il arrivé d'esquisser un sourire devant des affiches dans un bureau ou un endroit public, sur un pare chocs, qui se lisaient: «Pensez mince!» ou «Pensez à l'été qui vient!» ou encore «Pensez à l'hiver prochain!» Tom Watson, le génie qui a donné naissance à la grande firme IBM, en a fait un seul mot, un véritable défi à tous ceux qui travaillent dans son entreprise. Il a affiché en gros caractères: «*PENSEZ!*» Naturellement, il s'est trouvé un loustic doublé d'un pince-sans-rire pour en altérer légèrement l'orthographe en «*PANSEZ*». Même à cela, la blague attira davantage l'attention sur le message. Vous vous y arrêtiez, souriiez et repartiez avec l'idée entendue.

Ces affiches, de même qu'une foule d'autres semblables, vous invitent à faire usage de votre pouvoir de concentration afin d'arriver à vos fins. Chacune d'elles vous pousse à embrayer dans le sens du succès. La concentration est magistrale et l'un des secrets du développement d'attitudes positives; votre acceptation devient plus facile selon le degré d'usage de ce pouvoir.

Je ne suis pas ce que l'on est convenu d'appeler un mordu du théâtre et je n'ai pas relu beaucoup de Shakespeare, mais je me souviens qu'il a écrit à propos d'un jeune prince volontaire du nom de Hamlet. Dans la pièce, le bon vieux William nous arrive avec une idée géniale: «Rien n'est ni bon ni mauvais, c'est la pensée qui le rend ainsi.» À force de nourrir des pensées négatives, vous allez sombrer dans le désespoir; vous pouvez également transformer votre attitude envers les autres et vous-même par des pensées positives.

Quelques années avant ma naissance, un adepte de la pensée positive avança une théorie qui devint rapidement très populaire. Il se nommait Émile Coué et il écrivit un petit livre explosif intitulé: *Self-Mastery Through Conscious Autosuggestion* (la maîtrise de soi par l'autosuggestion délibérée). C'est dur à avaler mais laissez-moi vous en donner ma propre interprétation.

Coué était un médecin français et il appliqua sa méthode à des patients. Elle fit tache d'huile et, bientôt, des milliers d'Européens et d'Américains commençaient leur journée en répétant les paroles magiques de Coué: «Jour après jour, je deviens meilleur!» Cela revient à dire que penser profondément à une chose la fait se matérialiser. C'était aussi simple que deux et deux font quatre. Chaque jour, chaque 1 440 minutes, constituait une nouvelle chance de devenir une nouvelle personnalité par la pensée.

Le pouvoir de concentration! Bien sûr, des milliers de gens en firent des gorges chaudes mais le bon docteur avait pleinement raison. Non seulement avait-il raison, il devenait le précurseur de tous ceux qui allaient venir prêcher la puissance des pensées positives: Norman Vincent Peale, l'évêque Fulton Sheene, Bruce Barton et Elmer Wheeler; ces derniers lui emboîtèrent tous le pas.

Réfléchissez un moment à ce qui peut se produire. Supposons que vous désiriez vous faire accepter des membres d'un cercle dont vous venez de joindre les rangs, d'une communauté, d'une loge, d'une équipe de quilles ou d'un syndicat. Quel que soit le groupe, l'important est de vous vendre à lui. Si, au moment de votre entrée, vous vous pensez indigne de quelque façon, manquant de vernis social peut-être, de foi solide, de qualités de chef, d'habileté au jeu où votre moyenne n'est pas à la hauteur, alors vous donnerez immanquablement cette image de vous-même. Si vous chantez: «Pauvre de moi! Je ne suis rien, je suis sans amis et rejeté!», eh bien, c'est ainsi que les autres vous percevront.

D'autre part, si vous vous représentez comme une personne assez bien, une personne que l'on aimera connaître, vous pouvez être sûr que l'on vous verra ainsi. Si, aux yeux de votre esprit, vous vous voyez sous les traits d'une personne de bonne composition, il y a de grandes chances que vous agissiez en conséquence.

Je le répète, la poésie n'est pas mon fort, mais j'ai entendu dire que Robert Burns désirait posséder la faculté de se voir tel que les autres le voyaient. Je lui réponds: «Pas de problème!» La vérité, c'est que *les autres nous voient comme nous nous voyons nous-mêmes, comme nous nous représentons à nous-mêmes.*

Comment vous servir de votre pouvoir de concentration? Par la pratique! Tout comme on se sert d'un exercice physique pour développer tel muscle, les exercices mentaux doivent être pratiqués quotidiennement. Prenez l'habitude de faire vos douze exercices chaque jour au saut du lit.

Les douze exercices de concentration

1. Représentez-vous comme le symbole du succès.
2. Voyez-vous aimant.
3. Voyez-vous attrayant.
4. Voyez-vous amical.
5. Voyez-vous secourable.
6. Voyez-vous généreux.
7. Voyez-vous en possession de tous vos moyens.
8. Voyez-vous fort.
9. Voyez-vous courageux.
10. Voyez-vous optimiste.
11. Voyez-vous jouissant d'une large aisance.
12. Voyez-vous jouissant d'une grande paix intérieure.

Méditez sur chacun des exercices précédents, ne vous pressez pas. Afin d'avoir plus de temps pour ces exercices de l'esprit, levez-vous dix minutes plus tôt que d'habitude. Découvrez un endroit où vous pourrez vous retirer sans crainte d'être dérangé. Détendez-vous, fermez les yeux et tenez le dossier d'une chaise pour ne pas perdre l'équilibre. Consacrez au moins une minute à chaque exercice et permettez-lui ainsi de se glisser dans votre subconscient. Conservez les yeux clos durant tout l'exercice. Vous utiliserez votre esprit conscient pour suggérer à votre subconscient de prendre la relève. Au bout de quelques semaines de cet exercice stimulant, chaque pensée sera incrustée dans votre subconscient pour vous servir de guide dorénavant.

Par exemple, en pensant au premier exercice, voyez en pensée les choses que vous devez accomplir ce jour-là et représentez-vous victorieux dans chacune. Faites maison nette de toute pensée défaitiste.

Au troisième, imaginez-vous d'une apparence agréable et attirante (pas nécessairement du point de vue sexuel, quoiqu'il n'y ait pas de raison d'écarter cet aspect). Cependant, écartez toute trace de vanité.

Au quatrième, voyez-vous comme étant la personne amicale et sympathique que vous désirez être. Pensez à la première personne en dehors de la famille que vous devez rencontrer ce jour-là et, mentalement, adressez-lui un sourire. Plus tard, vous lui serrerez la main pour vrai et lui sourirez également pour vrai: vous ne pourrez vous en empêcher.

Et ainsi de suite. Après chaque exercice, prenez une profonde respiration, inspirez lentement et expirez de même. Bientôt, comme les psychologues l'affirment, comme les savants observateurs de la conduite humaine l'ont découvert, une méthamorphose de bon aloi commencera à s'opérer au-dedans de vous. Ici encore, nous avons la preuve que *nous sommes le reflet de nos pensées*. Même la Bible nous le rappelle par ces paroles: *«Ainsi va la pensée, ainsi va l'homme!»*

Vous pouvez facilement vous représenter l'effet de ces douze exercices simplement à leur lecture. Par exemple, la première étape vers le succès consiste à se voir victorieux (exercice numéro 1). Se voir svelte et mince est un puissant levier pour nous empêcher de déroger à un régime et pour contrôler notre appétit (numéros 3 et 7).

Prenez la résolution, sur-le-champ, qu'à partir de maintenant, vous nourrirez des images mentales de vous-même qui refléteront le succès, la beauté, l'optimisme, la grandeur et la meilleure qualité. Ensuite, servez-vous de votre pouvoir de concentration chaque fois que vous voulez vous faire accepter des autres.

L'homme qui défricha les cieux

Un des exemples les plus frappants que je connaisse de l'influence du pouvoir de concentration, et qui démontre la différence entre le succès et l'échec dans la vente de soi-même aux autres, est la vie de feu le docteur Wernher von Braun, le père du programme américain des recherches spatiales. J'ai eu l'honneur de partager un panel avec lui et le privilège de bénéficier de sa sagesse et de son gros bon sens. J'ai été fier de le considérer comme un ami.

Pensez un moment à ses antécédents, à ses jeunes années en Allemagne nazie sous Hitler, à l'emploi de son habileté dans le perfectionnement des roquettes qui causèrent presque la chute de la Grande-Bretagne, à son arrivée aux États-Unis en tant qu'homme venant d'une nation vaincue et humiliée. À quoi pouvait-il s'attendre quand son image avait été forgée sous la botte nazie qui avait écrasé pays après pays? On a même dit qu'il était le modèle parfait de l'infame docteur Strangelove immortalisé par le cinéma.

Pourtant, Wernher von Braun avait beaucoup à offrir. Il savait cependant qu'il devait se faire accepter par notre gouvernement, notre peuple et le complexe industriel si les recherches dans l'espace devaient voir le jour. Il appliqua alors les principes du pouvoir de concentration, même s'il n'y pensait pas de la même façon que je l'ai suggéré.

Il se représenta victorieux dans sa recherche d'une niche pour lui en Amérique. Il se refusait à penser que la vie ne valait pas la peine d'être vécue. Il habitait maintenant un pays étranger et il fit des efforts surhumains pour assister et attirer tous ceux qu'il rencontrait. Il montra toujours un optimisme formidable et un visage joyeux en dépit des échecs dans notre programme de recherches spatiales. Il n'hésitait pas à mettre ses idées de l'avant avec courage et intrépidité. Il m'assura qu'il devait penser de cette manière avant de poser un seul geste. Ce qui est plus remarquable encore, c'est que penser en fonction de la paix lui a apporté une grande paix intérieure.

Le pouvoir de concentration de Wernher von Braun a entraîné les hommes à sa suite vers les étoiles, vers *ce petit pas pour l'homme mais ce grand pas pour l'humanité*.

Croyez-moi, les attitudes peuvent changer. Commencez à penser positivement! Ayez confiance en vos moyens. Soyez assuré que les bonnes choses vous arriveront. Considérez-vous comme le meilleur. Il ne faudra pas longtemps avant que les autres se mettent à penser de même à votre égard devant vos actions et vos opinions.

À ce moment-là, vous saurez que vous avez réussi à vous faire accepter.

Actes à poser MAINTENANT!

- Élargissez vos horizons en considérant tous les aspects d'un problème.
- Débarrassez-vous de vos préjugés, peu importe l'emprise qu'ils ont eue sur vous dans le passé.
- Tenez votre télescope braqué sur la vie et soyez certain que vous vous servez du bon bout.
- Créez une zone d'arpentage où vous pourrez à loisir noter et détruire vos pensées négatives d'un côté et annoter vos pensées constructives agrémentées de dates d'échéance de l'autre côté de la pièce sur un calendrier.
- Dès maintenant, prenez la solution de vous servir de votre pouvoir de concentration.
- Chaque matin, au lever, et chaque soir au coucher, dites tout haut: «Chaque jour qui passe contribue à mon amélioration.» (L'idée ne vient pas de moi non plus que des disciples du docteur Coué, mais j'emploie cette technique régulièrement et je ne vois pas pourquoi vous n'en feriez pas autant. Le docteur Coué serait enchanté s'il le savait.)
- Au moins trois fois par jour, dites-vous: «Les autres me voient tel que je me figure être et comme je me vois moi-même.»
- Utilisez votre pouvoir de concentration pour vous forcer à pratiquer les douze exercices chaque matin, détendu, les yeux clos et entrecoupés de respirations (inspirations et expirations lentes) profondes.

Exercer
l'enthousiasme

U n véritable tourbillon humain, voilà le qualificatif que Lowell Thomas accolait à ma personnalité. Comme il n'avait jamais encore rencontré aucune concurrence dans son ascension vers les sommets, dans l'art de travailler sur plusieurs fronts à la fois et d'y rencontrer le succès (de la radiodiffusion au cinéma, des conférences au reportage et à la chasse aux manchettes), ce n'était pas un mince compliment qu'il me faisait là.

Thomas parlait de l'essence même de Joe Girard, de son genre d'enthousiasme qui procède à la façon d'un tourbillon. Voilà un attribut d'une puissance extraordinaire et il peut s'acquérir. Vous pouvez devenir une personne bourrée de dynamisme, vous pouvez en faire une seconde nature en vous y adonnant sans relâche.

S'entraîner à l'enthousiasme est aussi important que de pratiquer des exercices physiques tous les jours. De même que vous pouvez garder votre corps en bonne condition de fonctionnement, de même vous pouvez vous nantir d'une énergie débordante qui fera tout fonctionner comme sur des roulettes bien huilées.

La vente vous excite-t-elle beaucoup? Vous faire accepter, obtenir un contrat, devenir membre d'une équipe, persuader votre époux de faire une croisière en Méditérannée sont-ils parmi vos objectifs?

Désirez-vous réussir au point que vous en perdez le sommeil? Voulez-vous vraiment que les gens vous aiment, vous respectent et vous proclament un chef de file? La réussite ou l'échec dépend d'un seul facteur: l'enthousiasme.

Dans son ouvrage intitulé *Enthusiasm Makes the Difference* (L'enthousiasme fait la différence)*, le docteur Norman Vincent Peale met en garde contre les précautions inutiles, les hésitations. Il pousse à se donner entièrement à ce que l'on entreprend. Pour tout dire, il prône, et j'endosse son avis, que nous devons nous lancer avec ardeur à l'assaut de la vie. Quel mot rempli d'énergie, excitant, impressionnant! Ardeur! Robert Kennedy en faisait usage même au football. Joe Louis abordait un combat de la même façon, la façon dont je mets tout mon coeur et mes énergies dans mes conférences.

Les gants dorés

Il fut un temps aux États-Unis où chaque garçonnet habile de ses poings et agile sur ses jambes travaillait avec acharnement et enthousiasme afin de se qualifier pour une récompense fictive qu'on appelait *les gants dorés*. La montée vers ce trophée rappelait de façon magique la route de galets jaunes vers la vallée d'Oz. Personne ne manifesta plus d'enthousiasme pour les gants dorés que Joe Louis.

J'ai grandi dans son voisinage, ce district que les gens appellent ghetto de nos jours; seulement, nous ne le savions pas. J'admirais Joe avec les yeux éblouis de l'enfant. J'ai suivi sa carrière à partir de sa conquête des gants dorés jusqu'à son couronnement de champion mondial des poids lourds. Je me suis réjoui de ses victoires car je savais qu'il méritait tous les honneurs dont on le couvrait. Pourtant, je n'ai jamais réussi à émuler l'enthousiasme dont faisait preuve Joe Louis dans tous ses combats durant son ascension vers les gants dorés et plus tard. Les rédacteurs sportifs avaient coutume de dire que le

*Publié aux Éditions «Un Monde Différent» Ltée

Bombardier brun se déplaçait et agissait à la façon d'un homme qui avait le diable à ses trousses. C'était bien ce qui se produisait chez lui: il avait le feu sacré, voulait arriver à quelque chose dans la vie, se réaliser pleinement.

J'ai également eu connaissance des déceptions, des périodes de découragement de Joe, de ses blessures morales. Souvent, il devait se retirer dans des hôtels réservés aux Noirs, rester seul, se tenir à l'écart du territoire des *Blancs*. Il était devenu la cible de toutes les méchancetés dirigées vers les Noirs. Après tout, nous devons réaliser que Joe a percé avant que nous nous apercevions qu'un bon degré de daltonisme en matière de relations humaines est le premier pas à franchir vers le respect et l'acceptation.

En dépit des haut et des bas de sa carrière, en dépit de l'exploitation éhontée que l'on a faite de cet homme décent, en dépit de son droit d'être dur, impitoyable, Joe n'a jamais laissé rien paraître. Il était le gars le plus enthousiaste, toujours prêt à s'entraîner, ravi de monter dans l'arène. Quel était donc son secret? L'exercice. Il se façonnait une dose d'enthousiasme à l'égal de ses forces physiques.

Dans les premiers temps, à partir de ses matchs préliminaires vers le combat principal, vous pouviez presque palper cet exercice chez lui. Vous lui disiez qu'un match se préparait: il y pensait durant quelques instants puis son regard s'allumait, sa bouche dessinait un large sourire et il laissait alors partir un de ces cris à vous crever le tympan. Vous pouviez le voir se préparer intérieurement, s'emballer et suivre la montée de son enthousiasme. Il agissait ainsi tout naturellement comme si c'était une seconde nature chez lui.

Joe Louis faisait montre d'autant d'énergie et de sérieux dans le développement de son enthousiasme que dans le choix de ses partenaires à l'entraînement, ses attaques sur le sac de sable, dans le saut à la corde et la course. Plus il travaillait ses muscles, plus son enthousiasme grandissait et plus son exaltation se décuplait, rejaillissait sur tous ceux qui l'entouraient. Ceux qui le côtoient encore aujourd'hui ne peuvent s'empêcher d'en ressentir l'effet. Je peux vous assurer qu'il est encore tout vibrant. Pouvez-vous concevoir la joie de Joe Louis devant le témoignage formidable d'appréciation de sa ville lui dédiant un magnifique complexe sportif et une aréna sur les bords de la rivière Détroit?

Malgré une santé chancelante, son amour de la vie, des gens et des choses ne l'a jamais quitté. Même une attaque cardiaque n'a pas eu raison de sa vitalité. Il possède encore le feu sacré et excelle à le transmettre aux autres parce que l'enthousiasme est aussi contagieux qu'un rhume de cerveau, sauf qu'il est plus agréable.

Cependant, Joe Louis n'est pas devenu champion du monde par le seul fait de son enthousiasme débordant, cela va de soi. Il serait le premier à vous dire que l'enthousiasme ne peut se substituer à l'entraînement et à l'expérience. Vous pouvez en déborder quant à la façon de vous y prendre pour vous faire accepter, mais si vous n'avez pas le bon produit, cette disposition d'esprit ne vous mènera nulle part. Joe Louis n'a pas conquis la couronne par son seul enthousiasme. Au football, l'enthousiasme seul n'a jamais conduit à un touché. Il a fallu de la stratégie et du savoir-faire.

Vous vendez le produit par excellence au monde: vous-même. Et vous ne voulez pas manquer de cet ingrédient savoureux qu'est l'enthousiasme. Mettons-le à l'épreuve. Exerçons-le. Mais comment?

Je vous ai déjà fait part des trois étapes de mon entraînement physique afin de conserver une bonne forme: (1) 42 redressements assis (2) 42 tractions sur les mains et (3) 42 tours de pédalier. Je me contrains également à un autre exercice en quatre étapes de mon enthousiasme et je puis vous garantir que vous deviendrez le plus enthousiaste des humains si vous le suivez; vous serez une personne que l'on aimera voir dans son entourage, quelqu'un de pétillant, de constructif. Les voici:

Exercice de l'enthousiasme en quatre étapes

1. S'impliquer sérieusement dans quelque chose.
2. Manifester son exaltation.
3. Garder à sa portée les moyens de recharger sa batterie.
4. Contemplez la vie avec les yeux d'un enfant.

Examinons ces étapes de plus près.

Premièrement: *S'impliquer sérieusement dans quelque chose.* Votre esprit doit toujours être tourné vers un but excitant, une idée passionnante, un projet, une personne, un programme, une famille. S'impliquer est tellement important! Les gens le sentent dès le premier contact et cela aide énormément, donne tout un coup de pouce dans le processus d'acceptation. S'impliquer est le meilleur exercice de réchauffement en vue du développement de l'enthousiasme.

Combien de fois vous est-il arrivé de dire à votre épouse, à votre époux ou à un ami: «Allons faire une promenade!» Vous partez mais sans destination bien définie. Vous roulez ou marchez quelque temps en silence puis, tout à coup, vous vous regardez et vous dites: «Rentrons à la maison!» Pourquoi cette promenade ratée? C'est que vous êtes parti sans but précis, sans raison précise, l'esprit vide, sans même penser que vous auriez pu en profiter pour jouir de la nature environnante ou admirer les feuilles d'automne jonchant le sol ou tourbillonnant dans l'espace.

D'autre part, vous pouvez faire face à une situation inattendue. Tout en roulant ou en marchant, vous pouvez miraculeusement voir quelque chose qui attire votre regard et retienne votre imagination: un merveilleux coucher de soleil, un défilé quelconque, la silhouette de la ville se détachant sur le ciel ou un magnifique animal. Soudainement, un sentiment d'exaltation s'empare de vous, votre enthousiasme grandit, il déborde pratiquement de toutes vos pores. Vous auriez pu en jouir davantage si vous aviez planifié votre sortie en vous proposant d'aller admirer le coucher de soleil ou assister au défilé. Dans l'adage: *la planification vaut la moitié du plaisir,* il existe une large dose de vérité. Je suppose que le fait de partir à l'aventure est assez agréable mais il ne peut donner tout le plaisir dérivé d'une sortie planifiée. Une promenade à bonne allure ou un voyage, une randonnée vers un certain endroit ou une visite quelque part, font redoubler l'enthousiasme tandis qu'une excursion sans but précis est plutôt épuisante.

Je n'oublierai jamais la première fois que nous sommes allés en famille à Disneyland. À mesure que nous approchions, notre excitation augmentait. Quand nous avons aperçu l'indicateur sur la route: *Disneyland 850 kilomètres,* nous nous sommes regardés avec un large sourire. Puis, ce fut: *Disneyland 560 kilomètres.* La tension montait. *Disneyland 200 kilomètres* et, finalement, nous sommes arrivés. Nous nous étions intéressés à Disneyland et parce que nous nous étions impliqués, notre enthousiasme s'exerçait à chaque kilomètre.

La vieille rengaine «Je m'en fiche!» qu'on sert à tout venant est diamétralement opposée à l'enthousiasme. Le malheur veut que cette attitude soit également contagieuse. Si vous vous en balancez, il ne faudra pas longtemps avant que la personne que vous tentez de gagner à votre perception n'attrape le virus et ne se fiche de vous également.

L'enthousiasme grandit en proportion du projet que vous nourrissez. J'ai toujours présent aux yeux de l'esprit un but à long terme, un défi à relever, si vous voulez. Le voyage à Disneyland en était un pour toute la famille. Lorsque le parc parut devant nous, notre exaltation ne connut plus de bornes. Il faut noter que le voyage de chez nous à Disneyland s'étalait sur plusieurs jours.

Je divise mes défis à long terme en étapes comme nous l'avons fait pour notre aventure à Disneyland, en autant de buts à court terme - une journée, une semaine. Ces étapes sont comme des collines sur la voie des cimes. Je m'aperçois qu'à chaque étape, mon enthousiasme refait le plein. Chaque nouvelle étape tire son élan de la précédente.

Essayez une bonne fois ce qui suit: arrêtez un certain nombre de personnes sur votre route ou dans votre quartier, à votre lieu de travail ou au parc d'amusement, et demandez-leur: «Que vous proposez-vous de faire aujourd'hui?»

Croyez-le ou non, neuf sur dix, même dix sur dix vous répondront: «Je ne sais pas.»

«Que vous proposez-vous de réaliser?»

«Je ne sais pas.»

«Où allez-vous dans la vie?»

«Je ne sais pas.»

Si vous ne savez pas ce que vous voulez faire ou ce que vous devriez réaliser, comment allez-vous devenir enthousiaste? Comment pouvez-vous manifester de l'intérêt pour quelque chose dont vous vous fichez? C'est une toute autre histoire lorsque vous vous y intéressez.

Faites un jeu de votre cible

Pendant des années, Charles Drummond fut reconnu comme le meilleur vendeur de chaussures de l'est du fleuve Mississippi. Il le serait encore s'il n'avait pas accroché ses bons de commandes, s'il ne s'était pas retiré des affaires avec honneur et un record de ventes enviable. C'était un homme farci d'enthousiasme et qui savait se faire accepter.

«Bulldog» Drummond, tel qu'on l'appelait dans le domaine de la chaussure comme sur le losange de baseball où il joua professionnellement dans les ligues de l'Est, ne travaillait pas dans un magasin de chaussures. Il agissait comme représentant des chaussures Queen Quality et il a parcouru à peu près tous les états de l'Union, appuyant davantage sur ceux du Midwest et du Sud. Il vendait des chaussures pour dames à des détaillants de toutes trempes. S'il n'existait pas de magasin de chaussures en un endroit désigné, il en ouvrait un. Une foule de rayons de la chaussure dans les magasins à rayons doivent leur naissance à «Bulldog» Drummond.

Ce dernier faisait affaire avec les acheteurs rencontrés dans les hôtels et les motels, mais il allait également relancer dans les hameaux les plus éloignés ceux qui ne pouvaient venir à lui. Afin de nourrir son intérêt dans son commerce, il se fixait des cibles basées ordinairement sur les collections de printemps et d'automne. Il disait: «Si je réussis à faire accepter ma collection dans quatre-vingts magasins durant janvier, février et mars, j'emmènerai ma femme à Hollywood.» «Bulldog» Drummond était un homme comme les autres. La perspective d'aller à Hollywood pour contempler les traces de pas des grandes vedettes du film, en face du célèbre théâtre du boulevard Hollywood, le remplissait de plus d'enthousiasme que le fait de passer des nuits dans différents hôtels au cours de ses pérégrinations de vendeur. Le premier voyage était plaisant tandis que le second faisait tout simplement partie de son travail.

Donc, Drummond se fixait une cible dont il pourrait retirer du plaisir. La Californie devenait le symbole de sa réussite durant ces trois mois de vente. Il s'aperçut bientôt d'un fait surprenant: comme il travaillait d'arrache-pied afin de décrocher des commandes, il constata que son enthousiasme se décuplait avec la perspective du voyage au pays des stars après trois mois de labeur intense. Bientôt, la vente des chaussures prit l'allure d'un sport à ses yeux. Il devint de plus en plus intéressé à mesure que les semaines passaient, plus enthousiaste si possible. Il avait toujours hâte de se retrouver au lendemain, de franchir un autre kilomètre dans la vente. Pour tout dire, lorsqu'il se prépara à partir avec son épouse vers Hollywood, récompense qu'il avait largement méritée, ce ne fut là que l'apogée de trois mois d'implication de tous les instants dans la vente des chaussures.

Fixez-vous un objectif, trouvez quelque chose qui vous intéresse et faites-en une partie de plaisir à l'instar de Charles Drummond qui rencontra un succès phénomal parce qu'il avait su se faire accepter par son enthousiasme débordant. J'ai beaucoup appris de cet homme.

Avoir une cible qui nous intéresse signifie tout simplement se *donner une raison pour agir et développer son enthousiasme*, raison qui rend chaque jour encore plus intéressant que le précédent. Voici un truc que je me permets d'ajouter à ce conseil: si vous n'avez pas réussi à atteindre le quota que vous vous étiez proposé pour aujourd'hui, pour cette semaine ou pour ce mois, ne vous confondez pas en lamentations. Gardez simplement les yeux fixés sur votre cible ultime et vous y parviendrez. Vous récolterez ce que vous aurez semé, encore une raison pour être de plus en plus enthousiaste.

Considérez un cultivateur. Ce qu'il sème aujourd'hui, il le récoltera demain. Il ne reçoit aucun salaire pour le travail qu'il accomplit à présent; il ne verra sa récompense qu'à l'automne, lors de la moisson: c'est ce but qu'il envisage avec enthousiasme. Il continue son petit train de tous les jours, retournant la terre, cultivant et imaginant sa récolte. Son enthousiasme s'accroît au fur et à mesure que sa moisson grandit.

Deuxièmement: *Manifester son exaltation*. Je commence à exercer mon enthousiasme dès que j'entre sous la douche le matin. Je ne sais pourquoi mais l'eau qui coule sur mon corps et le savon me portent à chanter. Au début, mon épouse en était agacée et elle m'a taquiné pendant de nombreuses années à ce propos. Sa remarque la plus fréquente était: «Tu te prends, ma foi, pour ton compatriote, Enrico Caruso!»

Je ne peux pas m'en empêcher. Aussitôt que j'ouvre l'oeil, je me dis: «Sois heureux!», et je suis heureux. Dieu me donne un magnifique présent d'une autre journée de 24 heures, de 1 440 minutes, *le premier jour du reste de ma vie* comme disait quelqu'un. Aujourd'hui seul compte et je dois le rendre plus beau qu'hier. Hier est tombé dans le passé, dans l'oubli; il ne peut revenir. Demain n'est pas encore arrivé. Il sera toujours temps d'y penser quand il se présentera.

C'est pour cela que je chante. Je manifeste mon enthousiasme pour le temps qui m'est dévolu aujourd'hui. Vous pouvez faire la même chose. Ne soyez pas mortifié si vous ne pouvez chanter juste même avec accompagnement.

Succès de l'employé à la demi-semaine.

Laissez-moi vous raconter l'histoire de monsieur Enthousiasme en personne, un homme qui s'est fait accepter dans le monde des affaires en manifestant son exaltation de telle façon qu'il réussit à en faire vibrer les fondations, à capter l'attention du directeur d'un important fabricant d'appareils ménagers en Ohio. Il parvint ainsi à se hisser au poste prestigieux de directeur du service de formation de la compagnie et d'organisateur des rencontres pour la promotion des produits.

Puisque je vendais des voitures dans une division soeur de cette usine (si elle n'était pas une compagnie soeur, au moins était-elle sa cousine), j'entendis parler de cet homme extraordinaire par des collègues qui avaient assisté à des ralliements de points de vente et à des séances de mise en marché d'appareils ménagers et d'automobiles. Sa renommée avait franchi les frontières et sa vie était devenue une véritable légende au temps où je fis enfin sa connaissance. Anciennement, il avait fait partie d'une compagnie de tournées de conférences et de vaudeville; je crois que le circuit se nommait Chautauqua. Cette organisation s'occupait des engagements d'orateurs, de troupes de comédiens, de musiciens et toutes sortes de divertissements accueillis avec plaisir dans les coins les plus reculés. Monsieur Enthousiasme possédait un talent pour la musique.

Un jour, il remplissait un engagement d'une demi-semaine dans un bourg de l'Ohio où cette compagnie d'appareils maintenait ses quartiers généraux. Je crois savoir qu'un tel engagement lui laissait une bonne partie de la semaine libre. L'assistance étant loin d'être nombreuse, mon musicien décida donc d'aller saluer un vieil ami de la place.

Ce dernier lui dit: «Pourquoi ne te présenterais-tu pas à l'usine où je travaille? Le boulot ne manque pas, le salaire est passable, les gens aimables et tu te plairais dans notre coin de pays.»

«Mais j'aime ce que je fais. La musique est toute ma vie!»

«Je suis certain que tu peux te servir de ton talent musical dans la vente des réfrigérateurs et des cuisinières.»

Le musicien réfléchit un bon moment, puis se décida: «Ça m'a l'air d'un bon engagement», dit-il.

Il se présenta juste au moment où il y avait un ralliement portant sur la vente. Il eut l'impression d'assister à des funérailles plutôt qu'à une session destinée à mousser la vente. Il vit alors sa chance de percer dans la compagnie car il entrevit les possibilités que son enthousiasme débordant pouvait apporter.

Monsieur Enthousiasme entreprit alors de se faire accepter dans un domaine auquel personne n'avait songé jusque-là, où il pouvait mettre de la vie dans les séances d'entraînement, dans les réunions, un peu de sens théâtral dans la présentation des produits. Il devint tellement imprégné de son sujet qu'il se mit à chanter devant les membres sidérés du Conseil de direction, d'autant plus surprenant qu'il n'arrivait pas à la cheville des chanteurs en vogue. Souriants, les membres du Conseil se laissèrent convaincre de lui accorder un essai.

Les résultats dépassèrent toutes les espérances. Les vendeurs d'appareils commencèrent à manifester plus d'intérêt aux rencontres, les détaillants lui firent ovation au moment de la présentation de nouveaux produits. Un de ses plus remarquables accomplissements fut l'organisation d'une chorale avec les employés pour exécuter des marches militaires ou des extraits d'opérettes à tous les ralliements. Les vendeurs devinrent aussi enthousiastes que les étudiants de Heidleberg et les membres de la Gendarmerie royale du Canada dont ils entendaient les refrains exécutés par la chorale. Ses réunions et ses présentations devinrent de véritables productions théâtrales dont on parlait pendant des mois. Les détaillants et vendeurs attrapèrent le virus de l'organisateur et leur travail s'en ressentit. Si jamais un homme a réussi à se faire accepter dans un domaine aussi différent de sa vocation, c'est bien ce musicien qui n'a pas craint de manifester très fort son enthousiasme.

Essayez le truc! En partant pour votre travail le matin, dites-vous comme vous êtes heureux de pouvoir sortir et de faire ce que vous faites, d'aller où vous dirigez vos pas. Soyez impatient de commencer votre journée. Dites-vous que vous ne pouvez pas attendre d'être rendu là où vous portent vos pas: vers le succès. Sur votre chemin, ne fréquentez que des gens aussi enthousiastes que vous. Regardez autour de vous, tentez de repérer les gens victorieux, les plus grands et tâchez d'emprunter leurs tactiques.

À proprement parler, la meilleure façon de vous y prendre ne consiste pas seulement à emprunter des trucs, mais surtout à échanger. Remarquez que, lorsque vous souriez à une personne, vous récoltez un sourire à votre tour et si vous avancez un commentaire enthousiaste devant quelqu'un, il y a de fortes chances qu'il vous en passe un en retour. Vous savez que le truc fonctionne. Avez-vous déjà constaté que, lorsque vous bâillez, il ne faut pas longtemps avant que les autres ne vous imitent? Souriez, chantez et l'on fera de même. Votre enthousiasme exprimé fortement agit à la façon d'une décharge électrique.

Troisièmement: *Garder à sa portée les moyens de recharger sa batterie*. Je vais vous parler ici d'Ed Start. Il était tellement enthousiaste dès le début de la journée que j'avais pris l'habitude de l'appeler *Head Start* (bon départ). Il vendait des voitures et des camions et son bureau était voisin du mien. Je me serais senti perdu sans lui. J'aime à répéter que je ne vends pas de voitures, je me vends moi-même. En ce qui concerne Ed, on pourrait dire qu'il ne vendait pas des voitures ou des camions mais qu'il vendait de l'enthousiasme. Sa batterie était toujours chargée à bloc, de sorte que son exaltation rejaillissait sur tous. Je ne l'ai jamais vu déprimé. Il pouvait s'emballer à propos de tout ou de rien. On se plaisait en sa compagnie alors et c'est toujours vrai aujourd'hui.

S'il m'arrivait de me sentir déprimé un tant soit peu, comme ce fut parfois le cas, je m'arrangeais pour visiter Ed et recharger ma batterie à son contact, exactement comme lorsque votre voiture est en panne et que vous demandez à un autre automobiliste s'il veut bien vous prêter ses câbles survolteurs. Chaque fois que mon enthousiasme semblait décliner, je pouvais compter sur Ed pour me remonter. Il me disait quelque chose dans le genre: «Joe, je t'ai observé hier dans la salle de montre lorsque tu as vendu cette familiale; tu étais tout simplement formidable!» Ou bien: «Joe, la façon dont tu as apaisé la colère de ce client au service des réparations tenait tout simplement du génie.» Ed avait une façon d'exagérer mais, quand on avait la mine basse, je vous assure que cela faisait son petit effet; le moral remontait d'un cran. Qu'il se fut agi d'un compliment ou simplement d'une tape amicale sur l'épaule, Ed savait exactement quel geste poser et quel mot prononcer pour nous remettre sur la bonne voie. Avant peu, mon enthousiasme avait repris du poil de la bête et je me retrouvais en pleine possession de mes moyens.

Un jour, Ed me surprit. Il ne m'était jamais venu à l'esprit qu'il pouvait parfois avoir besoin lui aussi d'un petit remontant. Il vint me retrouver et m'emprunta mes câbles survolteurs et c'est ainsi que je me suis rendu compte que ce marché que nous faisions n'était pas à sens unique. Plus je me consacre à aider les autres à retrouver leur enthousiasme, plus je recharge ma propre batterie. La vérité, c'est que l'étincelle appelle l'étincelle.

Tâchez de trouver quelqu'un sur qui vous pouvez compter lorsque vous avez besoin de recharger votre batterie, une personne qui soit une gagnante, la plus grande tout comme vous. Tout aussi important, soyez vous-même ce genre de personne.

Quatrièmement: *Contempler la vie avec des yeux d'enfant.* Regardez le monde, peu importe votre âge, avec un émerveillement renouvelé. Conservez toujours cette attitude d'attente, d'espoir.

Lorsque j'étais enfant, nous vivions dans la misère noire. Soutenus par l'état, nous dépendions de ce qu'il est convenu d'appeler l'assistance sociale. Presque toutes les familles de notre voisinage étaient dans le même plat et l'institutrice devait faire des enquêtes pour vérifier notre condition sociale afin d'en faire rapport à une organisation appelée *Goodfellows*, composée d'anciens journalistes qui se faisaient un point d'honneur de recueillir assez d'argent pour acheter des cadeaux aux enfants, de sorte que ceux-ci puissent passer des Fêtes joyeuses. Dans ce but, le groupe vendait des éditions spéciales des journaux de Détroit et réunissait ainsi les fonds nécessaires.

Comme la Noël approchait, les *Goodfellows* ratissaient le voisinage et répandaient leurs bienfaits parmi les enfants. À mesure qu'ils se rapprochaient de chez nous, je sentais des picotements dans mes mains car j'avais tellement hâte d'avoir ma boîte annuelle. J'en connaissais le contenu car il ne variait pas d'une année à l'autre. Pourtant, cela ne diminuait en rien mon enthousiasme. Je savais que j'y trouverais un sous-vêtement à jambes longues (le genre qui présente une ouverture au siège), une petite boîte de bonbons de chez Sanders, un coupon à échanger contre une paire de chaussures et, si vous étiez un garçon, un jeu quelconque; si vous étiez une fille, vous aviez droit à une poupée.

Nous recevions quatre de ces boîtes à la maison car j'avais un frère aîné et deux soeurs plus jeunes que moi. Ma mère emballait alors les présents des *Goodfellows* et les déposait sous un minuscule arbre de Noël qu'elle avait réussi à se procurer on ne sait trop comment. Au matin du grand jour, nous, les enfants, ne pouvions contenir notre joie dans l'attente du moment où nous pourrions ouvrir nos cadeaux. Nous avions les yeux brillants d'anticipation; c'est bien ainsi que sont les enfants! Chaque jour devient une nouvelle aventure pour eux: le premier jour de classe, le dernier avant les vacances, la maladie de l'institutrice, un anniversaire, des vacances. Les enfants vivent dans l'expectative: voilà une fameuse bonne règle de conduite pour les adultes qui devraient tenter de capturer cet enthousiasme juvénile et apprendre à vivre chaque journée dans l'espoir, dans l'attente.

Voilà! Vous avez maintenant les quatre étapes qui vous aideront à façonner chez vous un enthousiasme délirant, à devenir une personne désirable et à vous faire accepter plus facilement: (1) s'impliquer sérieusement dans quelque chose; (2) manifester son exaltation; (3) garder à sa portée les moyens de recharger sa batterie; (4) contempler la vie avec des yeux d'enfant.

Vous savez également que, sans exercice, vos muscles deviendront mous et flasques. Le même principe s'applique à l'enthousiasme. Sans pratique, celui-ci deviendra sans ressort. Par conséquent, je m'obstine à pratiquer mes exercices physiques *42-42-42* matin et soir de même que je m'adonne toujours à mes exercices de recharge d'énergie tous les jours et tout au long de la journée. Relisez l'histoire de l'humanité et vous constaterez que les grands hommes faisaient de même.

La Nina, la Pinta et la Santa Maria

Saviez-vous que c'est véritablement l'enthousiasme qui a présidé à la découverte de l'Amérique? L'enthousiasme pour le commerce, les épices, les riches marchandises des Indes, une petite place sur le marché. Rien à redire à cela, n'est-ce pas?

Christophe Colomb nourrissait la certitude que la terre était ronde et non pas plate comme on l'affirmait dans le temps. Partant de ce fait, il lui semblait alors qu'il serait facile de rejoindre les richesses des Indes en voguant vers l'Ouest au lieu de contourner la partie la plus mérédionale de l'Afrique au cours d'un voyage long et toujours périlleux.

Le problème, c'est que personne ne s'était encore hasardé vers l'Ouest pour se rendre en Orient, et personne ne semblait intéressé par le projet. Il était tout aussi difficile alors de communiquer son enthousiasme que ce l'est de nos jours. Pourtant, les explorateurs en ont à revendre et Colomb ne faisait pas exception à la règle. De plus, il était un excellent marin et s'intéressait à quelque chose. Son rêve comportait un but des plus intéressants malgré toutes les rebuffades qu'il eut à essuyer. Malheureusement, l'Italie, son pays natal, refusait de l'écouter. Il se tourna donc vers l'Espagne, une nation de marins dont les bateaux, propriété de la reine Isabelle et du roi Ferdinand, sillonnaient toutes les mers.

Afin d'obtenir ce qu'il désirait de personnes qui pouvaient le lui procurer, Colomb devait se faire aimer et accepter de celles-ci. Il se présenta donc devant les souverains armé de certificats, de papiers d'identité et de pièces justificatrices. Mais il veilla surtout à les envelopper de son enthousiasme débordant. Il peignit un tableau merveilleux de la richesse et du prestige qu'il se proposait de rapporter à l'Espagne. Plus il parlait, plus il devenait engageant et, étant aventurier, il voyait encore le monde avec les yeux éblouis de son enfance. Il était tellement emporté par son sujet qu'il sauta littéralement dans la pièce et sa voix prit des consonnances magiques. Il manifesta son enthousiasme d'une voix forte devant les souverains et la cour et, comme toujours, ils se piquèrent à son jeu. Colomb obtint ce qu'il désirait en se faisant accepter lui-même: trois navires avec équipage. Après son passage, l'Espagne ne devait plus être la même car, en son nom, il découvrit le Nouveau Monde.

L'enthousiasme a mis l'Amérique sur la carte du monde et n'en éprouvez-vous pas quelque fierté? Pensez alors à ce que l'enthousiasme peut faire pour vous si vous vous lancez dans l'aventure de vous vendre vous-même, de vous faire accepter.

Actes à poser MAINTENANT!

- Soyez enthousiaste face à vous-même; vous le devriez car n'êtes-vous pas le plus grand?
- Lancez-vous dans la vie avec vigueur et énergie et gardez votre élan.
- Amorcer le programme des quatre étapes pour acquérir l'enthousiasme.
- (1) Intéressez-vous profondément à quelque chose. Donnez-vous une raison d'être enthousiaste.
- (2) Manifestez bruyamment votre enthousiasme, votre exaltation. Une étincelle suffit pour allumer un feu.
- (3) Faites usage de câbles survolteurs pour votre batterie. Jouez-en le rôle vous-même.
- (4) Conservez vos yeux d'enfant devant la vie. Anticipez toujours avec joie le jour qui vient.
- Fréquentez des gens enthousiastes, des agissants, des victorieux.
- Chaque matin au saut du lit, dites trois fois: «Aujourd'hui sera encore plus beau qu'hier.»

6

Apprendre à écouter

D ieu nous a donné à tous deux oreilles et une bouche. Il entendait peut-être par là nous faire comprendre quelque chose et, comme c'est le cas pour beaucoup de ses créatures, nous refusons de capter le message.

Placée bien en évidence dans mon bureau, une affiche me prêche de garder les oreilles bien ouvertes. Je ne connais pas l'origine de ces paroles mais la pensée se lit comme suit: «Vous pensez avoir compris ce que vous croyez que j'ai dit mais je ne suis pas sûr que vous en ayez saisi le sens.»

Que dites-vous là, me demandez-vous? Eh bien, nous allons en faire le sujet de ce chapitre et découvrir ensemble l'art de savoir écouter, car c'est bien là le secret pour se faire accepter.

Apprendre à écouter. Voilà le meilleur conseil que je puisse donner à une jeune personne qui se lance dans la vente; il pourrait s'appliquer également à n'importe quelle autre déjà engagée dans cette carrière. Je dirais même plus, ce conseil peut être utile à tous et chacun. Dressons une liste, si vous le voulez, de toutes les personnes qui, d'une manière ou de l'autre, en plus de leurs aptitudes, ont besoin de se révéler bons auditeurs si elles veulent réussir dans leur carrière.

- Les vendeurs
- Les conseillers
- Les psychiatres
- Les membres du clergé
- Les parents
- Les professeurs
- Les médecins
- Les infirmières
- Les dentistes
- Les avocats
- Les pilotes d'avion
- Les politiciens

La liste pourrait s'allonger encore. Avec un peu de réflexion, vous pourriez en ajouter une bonne vingtaine d'autres en quelques minutes. Pourquoi ces gens doivent-ils maîtriser l'art de savoir écouter. Pourquoi *vous* en particulier, qu'importe la profession que vous exercez?

Prenons, par exemple, *les vendeurs*. Si vous tentez de vendre un produit ou un service, vous devez garder à l'esprit que ce que vous essayez de passer à votre client, c'est *votre personnalité*. Vous êtes le produit par excellence au monde. J'ai décroché le titre de meilleur vendeur au monde à force de travail acharné et de connaissance profonde du produit que je tentais de vendre. Afin d'y arriver, il me fallait d'abord *me* connaître, être au courant de *mes* capacités, de *mes* attributs, non ceux de la voiture. Je tentais constamment de me découvrir, de savoir *qui* j'étais et *ce* que je représentais.

Au cours de cette recherche, je fis une découverte fantastique. Je me suis aperçu que si je consacrais plus de temps à écouter ce que l'autre avait à me dire plutôt qu'à parler moi-même, j'en apprendrais davantage sur moi.

Tous avaient un message à me passer: les clients éventuels, les propriétaires, les collègues. J'ai reconnu que, dans l'esprit de l'un de mes clients, je faisais figure de confesseur, que si je lui permettais de me raconter toutes ses vicissitudes de la semaine qui venait de s'écouler, j'étais sur la voie d'une vente certaine. Lorsque je faisais fi de cette façon de procéder, je risquais de me casser la figure. En fait, cela s'est produit et jamais je n'oublierai l'événement. Voici l'histoire:

Mon fils, le médecin

Cette vente perdue me piqua au plus haut point. Un entrepreneur en construction vint me voir. C'était un autodidacte, un primaire du point de vue éducation qui, à force de travail acharné et de pensées constructives vers des buts bien précis, avait trouvé la fortune. Je lui présentai mon produit, un de nos plus luxueux modèles, et je lui fis faire une promenade afin de démontrer la beauté et l'utilité de la voiture. Au retour, je lui tendis le contrat et le stylo... et je fis patate.

À la fin de ma journée, j'aime passer mon travail en revue. Ce soir-là, je ne parvenais pas à chasser cet échec de ma pensée. Je consacrai toute la soirée à me demander ce qui avait cloché. À la fin, n'y tenant plus, je composai le numéro du client.

Je lui dis: «Écoutez, j'ai essayé de vous vendre une voiture aujourd'hui; de fait, je croyais vous avoir convaincu et voilà que vous êtes reparti sans signer le contrat.»

«C'est bien vrai», me répliqua-t-il.

«Qu'est-il arrivé, alors?»

Je pouvais presque voir mon interlocuteur pousser un soupir d'agacement et consulter sa montre avant de me répondre: «Quelle drôle d'idée de me déranger à onze heures du soir pour me poser une pareille question.»

«Je suis désolé, monsieur, de vous ennuyer mais j'aimerais devenir un meilleur vendeur que ce que je me suis montré cet après-midi. Voulez-vous, je vous prie, me dire où j'ai fait erreur?»

«Vous êtes sérieux?»

«Je n'ai jamais été aussi sérieux de ma vie.»

«Bon. Alors, vous m'écoutez?»

«Je suis tout oreilles!»

«Eh bien, vous ne l'étiez pas cet après-midi.» Il poursuivit en me disant qu'il était sur le point de se décider à acheter et il passait les derniers moments d'hésitation qui entourent toujours l'instant où une personne se dispose à verser une somme de dix mille dollars. Mais il avait commencé à me parler de son fils qui fréquentait l'Université du Michigan et se destinait à la profession médicale. Il était fier de son rejeton et ne cessait de chanter ses louanges devant les bons résultats académiques, son nom affiché sur la liste d'honneur du recteur, ses prouesses sportives, ses ambitions. Pendant qu'il me parlait ce soir-là, je ne parvins pas à me rappeler un traître mot de ces détails qu'il m'avait répétés dans l'après-midi. Je n'avais tout simplement pas écouté.

Il me dit alors que je n'avais pas semblé intéressé, que ses motifs de fierté ne me faisaient ni chaud ni froid, que je paraissais avoir perdu toute curiosité dès que le marché semblait dans le sac. Il ajouta que j'avais paru essayer de saisir une blague que l'un de mes confrères faisait dans le couloir près de mon bureau.

C'était là la raison pour laquelle il avait perdu tout intérêt dans mon produit; à ses yeux, je le considérais comme n'importe quel client armé d'un carnet de chèques. Je n'avais prêté attention qu'à ses désirs et à ses besoins en matière de produit et j'avais négligé l'élément humain. Pourtant, il n'avait pas seulement besoin d'un moyen de transport, il désirait surtout être complimenté sur le fils qui faisait son orgueil et sa joie.

C'est pour cela qu'il n'avait pas conclu la vente avec moi: je ne m'étais pas fait accepter de lui. Cela peut paraître étrange. Cet homme était venu à moi avec le dessein de m'acheter une nouvelle voiture et je pouvais lui en offrir une pour satisfaire à ses exigences; pourtant, il n'avait pas acheté. Quelle importance y avait-il que je l'écoute vanter les performances de son fils?

Eh bien, c'était là où je me trompais lourdement car j'avais à la portée de la main le secret de la réussite. Puisque je répète depuis le début qu'il faut se faire accepter le premier, il découle que ce qu'il achetait vraiment avec la voiture, c'était moi. J'avais évidemment manqué le bateau ce jour-là.

Je me gardai bien de l'interrompre. Lorsqu'il eut terminé, je lui dis: «Je vous remercie du fond du coeur, monsieur. Vous venez de me donner la plus belle leçon de ma vie. Je suis désolé de ne pas avoir prêté plus d'attention à vos paroles aujourd'hui.» Je l'assurai que j'étais heureux moi aussi de la réussite de son fils et j'ajoutai que, s'il suivait les traces de son père, il ne pouvait faire autrement que de trouver le succès. «J'espère que vous me donnerez une autre chance.»

Cet appel m'a fait comprendre deux choses: 1. l'importance d'écouter attentivement car le contraire attire l'échec; 2. si je faisais bon usage de ses remarques, je pourrais peut-être lui faire une vente la prochaine fois qu'il se présenterait.

Il y eut de fait une autre fois et il acheta mais, dans l'intervalle, il m'avait donné une leçon que je ne suis pas prêt d'oublier.

Vendeurs, écoutez-moi bien! Il y a encore d'autres façons de perdre une vente en ne prêtant pas l'oreille. Tout vendeur sait que s'il *parle trop,* il reprend la vente qu'il pensait avoir conclue. Il devrait se rappeler que la plupart des clients, avant de se présenter à lui, sont déjà décidés par le truchement d'annonces ou autres moyens de publicité. Ce qu'ils recherchent vraiment, c'est la confirmation de ce qu'ils savent déjà et l'assurance qu'ils vont faire un bon placement. Souvenez-vous que les gens n'achètent pas simplement des objets, mais plutôt leur utilité pour eux: prestige, impression de puissance, confort, sécurité, épargne, respect. Comment le saurez-vous si vous vous bouchez les oreilles? Pendant que le client expose ses besoins, bien souvent le vendeur inexpérimenté n'arrête pas de lui dire ce qu'il croit lui être utile.

Une des choses les plus difficiles au monde est de savoir se taire. Je ne sais pas le dire plus poliment. Nombreuses sont les personnes qui ne parviennent pas à se faire accepter parce qu'elles parlent trop et n'écoutent pas suffisamment.

Passons maintenant aux psychiatres. J'ai vendu un jour une voiture à l'un d'eux. Il prenait à la blague le fait qu'on le qualifiait de *laveur de cerveaux.* Durant notre conversation, il me dit m'envier parce que j'avais un produit palpable à vendre, une voiture, un camion, tandis que lui n'avait rien à offrir. Je savais qu'il ne parlait pas littéralement: il tentait seulement d'établir une comparaison entre les sièges en baquet et le sofa typique du psychiatre. Je lui rétorquai qu'il ne se faisait pas justice en parlant de la sorte, qu'il possédait une bonne paire d'oreilles et, ce qui compte davantage, l'habileté de pouvoir écouter. Il ne disait pas aux gens ce qu'ils devaient faire, il se contentait de les écouter et de les laisser découvrir par eux-mêmes ce qui les faisait souffrir. Un psychiatre joue le rôle d'une sonde auprès de ses patients.

Voyons maintenant les membres du clergé. Je me souviens du père Bill, un des vicaires de la paroisse où je suis né à Détroit. Il était le prêtre le plus populaire de l'endroit, si l'on peut mesurer le succès au degré de respect et d'amour dont on l'entourait. Tout le monde s'attroupait autour du confessionnal du père qui s'y présentait pour les entendre. Je dis bien *entendre* car ce prêtre possédait le secret de savoir bien écouter avant de prodiguer les conseils nécessaires et dispenser la pénitence. Il était lui aussi une excellente sonde, une magnifique rampe d'essai.

Les parents? Combien de parents peuvent se vanter de savoir écouter leurs enfants? Mon père ne l'a jamais fait et ce souvenir m'est encore pénible. Ma mère savait le faire et je vénérerai toujours sa mémoire. On ne compte plus les jeunes qui ont pris la mauvaise voie parce que leurs parents avaient toujours refusé de les écouter. L'enfant qui peut se vanter d'avoir un père ou une mère qui sache l'écouter est la personne la plus chanceuse au monde. Le parent doit également lire entre les lignes. Un fils pourra dire: «Je me fiche de l'heure où je rentrerai ce soir.» Ce qu'il tente de faire comprendre, c'est qu'il désire se voir fixer une heure, il souhaite qu'on lui impose des limites. Si les parents n'ont pas compris cet appel, ils pourront entendre leur rejeton dire plus tard: «Je vous assure que mon père ne m'a jamais compris; nous n'étions jamais sur la même longueur d'ondes lui et moi.»

Au tour des professeurs maintenant! Ils doivent écouter leurs étudiants; *les conseillers* doivent tendre l'oreille vers ceux qui leur parlent de leur carrière future, *le médecin* écouter attentivement son patient afin d'arriver à un bon diagnostic, les *infirmières* se pencher sur les gens rongés par le doute, craintifs, abandonnés dans les hôpitaux. *Les avocats* devront écouter avec soin avant de préparer une défense qui pourra leur assurer la victoire dans le prétoire. Les *politiciens* se mettront à l'écoute de leurs électeurs plutôt que de déblatérer à tout vent et ils apprendront beaucoup d'eux. Qu'arriverait-il *au pilote* distrait s'il n'écoutait pas attentivement les directives de la tour de contrôle au moment d'atterrir quand la visibilité est nulle? Il courrait immanquablement au désastre, n'est-ce-pas?

Écouter est un art précieux

Un de mes amis se retrouva à poireauter angle Cinquième avenue et Quarante-neuvième rue, ne voyant toujours pas sa femme venir, tandis que celle-ci l'attendait angle Madison et Quarante-neuvième. Il avait écouté distraitement lorsqu'elle lui avait fixé le rendez-vous. J'ai raté le vol vers Des Moines dernièrement tout simplement parce que je n'écoutais pas lorsqu'on a donné le signal de l'embarquement.

Nous tenons pour acquis que, lorsqu'une personne dispose de deux oreilles, elle sait écouter. Comme on se trompe! La plupart d'entre nous sommes tellement occupés à penser à ce que nous allons dire par la suite que les paroles de notre interlocuteur glissent sur nous comme l'eau sur l'aile d'un canard.

Voilà tout le problème! Chaque individu aime celui qui l'écoute attentivement: les orchestres de jazz, les conférenciers invités, un mari incompris, celui qui raconte des blagues à une partie de bureau. À ces moments-là, il importe surtout d'écouter d'une oreille attentive ce qui se dit au lieu de penser à une rétorque. Et puis, vous pourriez vous instruire de la sorte. Comme le dit le vieil adage, écouter représente la moitié de l'éducation.

Des sondages indiquent que nous n'entendons que la moitié de ce qui se dit. Alors, comment une personne qui vise à se faire accepter peut-elle réussir à capter l'autre moitié de ce qui se dit?

Vous seriez surpris d'apprendre combien de gens se sont penchés sur le phénomène. Il en est également question dans la Bible qui dit: *Soyez prompt à écouter, lent à parler.* En d'autres termes, relâchez la bride, donnez à l'autre personne la chance de placer un mot. Une grande vérité que l'on a tendance à oublier, c'est qu'il est bien difficile d'écouter lorsque la langue ne cesse de s'agiter. Essayez pendant un moment de vous tenir coi, les dents serrées, de retenir votre langue et de prêter une oreille attentive. Faites un effort et donnez la chance à l'autre personne de se faire valoir.

Vous verrez que l'ancienne loi de compensation fera des siennes en votre faveur. Votre interlocuteur, s'apercevant qu'il a tenu le haut du pavé assez longtemps, s'arrêtera et vous cédera le plancher. Lorsque vous êtes invité à parler, vous pouvez alors dire que vous avez réussi à vous vendre vous-même.

Vous avez également entendu ces mots: les actions parlent d'elles-mêmes. Un bon auditeur participe activement à la conversation. Participe? Il se peut que vous reteniez votre langue mais cela ne signifie pas que vous vous retiriez de l'entretien. Que pouvez-vous faire dans ce cas? Souriez lorsque l'autre personne sourit, froncez les sourcils en guise d'accord lorsqu'elle fronce les siens. Rendez votre visage expressif pour manifester votre intérêt dans ce qui se dit. Croyez-moi, on vous en appréciera davantage.

Un représentant d'assurance dont la réussite dans l'art de se faire accepter a dépassé les frontières, John LoVasco (je reviendrai plus tard sur lui), me révéla un jour son secret pour retenir sa langue. Il suivait le dicton: «Moins on parle, moins on a d'excuses à présenter.» À son sens, cela signifiait qu'il ne fallait pas interrompre une autre personne ou le faire le moins possible. Les interruptions énervent. Il faut laisser parler l'interlocuteur. Les gens victorieux ont découvert qu'à écouter attentivement, toutes les pensées négatives que les gens pouvaient nourrir à leur égard disparaissaient comme par enchantement.

Un des grands hommes d'État de notre siècle, Winston Churchill, disait: «La parole est d'argent mais le silence est d'or.» Dans l'art de frayer avec les autres, le silence est d'un grand secours. Il peut faire oeuvre de palliatif, signifier la compréhension de la part de celui qui écoute, permettre non seulement de saisir ce que l'autre tente de faire passer mais également de lire entre les lignes.

Je me rends compte que le conseil peut paraître farfelu de prime abord mais, si vous voulez être entendu, taisez-vous. C'est une des meilleures façons que je connaisse pour attirer la réussite. Je crois le savoir puisqu'elle m'a permis de devenir le meilleur vendeur au monde. Et ce que je puis faire, vous le pouvez également.

Consultation dans le parc

Bernard Baruch fut un des plus grands auditeurs de tous les temps. Bien sûr, il fut aussi un des plus grands financiers des États-Unis et un véritable homme d'État. Après avoir fait fortune dans le courtage, écoulant des stocks et des valeurs tout en se vendant lui-même, il devint fonctionnaire. Il vécut une carrière formidable: conseiller sous trois présidences. Du temps de Woodrow Wilson, il agit en qualité de président du Conseil au Bureau des industries de guerre et il fut membre de la délégation qui se rendit à Paris pour négocier le traité de paix après la première grande guerre. Franklin D. Roosevelt en fit son conseiller: il dirigea ce dernier de façon à tirer le plus de profit possible de la guerre afin d'assurer de meilleures perspectives de paix. Sous Harry Truman, Baruch fut l'auteur d'un projet appelé «Plan Baruch pour le contrôle de l'énergie atomique».

Cependant, il doit sa grande popularité à son talent d'auditeur. Dans les dernières années de sa vie, il semble qu'il avait adopté un banc dans un parc en guise de bureau et là, il venait chaque jour nourrir les pigeons et écouter les doléances de ceux qui s'arrêtaient pour lui parler. Il leur prêtait volontiers une oreille attentive. Beaucoup de gens avaient pris l'habitude de venir le trouver à cet endroit, des gens ordinaires, des citoyens, des personnalités et quantité d'autres. Maires, gouverneurs, sénateurs, présidents s'approchaient volontiers de son banc, sinon en personne du moins par l'intermédiaire d'un envoyé qui lui transmettait une invitation de se rendre à Washington. La plupart du temps, ces gens ne recherchaient pas la compagnie de Baruch pour obtenir des conseils; ils venaient visiter l'homme, un homme à qui on pouvait parler, un homme qui allait leur permettre de se vider le coeur.

Bernard Baruch se fit accepter des hommes d'affaires, des généraux, des rois et des simples gens, des membres du cabinet et des présidents parce que, par-dessus tout, il avait appris à écouter.

Pouvez-vous apprendre à devenir un bon auditeur?

Préparez-vous maintenant à m'entendre énumérer une bonne douzaine de façons de procéder.

Douze principes du bon auditeur

1. *Savoir se taire et tendre l'oreille.*

2. *Savoir écouter de tous ses sens.* Commencez par écouter avec les oreilles, gardez-les sur le qui-vive. Ne vous contentez pas d'une partie de l'histoire, visez le tout.

3. *Savoir écouter avec ses yeux.* Fixez votre interlocuteur afin de montrer que vous ne perdez rien de ce qu'il dit. Nous avons tous entendu l'expression: «Ça entre par une oreille et ça sort par l'autre.» Pourtant, jamais on n'a pu dire la même chose lorsqu'il s'agit des yeux.

4. *Savoir écouter avec tout son corps.* Votre attitude, votre tenue doivent en dire long sur l'intérêt que vous portez à ce qui se dit. Tenez-vous droit, légèrement penché vers celui qui parle; paraissez vivement intéressé.

5. *Être un miroir.* Souriez quand l'autre personne sourit, froncez les sourcils comme elle, approuvez du chef en même temps qu'elle.

6. *Se garder d'interrompre.* Vous risquez de lui faire perdre le fil de ses pensées et elle en sera irritée.

7. *Éviter les dérangements de l'extérieur.* Si vous êtes dans votre bureau et jouissez d'une certaine autorité, demandez à votre secrétaire de retenir les appels ou de prendre les messages. Ou bien, retirez-vous dans un endroit où vous ne serez pas dérangé.

8. *Éviter les distractions causées par les bruits ambiants.* Faites taire la radio, le téléviseur ou la musique de fond. Rien ne doit nuire à ce que la personne veut vous dire.

9. *Éviter les distractions visuelles.* Ne permettez pas que le paysage extérieur, le va-et-vient du bureau, du magasin, vous empêchent d'écouter avec vos yeux.

10. *Concentrer son attention sur son interlocuteur.* Concentrez-vous toujours sur la personne qui vous parle. Ce n'est certainement pas le temps de consulter votre montre, de vous récurer les ongles, de bâiller ou d'allumer une pipe ou de griller une cigarette. De fait, ne fumez surtout pas. Le simple fait de tenir une cigarette peut nuire à votre concentration.

11. *Lire entre les lignes.* Tâchez de saisir le message à travers les mots. Très souvent, ce qu'une personne ne dit pas représente l'essence même de son problème. Le ton de la voix, un geste involontaire, une ombre sur la physionomie, une toux embarrassée, tous sont des indices qui trahissent le sens caché de ce qui se dit.

12. *Ne pas être un grand parleur, petit faiseur.* Par là, il faut entendre une personne qui parle beaucoup mais n'agit pas. Que votre action en soit une d'écoute attentive. J'ai observé les grands parleurs. On les retrouve le plus souvent auprès de la fontaine d'eau fraîche ou du percolateur. Ils aiment le commérage et les grosses blagues. Je les appelle le clan des drogués: ils sont de véritables poisons.

Voilà donc les douze principes pour apprendre à devenir un bon auditeur. Ce faisant, vous avez de meilleures chances de vous faire accepter avec bonheur.

Pensez un bon moment combien vous seriez démuni si vous étiez sourd. Un jour, quelqu'un a posé la question: «Si vous deviez sacrifier l'un de vos cinq sens - vue, ouïe, odorat, goûter ou toucher - lequel choisiriez-vous? La plupart des gens ont répondu immédiatement: l'ouïe. Ils assurent qu'ils préféreraient être sourds. Pourtant, les recherches ont prouvé qu'il n'en est pas ainsi. Les gens se font plus rapidement à la cécité qu'ils acceptent de perdre l'ouïe, car les aveugles semblent découvrir une autre façon de voir. En fait, leur ouïe devient plus aiguë, ils voient d'un oeil intérieur et souvent beaucoup plus que nous ne pouvons imaginer. Être sourd signifie vivre dans un monde de silence, complètement à part des êtres vivants. Ne pas pouvoir entendre est beaucoup plus pénible que de ne pas pouvoir se servir de ses yeux.

Il y a quelque temps, j'assistai à une pièce de théâtre, une comédie musicale dont la vedette était un jeune homme doué d'une voix de baryton splendide. Il chanta plusieurs chansons au grand plaisir des auditeurs. On attira mon attention sur les parents du jeune homme assis dans la première rangée qui l'écoutaient ravis et se réjouissaient de son succès.

Plus tard, je rencontrai le directeur de la production, un de mes amis. Je soulignai en passant la présence des parents du chanteur-vedette, combien ils devaient être fiers d'entendre la superbe voix de leur fils. Il me répondit: «Ils sont complètement sourds et ils l'ont toujours été. Ils n'ont jamais eu le plaisir d'entendre chanter leur fils et ils ne le pourront jamais.» Il continua: «Lorsque j'ai appris cette vérité navrante, j'ai pleuré tout le long du chemin de retour à la maison après la répétition.»

Pensez-y un peu... n'êtes-vous pas privilégié de pouvoir percevoir les sons?

Actes à poser MAINTENANT!

- Ajoutez les douze principes à votre liste d'exercices quotidiens.

- Assurez-vous que vous ne ratez pas une vente à cause de votre verve effrénée.

- Souvenez-vous que votre interlocuteur ne s'intéressera à ce que vous voulez dire que lorsqu'il aura fini de parler.

- Inscrivez la devise suivante sur une petite carte que vous placerez bien en évidence: «Souvent, le silence vaut mieux que la parole!»

7

Le don des langues

Nous avons tous entendu parler de touristes arrivant d'un voyage en Europe ou ailleurs et ayant rencontré des difficultés dans les aéroports, les gares, les hôtels, les restaurants, les stations-service et aux frontières, simplement parce qu'ils ne connaissaient pas la langue du pays.

Un voyageur qui s'égare à Madrid ne sait plus où donner de la tête car il ne peut demander qu'on le dépanne. L'achat d'un billet d'autobus, si facile chez nous, devient tout un problème à Munich si son vocubulaire se résume à *Ja* et *Nein*. Des Américains éprouvent de la difficulté, comme l'on se plaît à dire en badinant, à comprendre même l'anglais parlé par un chauffeur de taxi londonien.

Lorsqu'il nous est impossible de comprendre le langage d'une autre personne ou que cette personne ne peut nous comprendre, toute communication s'en trouve alors perturbée. Il peut en résulter de la mésentente, de la confusion et même un brin d'hostilité.

Pourtant, voyez l'effet magique que peut avoir la connaissance du langage de l'interlocuteur sur un individu ou un groupe. Récemment, pour rompre avec des siècles de tradition, l'assemblée des cardinaux à Rome a élu le premier pape d'origine non italienne de l'Église catholique romaine. Lorsque la fumée blanche se dégagea de la cheminée de la chapelle Sixtine, le monde fut renversé d'apprendre qu'un Polonais, Jean-

Paul II, allait occuper la chaire de saint Pierre. Aux yeux de milliers d'Italiens, cela paraissait incroyable, impensable même. Qu'il ne fut pas un des leurs pouvait avoir un effet négatif sur le peuple d'Italie. Mais voilà qu'à sa première apparition à la fenêtre de la place Saint-Pierre, ce pape d'ascendance polonaise adressa ses premiers mots en langue italienne et se gagna immédiatement tous les coeurs. Il savait instinctivement que, pour se faire accepter de ce peuple dévoué mais bouleversé par le résultat du scrutin, il devait avoir recours à une autre langue que la sienne. L'amour, les voeux qui déferlèrent sur lui prouvèrent une fois de plus la véracité de ce que j'avance.

Devenir bilingue en français

Parler la langue d'une autre personne ne signifie pas nécessairement que nous devions maîtriser une autre langue comme l'anglais, l'espagnol, l'italien ou le russe.

L'autre langue à laquelle je fais allusion est toujours le français. Il importe peu que vous parliez l'anglais ou le français, c'est la façon dont vous vous en servez qui augure des communications bonnes ou mauvaises avec votre interlocuteur.

Le manque de communication est la raison simple et majeure pour laquelle on ne réussit pas à se faire accepter. Ce n'est pas que nous ignorions les mots ou que nous n'ayons pas suffisamment de vocabulaire, c'est plutôt que nous ne savons pas employer les bonnes expressions aux bons moments.

Buck Rodgers et le mot juste

La plupart des lecteurs de ma génération se souviennent de Buck Rogers comme d'un aventurier de l'espace du vingt et unième siècle. Il devançait les objets volants non idendifiés, les astronautes et les héros de *La guerre des étoiles,* film qui a rempli les cinémas à capacité. Les plus jeunes ont au moins entendu parler de Buck Rogers. Héros des bandes dessinées et des séries du samedi après-midi au cinéma, Buck se révélait un homme intrépide, téméraire, parfaitement à l'aise dans un monde de merveilles scientifiques et de techniques futuristes.

Mais ce n'est *pas* le «Buck» dont je veux vous entretenir ici.

Je désire vous parler d'un autre homme, en chair et en os celui-là, qui, dans son champ d'action, s'est montré aussi intrépide, téméraire et aventureux que le Buck fictif, et qui évolue dans un monde dominé par la technologie spatiale, un monde plus compliqué et plus avancé que celui dont aurait pu rêver l'autre.

Il s'agit de Frank G. «Buck» Rodgers, vice-président au marketing de la société IBM, firme considérée comme la plus importante, la plus fascinante entreprise de l'Histoire. L'étude de la carrière de Buck Rodgers prouve que le monde des affaires peut apporter de solides récompenses. Celui-ci passe une bonne partie de son temps en conférences et à répéter à qui veut l'entendre, surtout aux jeunes, les avantages de l'entreprise privée.

Chaque jour de l'année, il ne cesse de travailler à se faire accepter. Comme conférencier, il connaît l'importance de placer le bon mot au bon moment. En sa qualité de vendeur, au plein sens du mot, il a appris le secret de se servir du langage de son client. Buck évolue dans un domaine hautement sophistiqué d'ordinateurs, de circuits électroniques, d'unités de reconversion, de banques de données, de traitement de données et d'imprimantes. Son travail couvre encore une multitude de secteurs que ne je saurais expliquer. Tous comportent un langage très sophistiqué qu'il comprend et peut parler. Il sait également que ce n'est pas celui de la majorité des gens qui se réclament des biens et services d'IBM. Son langage professionnel n'est pas à la portée de tout le monde.

IBM possède une force de vente qui s'étend au monde entier. Ses vendeurs se comptent par milliers et Buck Rodgers, en sa qualité de vice-président au marketing, doit s'occuper de la vente de toutes les machines, à partir de bobines magnétoscopiques et de systèmes de traitement des données jusqu'aux duplicateurs et aux machines de bureau. Quoique n'évoluant pas dans un monde d'ordinateurs, je peux cependant me rendre compte de la valeur des produits IBM puisque je suis propriétaire de deux de leurs machines à écrire électriques. Buck ne me les a pas vendues lui-même mais combien j'aurais aimé qu'il le fit. Il est un homme qui réussit et j'aime rencontrer ses semblables.

Je me demande s'il aurait été aussi heureux s'il n'avait pas appris à parler le langage de son client éventuel, en plus de certains trucs, de certains principes qu'il a mis en pratique dans l'art de se faire accepter.

Pouvez-vous vous représenter l'expression ahurie de plusieurs hommes d'affaires devant ces paroles de Buck Rodgers ou de l'un des vendeurs entraînés par lui à la vente qui demanderait un rendez-vous de la sorte: «J'aimerais vous vendre un système électronique transistorisé d'unités communicantes, capables d'être programmé de plus de dix mille facteurs intégrés, couvrant une gamme à partir de contrôles d'inventaires, de facturation et tout ce qui s'y rattache, comprenant une mémoire procurant une lecture instantanée et des possibilités de reconversion en communication avec vos satellites partout dans le monde. Le tout fonctionnera selon un degré d'humidité contrôlée et devra être conservé dans un air ambiant préalablement épuré d'une façon électrostatique.»

Cela semble impressionnant mais je ne comprends rien à tout ce jargon scientifique et je ne prétendrai jamais le contraire. Ce n'est pas mon langage non plus que celui des gérants d'affaires que je connais. Plus important encore, ce n'est pas le langage qui a fait de Francis G. «Buck» Rodgers le champion des vendeurs.

Dans son ouvrage intitulé: *Ten Greatest Salespersons* (Les dix plus grands vendeurs)*, Robert L. Shook cite les paroles de Buck Rodgers sur le sujet: «Beaucoup de gens se figurent que l'ordinateur est entouré d'une certaine mystique (c'est le produit IBM le plus répandu). C'est faux pourtant. Avec lui, nous apportons simplement un solution aux problèmes de nos clients.»

Buck continue en affirmant qu'il ne vend pas un ordinateur comme tel mais bien son *utilité*. N'importe quel vendeur heureux sera d'accord avec lui. Vous ne vendez pas un objet mais bien son *utilité* pour le client. Elmer Wheeler, reconnu comme un grand vendeur, faisait remarquer que c'est le grésillement que l'on entend à la cuisson d'un steak qui fait venir l'eau à la bouche, et non le steak même. Et un bon vendeur utilise des mots qui font venir l'eau à la bouche pour vendre son produit.

C'est bien là ce que fait Buck Rodgers quand il emploie le langage de ses clients. Voyons encore ce qu'il dit dans le bouquin de Shook: «Je connais une chose propre à *rendre votre travail beaucoup plus aisé*, qui vous *coûtera moins cher* et vous permettra de *donner un meilleur service à vos clients*.» (Les italiques sont de moi.) Ces mots représentent le langage, le jargon de l'autre personne, ce sont des termes qu'il comprend, des termes qui réussiront à attirer son attention sur le produit.

Les raisons pour lesquelles Buck Rodgers est considéré comme un des plus grands vendeurs au monde sont multiples; son bilinguisme dans sa propre langue, i.e. sa capacité de parler le langage du client, en est une des plus importantes.

Mais cet art est capital non seulement dans la vente d'un produit ou d'un service (j'en parlerai dans des chapitres subséquents). Son importance réside surtout dans la facilité à se

---

*Publié aux Éditions «Un Monde Différent» Ltée.

faire accepter soi-même. Suivent huit suggestions dans ce but, méthodes que je qualifierais de précieuses.

Trucs pour l'emploi d'un autre langage

1. Employer des expressions propres à faire avancer l'affaire.
2. Éviter les mots rébarbatifs.
3. Faire usage de mots simples.
4. Ne pas lancer d'expressions chargées de dynamite.
5. Ne pas trop recourir à l'argot.
6. Dire exactement le fond de sa pensée.
7. Être sincère.
8. Ne pas faire usage de mots trop crus, ne pas jurer.

Voyons-en maintenant les avantages et les désavantages.

1. *Les expressions propres à faire avancer la vente.* Je les appelle ainsi car elles contribuent à promouvoir la bonne entente entre le vendeur et son client. Voici quelques-uns de ces mots merveilleux que les clients aiment entendre et qui les attirent favorablement. Ils se retrouvent dans le langage de l'autre et font pencher la balance en votre faveur parce qu'il les reconnaît (naturellement, il en existe une foule d'autres):

Vous, vous-même, vôtre
Nous
Notre, nous-mêmes
Désolé
Je promets
S'il vous plaît
Merci
Excusez-moi

Je connais une compagnie spécialisée dans les communications qui a établi la règle obligatoire que toute lettre écrite sur son papier à en-tête, peu importe son auteur, fût-il le président ou le plus infime des employés, ne pouvait être postée si elle contenait le mot *je*. Les lettres sont vérifiées avec soin par les surveillants; en fait, les secrétaires ont tellement pris l'habitude de reformuler discrètement les lettres de leurs patrons que la supervision n'est pratiquement plus nécessaire.

La première personne du singulier a tout simplement été biffée, rayée du vocabulaire de l'établissement. On y retrouve par contre les mots «vous» et «vôtre», «Vous recevrez dans quelques jours... Nous vous avons expédié hier...» Cette entreprise se rend bien compte de la réaction favorable du destinataire devant l'emploi de termes aussi personnels. Un des officiers aux relations extérieures a adopté cette tactique même dans sa correspondance personnelle et a connu un succès retentissant. Il me disait: «Joe, c'est un peu comme de modifier les mots de la vieille rengaine *It's a sin to tell a lie* (mentir est un péché) en *It's a sin to tell an I* (dire *je* est péché).»

Les mots *vous, vôtre et vous-même* sont de purs aimants. Du moment que vous les employez, les personnes à qui ils s'adressent tendent l'oreille, déjà disposées envers vous. Après le nom de la personne, ces mots sont les plus suaves. Ils peuvent opérer des merveilles. Par exemple, parce que vous vous êtes adressé à eux dans leur langue, oralement ou par écrit, ils sont devenus tout de suite intéressés à ce que vous aviez à leur dire.

Écoutez encore Buck Rodgers: «Je connais quelque chose qui rendra *votre* tâche plus facile, réduira *vos* dépenses et deviendra pour *vous* une excellente façon de procurer les meilleurs services à *vos* clients.» (Les italiques sont toujours de moi.) Vous remarquerez que Buck Rodgers fit erreur dans le premier mot mais il se reprit dans le reste de la phrase.

Il y a quelque temps, je causais avec un vendeur de meubles dont les succès ne se comptent plus. Il m'assura que le fait de parler le langage du client et d'employer le mot *vous* lui avait réussi davantage dans la vente de ses sofas que de miser sur le nom du manufacturier, la solidité des ressorts ou le prix. «Le client s'attend aux deux premiers, dit-il, et espère que le troisième sera à la hauteur.» Il a découvert qu'une phrase toute simple comme: «D'après ce que *vous* me dites de l'agencement des couleurs de *vos* murs et tapis, ce sofa en velours beige est l'article rêvé pour *votre* salle de séjour!» fera vendre plus de meubles à long terme que: «Cet article est offert en aubaine... un rabais de 10%.»

Un commis dans une bijouterie de qui j'ai acheté une épingle pour ma femme me demanda un jour: «Joe, comment êtes-*vous* devenu le meilleur vendeur au monde?» Sa question m'alla droit au coeur. Il avait employé le mot magique *vous* tout de suite après celui que je préfère: mon nom. Remarquez qu'il n'a pas dit: «Dites-*moi* comment je peux devenir un meilleur vendeur.»

Mes deux amis dans les domaines du meuble et des bijoux sont des vendeurs très prospères parce qu'ils ont maîtrisé l'art de parler le langage du client.

Lorsque vous vous déciderez à faire des mots *vous et vôtre* des parties intégrantes de votre vocabulaire, et lorsque vous les utiliserez, il ne faudra pas beaucoup de temps avant qu'un autre mot merveilleux ne s'installe dans votre vocabulaire parlé ou écrit, merveilleux parce qu'il vous aide à vous faire mieux accepter. Chaque vendeur professionnel, époux, épouse, garçon, fille le connaît: il s'agit du mot *nous*, magique, formidable. Un couple charmant de notre voisinage a célébré dernièrement ses noces d'or. Ils me parlèrent d'une de leurs découvertes importantes en cinquante ans de vie commune: le mot *nous* est le plus beau mot au monde.

Nous et *notre* sont des paroles de partage et ne font jamais exclusion de l'autre; alors, il faut les employer fréquemment. Ils démontrent que vous êtes vraiment bilingue.

Que penser de certains autres termes? Il n'y a rien de plus difficile que de présenter des excuses. Pourtant, le fait de dire que l'on est désolé et de s'excuser auprès d'une autre personne nous fait remonter d'un cran dans son estime. Les mots *je promets* provoquent l'optimisme chez l'interlocuteur. Si vous êtes fidèle à votre promesse, on vous en chérira davantage (j'y reviendrai dans un autre chapitre). *S'il vous plaît, merci, je promets* sont tous des mots qui poussent vers l'avant, qui contribuent grandement à vous faire accepter des autres.

2. *Éviter les mots rébarbatifs.* Je les qualifie ainsi car ils appliquent un frein à votre pensée lorsque vous tentez de vous faire accepter. Après tout, n'est-ce pas ce que vous essayez de faire toute la journée? Lorsque les gens entendent de tels mots, ils ont tendance à se détourner de vous. Ils ne se rendent peut-être pas compte de ce qu'ils font mais ils le font tout de même. Quand vous vous adresserez à une autre personne, évitez ces mots-freins autant que possible et ceux de même calibre:

Je, moi
Mon, ma, moi-même
Plus tard
Peut être

Ces mots indiquent que vous traitez d'après vos propres termes et non ceux du client en perspective. Il se présente ici une énorme différence dans le point de vue. Lorsque vous utilisez le langage de l'autre personne, vous montrez que vous voyez les choses de son point de vue et c'est bien accepté. Donc, le secret consiste à toujours tâcher de communiquer dans le langage de l'autre. Cela ne signifie pas que vous deviez souscrire à ses exigences, abandonner vos principes ou vous prostituer (je reparlerai également de ceci dans un autre chapitre). Cela suppose plutôt que vous vous mettiez à la place du client et que vous tentiez de voir les choses de son point de vue, avec ses yeux. Si vous agissez de la sorte, vous êtes sur la voie d'une réussite fabuleuse des points de vue personnel, social et financier.

Il existe encore d'autres mots-freins. Les termes *plus tard*, dans l'esprit de l'interlocuteur, peuvent refroidir immédiatement l'enthousiasme. D'autre part, le mot *maintenant* le conquérera. Les gens aiment que vous fassiez des choses pour eux *maintenant* et non *plus tard*. Conclusion: des mots comme *maintenant, tout de suite, certainement, naturellement*, etc... feront avancer votre affaire davantage que *peut-être, quelquefois, dans un instant,* etc..., expressions rébarbatives à éviter.

Vous vous exclamerez peut-être: «Hé là, Girard! Vous êtes en train de nous dire que le mot *je* est un mot rébarbatif, un mot-frein. Pourtant, ne proclamez-vous pas à tout vent: *Je suis le plus grand!*» Je vous répondrai: «Non.» Quand je le fais, je m'adresse seulement à Joe Girard. Souvenez-vous que j'ai appelé cela une préparation psychologique. Quand je dis que je suis le plus grand, je ne m'adresse qu'à moi. Si j'adressais ces paroles à quelqu'un d'autre, ce serait la fin de mon succès, je sonnerais mon propre glas. Je ferais l'effet d'une personne qui ne vit que pour elle-même, fascinée par son nombril. Le fait de porter une épingle représentant le numéro un indique que je me considère le meilleur dans ma vie et non dans la leur. Ils sont également les premiers dans leur vie et c'est ce que je tente de vous faire comprendre. On doit dire honnêtement que lorsque Muhammad Ali, comme je le faisais remarquer plus tôt, affirme à la face du monde entier qu'il est le meilleur, il se bâtit une confiance en ses moyens tout en repoussant, de ce fait, un grand nombre de personnes, y compris ses admirateurs et les reporters sportifs. Même ses envolées poétiques ne peuvent changer ce fait.

3. *Faire usage de mots simples.* Je ne fais pas allusion ici aux mots élémentaires d'une langue et je ne veux certainement pas dire qu'il faille employer des mots d'une seule syllabe. Je vous conseille simplement de vous débarrasser des expressions rares, précieuses. Pourquoi? Eh bien, il y a de fortes chances qu'elles n'existent pas dans le vocabulaire de l'autre personne. Si vous voulez vraiment faire mouche, il est extrêmement important que vous soyez bien compris.

Personne ne le savait mieux que Winston Churchill qui a présidé aux destinées de l'Angleterre durant ses heures les plus noires et les plus glorieuses. Il avait compris que, pour rallier les Anglais à la défense de leur pays, il fallait qu'il se serve de leur langage, qu'il utilise des mots qui fouetteraient leur patriotisme et les pousseraient à combattre «par mers et océans, dans les airs et sur les plages». Il n'eut pas recours à des paroles nébuleuses, il leur dit tout simplement la vérité: «Tout ce que je puis vous promettre, c'est le sang, le travail, les pleurs et la misère.»

Churchill a fait part de ce qu'il avait appris quand il écrivait: «Toute ma vie, j'ai pu survivre grâce aux mots que j'ai prononcés ou couchés sur le papier. Si j'ai appris quelque chose de l'usage des mots, ce que je sais le mieux et ce qui compte le plus à mes yeux, c'est ceci: les mots les plus courts sont les plus efficaces. Ils sont en fait bien connus, parfaitement compris et procurent l'effet attendu.»

Ces paroles de Churchill sont devenues tellement importantes à mes yeux que je les ai fait encadrer et suspendre près de mon bureau. Je vous invite à en tirer profit également.

Vous ne pouvez vous faire accepter, en fait vous êtes nul, si vous avez besoin d'un interprète. Examinez cette note de service fournie par un ajusteur d'assurance au service des réclamations de son siège social: «La pression qu'entraîne l'obtention de déclarations de témoins oculaires concernant la partie réclamante et la partie défenderesse exige de retarder la date de suspension fixée pour l'arbitrage des données de l'enquête à trois jours plus tard sans décalage prévu.» À la lecture d'un tel charabia, je ne pus m'empêcher de hocher la tête, dérouté. Il aurait pu dire tout simplement: «Le rapport complété sera sur votre bureau dès jeudi.» Souvenez-vous: court et simple.

Il faut également choisir les mots qui conviennent à l'occasion. Les bons vendeurs de voitures savent très bien que l'on parlera de beauté, confort et sécurité à une femme, non de chevaux-vapeur et de rapports de compression. Si vous avez affaire à un médecin, souvenez-vous que son vocabulaire contient des mots techniques touchant sa profession que vous ignorez probablement vous-même. Ne vous hasardez pas alors à prononcer des mots ronflants trouvés dans une revue médicale. Soyez simple. Dites-lui que vous avez tout bonnement mal à l'estomac et ressentez des douleurs lorsque vous respirez. Il vous comprendra car il connaît lui aussi le principe du bilinguisme. À moins de s'adresser à des confrères dans leur langage technique, le docteur adoptera votre langage. Pas un médecin (en autant que je sache) ne vous dira: «Prenez dix grains d'un dérivé d'acide acétylsalicylique et retirez-vous.» Nous comprenons bien mieux: «Prenez deux aspirines et couchez-vous.»

4. *Ne pas lancer d'expressions chargées de dynamite.* Voici des mots qui placent l'autre personne sur la défensive; ils peuvent même attirer sa colère. Prononcez le mot *libéral* devant un *conservateur* et cela agira à la façon d'un drapeau rouge devant un taureau. De plus, les mots *taxes* et *dépenses* ont le pouvoir de faire sortir un conservateur de ses gonds.

La meilleure façon de découvrir ces mots qui font bondir consiste à se demander comment on réagit soi-même face à eux. Si je devais en dresser la liste ici, elle serait la réplique fidèle de ceux qui me font bondir moi-même, mais plusieurs ne feraient ni chaud ni froid à d'autres. À la vérité, vous ne saurez quels sont les mots qui font rugir telle personne avant d'avoir fait plus ample connaissance avec elle. Après cela, vous devrez prendre des précautions. Il est toujours possible que vous utilisiez ces expressions malheureuses auprès de personnes que vous ne connaissez que superficiellement. Cependant, il existe des catégories de mots auxquelles il ne faut pas toucher. Les voici:

La religion
La politique

Les questions raciales
Les origines d'une personne
La famille
Les questions économiques

Ces sujets ne couvrent qu'une partie importante des tabous. On pourrait résumer ainsi: *Soyez au courant du genre de personne à qui vous avez affaire, puis évitez les mots touchant les catégories sus-mentionnées qui peuvent l'agacer.*

Vous devez faire vôtres ces attitudes, avoir la sagesse de vous rendre compte que vous pourriez ne pas avoir de difficulté à traiter de sujets touchant la religion si votre interlocuteur partage vos croyances. Cependant, vous ne réussirez pas à vous faire accepter d'une personne si vous claironnez votre admission du principe de contrôle des naissances devant un catholique pratiquant. Non plus que vous ferez mouche avec un médecin en proclamant les mérites de la médecine étatiste. Des paroles chargées de dynamite peuvent ou bien donner lieu à une querelle ou créer un froid entre les partenaires. Il ne s'agit pas pour vous de faire accepter vos idées mais de savoir comment traiter une question de façon diplomatique. Croyez-moi, si vous surveillez vos paroles, vous pourrez parler à un médecin de la médecine étatiste sans voir jaillir des étincelles. Tout ce qu'il vous faut, c'est du tact.

5. *Ne pas trop recourir à l'argot.* L'argot n'a rien de mauvais en soi. Les expressions idiomatiques jaillissent de la vie militaire, des campus des universités ou des communautés ethniques. Elles passent bien la rampe et sont souvent très valables dans une discussion. Elles ont cependant tendance à devenir désuètes rapidement et à être remplacées par des expressions nouvelles. De plus, elles se révèlent plus souvent qu'autrement moins utiles que le mot juste. «Aboule-toi à ma crèche!» peut paraître amusant et rencontrer les vues de l'autre personne, si on a affaire à quelqu'un de cet acabit, mais vous atteindrez plus sûrement votre but si vous vous bornez à dire simplement: «Pourquoi ne passeriez-vous pas la nuit chez moi?»

Lorsque les vétérans furent rendus à la vie civile après la guerre, on leur remit un insigne à porter au revers de leur veston. Les *GI,* une expression déjà passée de mode, le baptisèrent le «canard brisé». Essayez d'utiliser cette expression de nos jours et voyez combien de gens de moins de quarante ans vous comprendront.

Certaines expressions argotiques font plus long feu que d'autres. Je ne me donnerai pas la peine de les décliner ici; elles pourraient avoir disparu avant que vous n'abordiez la lecture de ce chapitre.

Ce que je veux dire, c'est de ne pas prendre l'habitude de faire un usage exagéré des expressions idiomatiques ou étrangères. Il est possible qu'elles soient utiles à certains moments si elles peuvent vous aider à vous faire accepter.

Dans le quartier où j'ai grandi, on avait coutume de dire: «Donne-m'en cinq!» quand on voulait serrer la main de quelqu'un. Un jour, comme je tentais de me rendre agréable auprès d'un client en parlant son langage, je dis: «Donnez-m'en cinq!» Il s'exécuta et j'eus la désagréable surprise de serrer trois doigts de la main qu'il me tendait. Je n'ai jamais été aussi embarrassé de ma vie. Je croyais avoir, par ma gaffe, perdu la vente mais mon client sauva la situation. Il sourit et répliqua: «Je vous en donne trois pour le moment et je vous en devrai encore deux.» Cet homme avait de la classe!

Parfois, lorsque je savais que mon client en perspective était un Italien, je le saluais des mots: «Salute, compare!» J'ai dit au revoir en allemand et ai porté la santé en polonais. Les expressions étrangères peuvent faire merveille si vous êtes sûr des antécédents de la personne à qui vous les adressez. Dans le doute, abstenez-vous.

6. *Dire exactement le fond de sa pensée.* Les calembours ou les expressions à double sens n'ont pas droit de cité lorsqu'il s'agit de se faire accepter. Ne faites jamais usage de mots

retors, d'attrape-nigauds ou d'expressions équivoques. Le seul cas où ils pourraient être admis serait celui du déni.

Dites: «Prenons le lunch ensemble jeudi si cela vous agrée.» Non pas: «Pourquoi ne prendrions-nous pas le lunch ensemble un de ces jours?» La première phrase va droit au but tandis que la seconde donne l'air de se foutre de la personne.

Pensez au nombre de fois où quelqu'un vous a surpris, après avoir manqué un rendez-vous avec vous, ou après vous avoir laissé poireauter ou vous avoir fait rater une recette, en s'excusant par ces mots: «Je pensais que tu voulais dire...»

Ne le faites plus jamais. La prochaine fois, dites bien le fond de votre pensée, allez droit au but.

7. *Être sincère.* Une façon certaine de manquer le bateau consiste à dire des mots vides de sens, à n'avoir nullement l'intention d'honorer vos promesses, d'aller où vous dites ou de faire ce que vous proposez. Il se peut qu'inconsciemment, vous souhaitiez qu'il en soit ainsi au fond de vous-même.

J'appelle cela employer des mots sans nerf. Ils sont les armes favorites des grands parleurs; donc, il ne faut pas suivre leur exemple. Vous aurez peut-être la tentation de les utiliser car vous passeriez alors pour un original, des mots comme: *peut-être, on verra, un de ces jours, laissez-moi y réfléchir, je vais essayer de m'en occuper.* Ces expressions foisonnent.

Si vous désirez vraiment être accepté, vous devez présenter une image claire et limpide. Vous voulez que les gens croient en vous, qu'on puisse compter sur vous? Si vous ne croyez pas fermement en ce que vous allez dire, taisez-vous plutôt. C'est la meilleure attitude à prendre; mais qui a osé dire que la meilleure façon de se faire accepter est de prendre la voie la plus sécuritaire? Pas moi.

8. *Ne pas faire usage de mots trop crus, ne pas jurer.* Il y a quelque temps, je prenais le lunch à New York avec un excellent vendeur de cadrans et de montres en gros. Pas surprenant qu'il fut à temps à notre rendez-vous! Cependant, il me dit qu'il avait entendu des choses négatives sur mon compte concernant des conférences récentes à des groupes de vendeurs. On lui avait rapporté que j'avais employé des mots assez salés, pas trop mauvais mais salés tout de même. Il m'assura que je n'avais vraiment pas besoin de recourir à ces expressions et me fit promettre de ne plus jamais m'en servir oralement ou par écrit. Il me mit en garde contre le fait de perdre l'admiration d'une seule personne car cette personne en serait une de trop d'après lui. Ce serait alors une preuve que j'avais échoué dans mes efforts pour me faire accepter.

Mon vendeur en gros me fit également remarquer que, curieusement, la personne qui est choquée par les expressions salées en fait habituellement usage elle-même et ne se rend pas compte de l'image qu'elle projette. Ne te laisse pas tenter d'en faire autant. Distingue-toi en étant différent, me conseilla mon ami.

Plus tard, un autre vendeur, détaillant d'articles de plomberie à Los Angeles, me renversa en affirmant qu'on ne le reprendrait plus à assister à une performance du grand comique Lenny Bruce, pas plus que de Buddy Hackett. Pourtant, Bruce jouissait d'une immense popularité mais cela n'influençait pas mon ami. À ses yeux, Lenny Bruce possédait le langage le plus sale de tout le monde du spectacle. J'eus une fois de plus la preuve de ce que m'avait dit mon vendeur de New York: mon interlocuteur de Los Angeles tenait des propos encore plus vulgaires que ceux qu'on m'avait rapportés de Lenny Bruce. Ce monsieur possédait un répertoire de blagues d'un goût fort douteux. Pourtant, il me disait que Buddy Hackett, un amuseur public très populaire, devrait nettoyer sa performance.

Souvent à Las Vegas, j'ai eu l'occasion d'assister à une représentation de Don Rickles qui gagne son pain en faisant des blagues farcies d'insultes à l'égard de ses congénères. Cependant, il n'emploie jamais de mots douteux, de jurons. Des centaines d'autres comiques présentent des performances châtiées.

Nous savons tous qu'il existe dans toutes les classes de la société des gens qui se piquent d'avoir un langage de sergent de la marine ou de débardeurs. Pourtant, vous serez renversé de voir comme vous pourrez les atteindre tout en évitant l'emploi de leurs expressions par trop salées. Vous pouvez passer cet ouvrage au peigne fin et je vous défie d'y trouver de ces mots déplacés. Cependant, je me vends à chaque chapitre.

Dans son bouquin intitulé: *Yak! Yak! Yak!* (bla-bla-bla), Ira Hayes, un cadre de la National Cash Register et conférencier très demandé, dit ceci en parlant de mots déplacés, de jurons et tout simplement de mots salés: «Évitez-les... vous vous diminuez aux yeux des autres lorsque vous avez recours à des paroles déplacées. Vous n'en avez pas besoin. Elles ne peuvent pas vous aider, alors pourquoi les utiliser?»

Lorsque vous devez recourir au langage de l'autre personne, faites usage de ses *meilleures* expressions et laissez les plus laides de côté. Je cite encore Hayes: «... ne dites rien qui puisse offenser ou embarrasser vos interlocuteurs. Les jurons blesseront la moitié d'entre eux et ennuieront l'autre moitié.»

Ces huit trucs feront merveille dans vos efforts pour devenir bilingue dans votre profession de vendeur du meilleur produit: vous-même. Lorsque vous employez le langage propre à l'autre personne, vous voyez les portes s'ouvrir: à votre lieu de travail, dans votre famille, avec vos voisins. Le fait de parler la langue de son partenaire a placé plus de personnes sur la voie de la réussite et les y a maintenues, a aidé plus sérieusement les gens à se faire accepter de façon certaine dans leurs démarches personnelles et d'affaires.

Mettez-vous donc à l'oeuvre! Que vous soyez vendeur, caissier d'une banque, étudiant, professeur, maîtresse de maison, taillandier, ou simplement retraité, devenez bilingue! Ne pensez pas que le seul fait de parler le langage d'une autre personne fonctionne à sens unique, que vous êtes seul à agir. Loin de là. Les gens vous paieront de retour beaucoup plus rapidement que vous ne pouvez vous l'imaginer. Lorsque cela se produira, vous n'éprouverez aucune difficulté à vous entendre et c'est alors que vous rencontrerez la réussite dans l'acceptation de vous-même par les autres.

Actes à poser MAINTENANT!

- Prenez la résolution d'apprendre une autre langue: celle des autres.
- Décidez-vous à maîtriser cette langue en la parlant, l'écrivant et la lisant bien.
- Recopiez les huit trucs sur une petite carte que vous placerez bien en évidence afin de la consulter tous les jours.
- À partir de maintenant, voyez combien de mots constructifs vous pouvez employer avec toutes les personnes que vous rencontrerez; faites-en le bilan et continuez pendant toute une semaine afin de les faire passer facilement dans votre langage.
- La deuxième semaine, attaquez-vous à tous les mots-freins de votre vocabulaire afin de les faire disparaître.
- La troisième semaine, appliquez-vous à n'utiliser que des expressions simples. Ne vous laissez pas aller à la tentation d'employer des mots de vingt lettres quand vous en avez de plus courts sous la main.
- Continuez à appliquer ces principes pendant huit semaines; après ce temps, ils seront devenus une seconde nature.
- C'est là la façon dont on apprend de nouveaux mots en français, en anglais, en espagnol, en allemand, et c'est également la façon dont on apprend la grammaire. Je vous assure que cela donne des résultats.

8

Cultiver sa mémoire

D eux des plus tristes mots à entendre sont: «J'ai oublié!»

Plus encore, ce sont des entraves qui peuvent ruiner vos chances de vous faire accepter, vous et vos idées. Comment? Quelle sorte de ruine?

Eh bien, pensez seulement au résultat d'un rendez-vous manqué.

Pensez à la peine que vous causez lorsqu'il vous arrive d'oublier un anniversaire de mariage, de naissance ou une autre date importante.

Pensez au recul dans la formation d'un étudiant lorsqu'il subit soudain un trou de mémoire juste au moment le plus critique de ses examens de passage.

Pensez à l'embarras d'un comédien ou d'une comédienne lorsque au beau milieu d'une scène, la réplique ne lui vient pas.

Pensez comme il est facile de perdre une vente lorsque le vendeur a négligé l'intérêt d'un client important dans sa présentation.

Il existe une foule d'autres occasions où le simple fait d'oublier peut vous coûter une vente et où l'art de cultiver sa mémoire peut emporter la vente.

Observez l'éléphant

On le dit doué d'une mémoire prodigieuse. Pourtant, cet animal n'a rien à vendre. Le problème dans son cas, c'est qu'il ne sait pas comment tirer parti de son excellente mémoire. Les humains, eux, possèdent l'art, la facilité de choisir entre l'important et le factice; et c'est là que se situe la différence entre le pachyderme et l'homme. L'éléphant ne peut contrôler sa faculté de se souvenir pour plusieurs raisons. Il doit surtout se rappeler la bonne chose au moment propice.

On dit également que la mule est l'un des animaux les plus oublieux. Nous avons tous l'impression que la mule est têtue, qu'elle refuse de faire ce que nous lui ordonnons par pure obstination. Les dompteurs nous assurent du contraire. La mule ne peut nous obéir tout simplement parce qu'elle ne peut se rappeler d'un moment à l'autre ce que nous lui avons appris ou commandé. Elle est à l'extrême opposé de l'éléphant.

Heureusement, nous ne sommes ni éléphants ni mules. Nous avons la faculté de cultiver notre mémoire si seulement nous savons comment nous y prendre.

Pourquoi est-il si important de cultiver sa mémoire?

Le simple fait de se souvenir du nom de quelqu'un peut nous ouvrir bien des portes, faire pencher la balance en notre faveur, nous attirer les bonnes grâces de certaines gens. Dans le même temps, le fait d'oublier ce nom agira dans le sens contraire.

Je le répète, ne pas être là où nous avons promis d'être et à l'heure dite, sauf pour des raisons valides bien sûr, fera de vous un perdant sur toute la ligne. Oublier un rendez-vous pourra faire glisser un emploi entre vos doigts; il peut être la cause d'un échec financier retentissant. De nos jours, nombreux sont les médecins et les dentistes qui facturent même pour les rendez-vous manqués.

Oublier l'anniversaire de votre épouse peut... il est inutile de vous rappeler les reproches, les allusions déplaisantes dans la chambre à coucher, n'est-ce pas?

D'un autre côté, une excellente mémoire peut opérer des miracles. Pensez un seul instant au bon effet entraîné par le souvenir d'un nom.

Je connais des personnes douées d'une mémoire prodigieuse dont elles se servent avec bonheur dans leurs entreprises en faisant grand cas du nom de leurs interlocuteurs.

Un jour, j'observais Robert Lund, directeur général de la division Chevrolet chez General Motors. Nous prenions part à un congrès de l'Association nationale des détaillants de voitures à San Francisco. À cette occasion, Bob se tint à la porte et salua chacun des participants par son nom. C'était là tout un exploit car il existe plus de 6 000 détaillants Chevrolet aux États-Unis. Ce talent de Bob est un des nombreux aspects de sa personnalité qui l'ont poussé vers les sommets dans le monde de l'automobile.

Sidéré, je hochai la tête et demandai à mon voisin du moment comment il s'y prenait pour réussir ce tour de force.

Celui-ci répondit: «Diable, si seulement je le savais!»

J'étais encore plus stupéfait parce que celui qui me parlait était un ami personnel, William Rohns, recteur du Collège d'études permanentes de l'Institut Northwood dans le Michigan, dont on retrouve des succursales dans l'Indiana et le Texas. Bill est doué lui-même d'une mémoire formidable et il crée un climat de confiance simplement en appelant les gens par leur nom.

Je lui demandai comment il s'y prenait. Il mentionna une foule de choses et j'eus l'agréable surprise de reconnaître plusieurs de mes principes sur la culture de la mémoire.

Bien sûr, ces règles ne s'appliquent pas à tous. Chez les uns, la mémoire agit à la façon d'une seconde nature; chez d'autres, le travail est plus pénible. Vous pouvez vous considérer chanceux si vous faites partie du premier groupe. Vous pourriez peut-être sauter ce chapitre. Cependant, la plupart des gens ont parfois des problèmes du côté mémoire. Si tel est votre cas, comme c'est le mien, continuez votre lecture et découvrez quelques secrets.

Une ficelle autour du doigt

Ma mère avait coutume de nouer une ficelle autour d'un de ses doigts lorsqu'elle désirait se souvenir de quelque chose. Je sais que beaucoup de gens recourent aussi à ce truc. Cependant, là n'est pas la meilleure façon de se rappeler quelque chose, peu importe ce que l'on vous a dit. Dans le cas de ma mère, il lui arrivait souvent d'oublier pourquoi elle avait attaché ce bout de ficelle à son doigt. À part cela, une ficelle peut arrêter la circulation et vous vous retrouverez avec un doigt engourdi.

Si vous devez avoir recours à un truc de ce genre, il existe des façons multiples de le faire sans vous servir de la légendaire ficelle. Vous n'arrêterez pas la circulation dans votre doigt et vous n'aurez pas besoin de vous demander pourquoi diable vous y avez noué cette ficelle. Les secrets que je désire vous communiquer ne vous attachent à aucune ficelle.

Les voici, et je peux vous certifier qu'ils sont efficaces.

Dix principes régulateurs de mémoire

1. Ouvrir un compte dans sa banque-mémoire.
2. Ne pas y déposer de choses inutiles.
3. Réviser son compte tous les jours.
4. S'habituer à l'association de mots.
5. Ne pas compter sur sa mémoire.

6. Ne pas admettre le désordre dans sa mémoire.
7. Éviter les pièges de la mémoire.
8. Se servir beaucoup de la répétition.
9. Toujours garder son esprit en effervescence.
10. Se souvenir qu'il est parfois bon d'oublier.

Étudions ces avantages et désavantages avec soin.

1. *Ouvrir un compte dans sa banque-mémoire.* Ce procédé signifie que vous désirez vous occuper de votre mémoire d'une manière aussi attentive que vous le faites pour vos finances.

Nous possédons tous une banque-mémoire. Sous ce rapport, nous sommes les plus précieux ordinateurs au monde. Tout comme dans une banque, nous pouvons y faire des dépôts et des retraits régulièrement. (L'intérêt que vous en retirez vient de la façon dont vous réussissez à vous faire accepter.)

À chaque instant de la journée, nous faisons des dépôts dans notre banque-mémoire, de façon consciente ou inconsciente. Très souvent, nous ne nous en rendons pas compte mais nous emmagasinons constamment des noms, des visages, des événements, des impressions, des idées, des faits, des chiffres et d'autres renseignements. Les psychologues affirment que le procédé se continue même durant notre sommeil.

Les dépôts se font automatiquement, que nous en avisions notre mémoire ou non. Une difficulté peut se présenter dans le cas d'un retrait. Notre banque-mémoire agit à la façon d'une banque ordinaire où il est toujours facile de déposer de l'argent mais où les retraits deviennent une autre paire de manches.

On hésite, on demande des cartes d'identité, des signatures, on pose tous les obstacles possibles. Pourtant, nous devons retirer et nous devons le faire dans l'ordre, surtout au temps où nous en avons le plus besoin.

À l'encontre des banques ordinaires, notre mémoire n'a pas d'heures d'ouverture ou de fermeture. Nous pouvons y puiser en tout temps. Quelle pitié alors de ne pas nous prévaloir de cet avantage!

Comment peut-on ouvrir un compte dans notre banque-mémoire? Tout simplement en prenant la ferme résolution à partir de maintenant de traiter avec elle de la même façon que nous nous occupons de nos finances. Vous ferez alors un plus grand effort pour décider de ce que vous y déposerez ou pour retirer ce dont vous avez besoin au bon moment. Vous vous dites que votre mémoire est une banque et que vous n'avez qu'à vous présenter au guichet pour faire vos transactions.

Représentez-vous cette banque, voyez les guichets extérieurs et intérieurs, les tirettes pour les dépôts de nuit. Admirez l'opération bancaire qui se fait vingt-quatre heures par jour à l'aide de boutons-poussoirs et qui fonctionne dès que vous insérez votre carte plastifiée dans la fente, déclenchant ainsi le procédé automatique.

Imaginez-vous au guichet disant: «Je veux retirer ceci ou déposer cela!» Et voyez le sourire avec lequel on accueillera votre requête.

Sachez que votre banque-mémoire ne vous fera pas défaut. Elle est commanditée par une agence très personnelle: *vous*.

2. *Ne pas y déposer de choses inutiles.* Elles ne font qu'encombrer la place. Souvenez-vous, si jamais vous en avez eu le bonheur, du grenier de votre grand-mère. Vous avez pris plaisir à en explorer tous les recoins... un plaisir pour vous sans doute, mais un endroit que votre grand-mère se proposait toujours de nettoyer un jour. On y retrouvait ordinairement une foule de choses que la famille ne se décidait pas à jeter. Il vous était difficile de vous y retrouver dans un si petit espace. Presque toujours, les objets conservés là n'avaient plus aucune utilité. (Je sais que des trouvailles merveilleuses ont

été faites dans certains greniers, de véritables antiquités qui allaient chercher dans les milliers de dollars, mais il s'agissait d'exceptions. On a même trouvé, à l'occasion, des pièces de monnaie datant de la guerre de Sécession.)

Fréquemment, notre esprit peut devenir aussi encombré qu'un grenier de choses inutiles tellement il devient difficile de s'y retrouver. Fouiller ses souvenirs devient alors un travail de titan. Donc, afin de cultiver votre mémoire, faites disparaître les choses inutiles.

Loin de ma pensée l'idée de vouloir dénigrer la télévision, mais je la conçois comme le pire véhicule, le plus important fournisseur de choses inutiles à l'esprit que je connaisse. Je n'ai pas besoin de vous rappeler que la télé a été qualifiée de *terrain vague*, vous le savez déjà pour l'avoir lu quelque part. Je ne regarde la télévision qu'à l'occasion d'événements qui en valent la peine ou d'émissions spéciales. Je crois qu'il est important de capter une conférence de notre président et pourtant, il y a des gens qui me diront sans sourciller que voilà une chose vraiment inutile. Vous devez choisir. On nous présente à la télé des films qui sont des classiques du genre; par contre, on nous passe de véritables navets, de la pure poisse. Je puis affirmer qu'il en existe davantage du dernier contingent que du premier. C'est pourquoi j'ai baptisé le petit écran «magasin à rebuts», même en couleurs. (Naturellement, mes apparitions à la télé ne se classent pas dans le second groupe.) Je ne dis pas que vous devriez vous débarrasser entièrement de votre appareil, je vous conseille seulement de bien choisir vos émissions. Ne remplissez pas votre esprit de camelote télévisée, vous encombreriez votre banque-mémoire.

La même chose s'applique aux journaux à sensation (on en retrouve partout dans les kiosques et sur les comptoirs), aux livres, films et revues pornographiques, et aux commérages. Tous sont des choses inutiles. Vous savez ce qu'ils représentent? Des Jesse James, des hors-la-loi du Far West, des voleurs de banque-mémoire.

Procédez plutôt de la façon suivante: remplissez votre banque-mémoire à l'aide de bons livres, de revues intéressantes, de beaux-arts, de musique enchanteresse. Aucun de ces moyens ne créera un fouillis dans votre esprit. Prenez-en l'habitude! Faites comme si vous étiez en route vers la banque; vous rencontrerez probablement chemin faisant une bonne bibliothèque, un musée d'art, une salle de concerts ou une librairie. Arrêtez-vous et refaites le plein.

3. *Réviser son compte tous les jours.* Il est important de garder l'esprit clair et lucide, prêt à recevoir des renseignements nouveaux de valeur sûre, le genre de renseignements que vous désirez retenir. Si la place est encore encombrée de choses devenues inutiles et que vous avez oublié de les reclasser, vous aurez peine à dénicher de l'espace pour les nouveaux venus.

Lorsque j'étais élève de troisième année à l'élémentaire, je me souviens que nous nettoyions les tableaux noirs à la fin de chaque jour de classe. J'aimais particulièrement m'occuper de ce genre de travail. Je commençais par effacer tout ce qui s'y trouvait à l'exception de ce que l'institutrice désirait conserver. Ensuite, armé d'une éponge et d'eau tiède, je lavais consciencieusement de haut en bas. J'étais tellement court sur pattes dans ce temps-là que j'avais peine à rejoindre le haut. Quelle fierté j'éprouvais ensuite à la vue de ces ardoises propres, prêtes à recevoir le jour suivant tout ce qu'il plairait à la maîtresse d'y inscrire.

Encore aujourd'hui, lorsque je me prépare à nettoyer l'ardoise de mon esprit, les tableaux noirs de la classe de troisième refont surface. Je revois la poussière de craie, je crois retrouver l'odeur de l'éponge mouillée et le regard satisfait de mon institutrice. Ces heureux souvenirs ont effacé les plus pénibles... les fois où je dus rester après la classe pour m'acquitter d'un pensum, mes craintes lorsque je devais rapporter un bulletin pas trop reluisant à la maison, le martinet dans le bureau du directeur.

À vrai dire, nous agissons tous inconsciemment de cette façon à mesure que le temps fuit. Nous avons tendance à ne nous souvenir que des belles choses et à reléguer aux oubliettes celles qui nous chagrinent ou nous déplaisent. Un bon exemple de ceci se retrouve dans l'attitude de nos vétérans de retour au pays. Au fil des jours, des années, ils oublient les turpitudes de la guerre, la chaleur et la saleté, les horreurs du combat, les blessés, les morts. Maintenant, ils préfèrent parler des bonnes choses, des lettres de leurs familles, des congés d'une semaine, de la belle camaraderie entre les membres d'un escadron, d'une compagnie, d'un bataillon.

Nettoyer son ardoise mentale est une véritable bénédiction. Si nous ne le faisons pas inconsciemment, nous devons le faire de notre plein gré. Cependant, tout comme l'enfant, il faut commencer par laver l'ardoise. Les choses que vous y mettrez ensuite seront tellement plus claires.

4. *S'habituer à l'association de mots.* C'est un fait que de penser à une chose en suggère une autre. Prononcez le mot *Noël* et immédiatement surgissent à votre esprit un sapin, des banderoles et des cadeaux. Dites *hanukkah* et le chandelier à sept branches se forme dans votre esprit. Le mot *arabe*, de nos jours, évoque immédiatement le pétrole.

Voilà pourquoi l'association de mots est si importante dans la culture de la mémoire. C'est le procédé idéal pour se rappeler les noms, les visages et les endroits. Il se peut également qu'elle traite de couleurs, de saisons, de villes, d'états, de provinces, de films, même de poésie. Je m'explique.

Un courtier en immeuble me dit un jour que chaque fois que le nom d'une personne suggère une couleur, il l'associe immédiatement à cette couleur. La méthode se révèle efficace avec des noms comme Lebrun, Leblanc, Lenoir, Legris ou Levert. Si le prénom de la personne est Rose ou Rosemarie, Violette ou Marguerite, tout de suite il l'associe avec les fleurs qu'il suggère.

141

Les couleurs, les teintes, les fleurs, les combinaisons de teintes sont tous des moyens efficaces de se souvenir.

Qu'arrive-t-il si le nom ne présente aucun rapport avec une couleur? Il use alors d'un autre stratagème. Il se souvient de monsieur Lecours en le couplant à un nain de ses amis, de monsieur Ford en l'associant au fabricant d'automobiles, de Henry Johnson en l'accolant à l'ancien président Lyndon B. Johnson.

Un entrepreneur en construction que je connais se rappelait les noms en les associant aux matériaux dont il se servait dans son métier. Un de ses fournisseurs se nommait Chet Brickly mais il ne s'est jamais douté qu'il représentait une brique dans l'esprit de l'entrepreneur.

Un vendeur des plus efficaces me dit un jour qu'il n'avait jamais pu oublier le nom d'un client qui répondait à l'appellation d'Ed Daskiewitcz, dont la lèvre supérieure s'ornait d'une moustache et qui portait des verres. Il avait sans doute un peu de difficulté à prononcer le nom du monsieur, mais ses traits, ça c'était une autre affaire. Pourquoi? Le visage de son client lui rappelait à s'y méprendre celui de Teddy Roosevelt sculpté sur le mont Rushmore. Dans l'esprit de ce vendeur, le visage d'Ed était incrusté dans le roc.

La fille d'un optométriste de mes connaissances est une brillante étudiante à l'Université de Détroit. Voici comment elle se rappelle les dates de l'Histoire: elle les associe à la musique car elle est de plus une excellente musicienne. La date de la guerre entre les États-Unis et l'Angleterre, causée par la décision de cette dernière d'enrôler nos hommes dans sa force navale, lui rappelle l'*Ouverture de 1812* et le tour est joué. La guerre de 1812! Elle me dit se rappeler que Lady Jane Grey fut reine d'Angleterre pendant neuf jours seulement avant d'être décapitée dans la Tour de Londres en l'associant à la dernière symphonie de Beethoven, la neuvième.

Sa méthode ne me serait d'aucune utilité car je ne suis pas musicien, je ne suis pas étudiant et mes connaissances en Histoire sont assez limitées. Elle pourrait vous être utile à vous cependant. Vous voyez ce que je veux dire? Associez le nom, la date à quelqu'un ou quelque chose que vous connaissez bien. Vous concevrez votre propre code et quel contentement vous éprouverez!

5. *Ne pas compter sur sa mémoire.* La mémoire est espiègle, elle aime bien nous jouer des tours. Si vous la laissez faire, elle en prendra l'habitude. Vous vous retrouverez toujours le dindon de la farce et vous courrez le risque de perdre une vente au moment le plus crucial de votre démonstration.

Aucun de ces principes, de ces trucs (celui-ci encore moins que les autres) ne peut vous transformer en magicien de la mémoire, un phénomène comme on avait coutume d'en entendre à la radio lorsque j'étais enfant. Nous parlons de *cultiver* notre mémoire, non pas de compter sur elle; et la meilleure façon de la cultiver est d'en déjouer le manque au lieu de lui permettre de tenir le haut du pavé. Et on déjoue son manque de mémoire en prenant *l'habitude de noter.*

Lorsque je converse avec quelqu'un, j'ai constamment une fiche de quatre centimètres par six devant moi, habitude que j'ai conservée de l'époque où je vendais des voitures. J'y annote des bribes d'information à propos d'anniversaires, de passe-temps, de manies, de sports, de nouveaux venus, de dates de naissance. Je me borne à noter sans en faire grand état. Si la chose est impossible sur l'heure, je me hâte de le faire dès mon retour au bureau ou à la maison.

Quand je rencontre cette personne de nouveau, surtout si je le sais à l'avance, je me rafraîchis la mémoire à l'aide de ma petite fiche. Je dirai par exemple: «Jean, comment ça va aux quilles? Toujours membre de la ligue de ta compagnie?» Ou bien: «Voyons, Ralph! Votre petite fille doit bien avoir deux ans maintenant, n'est-ce pas? Et jolie en plus de cela?» L'interlocuteur est renversé et ravi de voir que je m'en souviens. Il est alors plus disposé à traiter avec moi.

J'ai passé le truc à mon dentiste, le docteur Gilbert Dilorito; il s'en sert régulièrement et avec bonheur. Pendant qu'il cause avec son client, il note de petits détails sur sa fiche personnelle à côté de ses données sur les remplissages, les nettoyages, les extractions, les ponts et le travail sur les gencives. Lorsque le patient revient, il le renverse en lui disant: «Et comment furent vos vacances au Parc Yellowstone l'an dernier?» Ou bien: «N'est-ce pas le temps de remiser votre voilier, Pierre.» Il m'affirme que ce truc l'aide énormément dans ses rapports avec ses patients et contribue à les détendre lorsqu'ils prennent place sur sa chaise.

Cette méthode est excellente également pour se rappeler les rendez-vous, les événements à venir, un programme, des anniversaires. Je porte toujours sur moi un minuscule calendrier où chaque jour comporte une case. J'y annote des choses comme: (dans la case du mercredi 10) *Dîner chez Armando;* (mardi le 16) *Voyage à Phoenix, départ à dix heures.* Voilà une autre façon d'économiser sa mémoire.

J'ai aussi acquis l'habitude de noter mes rendez-vous du lendemain ou les différentes choses que je dois accomplir sur des bouts de papier que je porte sur moi. Alors, le soir, lorsque je vide mes poches, je place ces notes en ordre sur ma table de chevet ou à côté de mon réveille-matin. Le matin, je retrouve à portée de la main ce que je dois faire dans la journée: *Rencontrer Samuel à neuf heures; passer chez le nettoyeur prendre mon complet.*

6. *Ne pas admettre de désordre dans sa mémoire.* Cela signifie qu'il ne faut pas créer de confusion dans son esprit. La meilleure façon d'instaurer ce désordre consiste à déposer des idées pêle-mêle dans sa banque-mémoire. Afin d'éviter ce remue-ménage, il faut être certain de la raison qui pousse à retenir telle chose. Et la raison devient ce que l'on appelle en langage bancaire votre numéro de compte.

Supposons que vous désiriez vous souvenir que le vendredi, 1er décembre, vous vous proposez de vendre à Robert Redford, qui est une super-vedette de cinéma et un acharné de l'environnement, habitant l'Utah, une idée mirobolante sur la façon d'utiliser l'énergie solaire pour chauffer les maisons durant ces temps de diminution d'énergie. Alors, qu'allez-vous déposer dans votre banque-mémoire et sous quel numéro?

Le vendredi 1er décembre? Facile: le dernier jour ouvrable de la semaine, le dernier mois de l'année, le premier jour du mois.

Robert Redford? Association des mots: une voiture rouge de modèle Ford. Un acteur? Association des mots encore ici: salles de cinéma. Environnement? Les restes de maïs soufflé abandonnés dans les salles de cinéma.

Utah? Aisé! Il n'existe qu'un état célèbre pour son miel et ses abeilles.

Énergie solaire? Association de mots: tournesol, peut-être bien bronzage ou insolation.

Déposer toutes ces données ne ferait qu'encombrer la place, il s'agit donc de faire une sélection. *Quelle est la chose la plus importante à retenir?* Je pense que nous serons tous d'accord que c'est l'idée de l'énergie solaire, peut-être un nouveau système réflecteur au moyen de miroirs. Voilà donc la chose à déposer dans votre banque-mémoire. Tout ce qui s'y rapporte, sa nature, son fonctionnement, son utilité, toutes ces données suivront d'elles-mêmes. Vous pouvez annoter le jour et la date sur votre petit calendrier. Robert Redford, la super-vedette, comment l'oublier? Tous les fervents du cinéma ne parlent que de lui. S'il le faut, transcrivez également son nom.

Ce que vous venez de faire s'appelle vraiment cultiver sa mémoire, non la confondre.

7. *Éviter les pièges de la mémoire.* Le pire piège serait que vous oubliiez ce que vous avez dit lors de la dernière rencontre. Cela se produit souvent, surtout si vous fardez la vérité. Je ne parle pas d'une entorse flagrante à la vérité, mais plutôt de ces petits mensonges pieux auxquels nous succombons parfois. À vrai dire, il est toujours plus facile de se souvenir d'une vérité que d'un mensonge. C'est que, voyez-vous, un premier mensonge en attire un autre, puis un autre afin de couvrir ses traces. Mais la vérité demeure en nous; notre propre conscience, je suppose, essaie de nous aider à oublier nos petits mensonges.

C'est un peu gênant, n'est-ce pas, de s'entendre demander: «Comment va votre mal de tête?» et de répondre: «De quel mal de tête parlez-vous?» «Mais de celui que vous aviez hier lorsque je vous ai demandé de me recevoir.»

Les résultats peuvent être encore plus embarrassants lorsqu'il s'agit de mensonges se rapportant à des rendez-vous personnels, d'affaires ou autres.

Comme toujours, la règle consiste à *dire la vérité* et à s'assurer que sa secrétaire fait de même (si on en a une!). Croyez-m'en, la plupart des visiteurs peuvent discerner facilement si la secrétaire ment ou simplement tente de dissimuler la présence de son patron qui ne veut voir personne. Dire la vérité élimine les pièges de la mémoire. Vous ne devez jamais vous demander: «Bon, qu'est-ce que je lui ai dit la dernière fois?» Il n'existe rien de pire que de créer ses propres pièges. Hâtez-vous de vous débarrasser de cette malencontreuse habitude!

8. *Se servir beaucoup de la répétition.* Voilà une excellente méthode et vous pouvez être assuré que vous ne passerez pas pour un sourd ou un perroquet. Elle vous aidera à vous souvenir des noms, des dates, de nombreux détails. C'est tellement simple!

Lorsqu'une personne vous fait part de quelque chose, dites avec un franc sourire: «Voulez-vous me répéter votre nom? Je veux être sûr de ne pas l'oublier.» On accède à votre demande et vous répétez tout haut. Je vous assure que cette chanson sera douce à l'oreille de votre interlocuteur.

Se servir de la répétition, c'est cultiver sa mémoire au moyen de retours en arrière qui fixent solidement des données dans votre esprit de la même façon qu'une bobine magnétoscopique rend ce qu'on y a imprimé.

Employez ce truc dans des occasions importantes.

«À quelle heure devons-nous nous rencontrer? Neuf heures trente?»

«Afin que je puisse bien m'en souvenir, redites-moi la date de l'anniversaire de Philippe. C'est bien samedi, n'est-ce pas?»

«Voyons voir. Où se trouve cette librairie? Sur Ste-Catherine?»

Je ne suis pas prêt d'oublier la façon dont un expert en appareils s'y est pris pour faire de la répétition un des échelons majeurs de son succès. Il avait fait imprimer des cartes de visite portant des vers assez remarquables. Pendant que je tentais de lui faire acheter une voiture, il me passa une demi-douzaine de ces cartes. Comment pourrais-je oublier cet homme et son produit puisqu'il a réussi à me faire faire l'acquisition d'un de ses climatiseurs? Il n'a pas cessé de me remettre de ces cartes portant son nom et des vers dans le genre de ceux-ci:

Produit des plus sûrs
Pour qui veut de l'air pur.   Daniel T. Henderson

Vous aimerez le prix,
Et le produit aussi.   Daniel Henderson

> *Nos climatiseurs sont légion*
> *Tous genres, toutes dimensions.* Dan Henderson

> *Climatiseur conçu pour vous,*
> *Service également pour vous.* Danny Henderson

Et combien encore! Ces cartes ne contribuaient pas seulement à vendre des climatiseurs, elles faisaient accepter le vendeur lui-même. Henderson s'assurait que je ne l'oublierais pas et je vous assure qu'il y a réussi.

Plus tard, il m'avoua qu'il avait eu l'idée de ces cartes après avoir assisté à une représentation itinérante commanditée par une grande firme d'appareils dans le but de rendre les vendeurs plus conscients de leurs clients. Il s'agissait d'une véritable performance accompagnée de chants et de musique présentée au pays, d'Est en Ouest. Mon vendeur avait brodé sur cette méthode afin de rester toujours présent à l'esprit de ses clients.

9. *Toujours garder son esprit en effervescence.* Un esprit engourdi ne pourra se mettre à l'oeuvre aussi rapidement que celui qui demeure alerte. Dire des choses fausses au mauvais moment indique non seulement que vous avez oublié qu'il en existait des bonnes à émettre au bon moment, mais que votre esprit est paresseux.

La façon idéale de faire travailler un esprit paresseux est de le tenir occupé, sur le qui-vive. Au contraire de ce que vous pouvez penser, le fait de tenir l'esprit occupé ne l'empêche pas de se souvenir. Plus il est occupé, plus il est alerte. De même qu'un muscle ne se fortifiera que s'il est soumis à des exercices vigoureux et répétés, la mémoire se fortifie à l'usage.

Harry Lorayne, dont la mémoire a été qualifiée de phénoménale, dit ce qui suit dans son ouvrage intitulé *How to Develop a Super-Power Memory* (comment acquérir une mémoire super-active): «Je crois que plus vous avez de choses à retenir, plus vous pouvez en emmagasiner. La mémoire ressemble à un muscle de plusieurs manières. Un muscle doit être exercé et développé pour donner un bon service; il en va de même pour la mémoire. La seule différence réside dans le fait que le muscle peut être trop taxé tandis que la mémoire est très élastique. Vous pouvez apprendre à la cultiver comme vous pouvez apprendre tout autre chose... *une mauvaise mémoire, ça n'existe pas.*»

Soyez alerte! Gardez votre esprit toujours occupé. Vous verrez alors croître le pouvoir de rétention de votre mémoire.

10. *Se souvenir qu'il est parfois bon d'oublier.* J'ai gardé cette règle pour la fin car il va vous sembler que je me contredis. Pourtant, il n'en est rien. Cette dernière est une des plus importantes règles dans la culture de la mémoire.

Je me souviens du compliment qu'une voisine fit un jour à ma mère, un des plus beaux qu'elle ait jamais reçus: «Grace, dit cette dame, vous êtes la personne la plus oublieuse qui soit.»

Un compliment, cela? Je vous assure. Ma mère se souvenait tout simplement qu'il est bon parfois de savoir oublier, une des grandes leçons que j'ai reçues d'elle.

La voisine ne faisait pas allusion à des choses sans valeur comme oublier de couper les phares de la voiture, l'anniversaire d'une amie ou un rendez-vous. Elle parlait d'une toute autre sorte d'oubli, le genre qui se balaie de l'esprit, comme dirait ma mère, toutes les petites agaceries qui vous empêchent de devenir la plus grande personne au monde, de vous réaliser pleinement.

Il vous faut absolument pratiquer cette règle de conduite si vous désirez vous faire accepter. Il importe peu que vous soyez en quête d'un poste, à la recherche d'un rendez-vous pour le samedi soir ou que vous tentiez de persuader votre époux d'acheter un four micro-ondes. Ma mère savait que le secret de se faire accepter consiste à oublier certaines choses. Mais lesquelles?

Elle savait que la personne qui conserve toujours au plus profond d'elle-même la moindre offense, le moindre souvenir blessant, et en garde rancune, deviendra bientôt le reflet de cette amertume. Qui voudrait frayer avec une telle personne? Vous? Pas moi!

Elle savait que des mots cruels et des actes posés sans la moindre réflexion allaient laisser des marques. Alors, elle faisait maison nette, elle chassait les mauvais souvenirs pour ne conserver que les bons.

Pour employer les vers du poète, elle savait qu'il *était bon de pardonner mais encore mieux d'oublier*. Avec le temps, je m'aperçus que d'autres personnes étaient au courant de son secret. Je me rappelle un colporteur de fruits qui, durant mon enfance, devait supporter les quolibets et les mauvais traitements de la part de certains mauvais garnements de mon quartier à cause de son accent. Un jour, Guido me dit: «Joseph, si je me souviens de leurs paroles, je vais les détester. Si je les déteste, cela va paraître. Si ce sentiment paraît, alors qui m'aimera? Si personne ne m'aime, qui achètera mes fruits, mes fraises, mes oranges? Non, il vaut mieux oublier!»

Il mettait en pratique ce conseil éclairé: «Avant de s'endormir, l'homme doit oublier.»

La journaliste Nickie McWhirter écrit dans le *Free Press* de Détroit que, durant de longues années, elle avait nourri de la rancune à l'égard de trois de ses compagnes de classe. «Ma haine ne leur causa aucun mal, je fus la seule à en subir les conséquences. Elle me vida de mes énergies et me fit perdre un temps précieux. La haine n'accomplit rien de constructif pour qui que ce soit, surtout pas moi.»

Il est facile de rendre insulte pour insulte, de s'apitoyer sur soi-même et de garder rancune. Mais cette attitude vous diminue aux yeux de tous. Croyez-moi, il vaut mieux donner un bon coup de balai: vous deviendrez ainsi plus grand et il vous sera d'autant plus facile de vous faire accepter. Maintenant, je vous conseille de faire ceci: écrivez les trois mots magiques *Souvenez-vous d'oublier!* et portez-les constamment sur vous. Sortez-les souvent pour les relire et y réfléchir. Rappelez-vous *comme il est bon d'oublier.*

Et voilà! Vous connaissez maintenant les dix règles qui président à la culture de la mémoire. Je vous assure que si vous y êtes fidèle, vous ne serez pas déçu.

On dit souvent: «J'aimerais avoir une mémoire comme celui-ci ou celui-là.» Le rêve n'a jamais engendré la réalité. Il faut y travailler, car une excellente mémoire s'acquiert.

Il faut que la mémoire soit quelque chose de vraiment important puisqu'elle a inspiré tant de chansons depuis tant d'années. *Memories, Down Memory Lane, Did I Remember?, Will you Remember?, Memories Are Made of This, Remember Pearl Harbor?, Always Remember, Do you Remember?, Give Me Something to Remember you By* et *Just the Memory of you* (souvenirs, au fil des souvenirs, me suis-je souvenu?, te rappelleras-tu? ce dont sont faits les souvenirs, te souviens-tu de Pearl Harbor? souviens-toi toujours, te souviens-tu? laisse-moi un souvenir en gage et ton seul souvenir). Il en existe encore des centaines. Probablement la plus célèbre et la plus populaire nous vient de Bob Hope qui en fit son thème et qui ne l'oublie pas: *Thanks for the Memory* (merci pour les beaux souvenirs).

Mes trucs pour me souvenir ne sont pas nouveaux. Je les ai appris d'autres personnes, les ai ramenés à ma mesure et je vous les passe à mon tour. Adaptez-les maintenant à votre personnalité. Ils vous seront aussi rentables qu'ils l'ont été pour Elmer Wheeler qui affirme ceci dans un de ses ouvrages intitulé: *How to Sell Yourself to Others* (Comment se vendre aux autres*: «Voici seulement quelques petits trucs rapides pour vous aider à faire bouger votre mémoire... et si vous vous en servez, vous n'aurez jamais à faire face à un client ou un ami et rougir d'avoir à vous excuser de quelque chose que vous avez oublié.»

*Publié aux Éditions «Un Monde Différent» Ltée.

Actes à poser MAINTENANT!

- Jeter toutes les ficelles, surtout celles que l'on s'attache au doigt. Elles ne sont d'aucune efficacité.
- Prendre la résolution d'ouvrir un compte dans sa banque-mémoire dès l'instant. Se représenter son esprit à l'égal d'une grande banque où l'on pénètre pour faire un dépôt ou effectuer un retrait.
- Apprendre par coeur les dix principes régulateurs de la mémoire.
- Chasser les pensées inutiles.
- Pratiquer l'association de mots.
- Arrêter de se fier à sa mémoire. Noter davantage.
- On ne peut se tirer d'un mauvais pas en ayant recours au mensonge; ne pas commencer ce jeu-là.
- Garder son esprit très occupé et rempli de choses de valeur.
- Porter sur soi une carte où on peut lire: *Il est bon d'oublier!* La consulter souvent. Faire le ménage des choses inutiles dans son esprit.
- Si vous êtes vraiment oublieux, je vous conseille de relire ce chapitre.

9

Dire la vérité

Il existe deux bonnes raisons pour toujours dire la vérité, pour s'en tenir à la vérité autant que possible, dans toute situation donnée:

1. On se sent bien dans sa peau.
2. C'est l'unique façon de se gagner la confiance et le respect des autres.

De dire que c'est l'*unique* façon peut paraître péjoratif, mais je m'en tiens à mon affirmation. On vous respectera à cause de vos belles manières, de votre situation dans la vie, de vos actes charitables, de vos connaissances et de votre expérience; mais si on vous surprend à mentir, vous venez de sonner le glas de toutes les belles qualités que l'on vous attribuait.

Nous n'avons besoin pour cela que de retourner quelques années en arrière et de nous rappeler la chute d'un président. Richard Nixon avait menti à la nation et il entraîna son administration dans la disgrâce. Nous avons vu un vice-président, Spiro Agnew, perdre son crédit et être forcé de démissionner de ses fonctions. Nous avons été estomaqués devant la conduite de gens très haut placés, membres du cabinet et conseillers à la Maison Blanche, mentant à propos de leurs activités et finissant derrière les barreaux.

Il ne faut pas se leurrer: mentir peut entraîner des conséquences désastreuses. Eisenhower fut un des plus grands présidents des États-Unis en même temps que le plus aimé. On admirait «Ike» parce qu'il avait mené le peuple américain vers la victoire durant la seconde grande guerre pour ensuite diriger son pays dans la paix.

Pourtant, un jour vint où il osa camoufler la vérité lors de l'incident relié à un avion d'espionnage U-2 descendu sur le territoire soviétique. Le résultat? Une rencontre entre les États-Unis et l'Union soviétique fut contremandée. Nous ne saurons probablement jamais ce qui a pu être perdu en matière de paix par cet acte; nous savons cependant que les États-Unis en souffrirent énormément du point de vue de l'opinion mondiale.

Le sénateur Joseph McCarthy voyait se dessiner devant lui une brillante carrière au Capitole. Un jour vint où il se leva et brandit une liste qui, disait-il, contenait les noms de bon nombre de sympathisants communistes, fonctionnaires au Département d'État. Il fut démenti mais le dommage était fait. Son action irréfléchie déclencha la pire chasse aux sorcières de l'histoire des États-Unis, détruisant des réputations, la carrière de nombreux innocents employés du gouvernement, d'artistes et de diverses personnes de toutes les couches de la société. Dans sa recherche de la petite bête noire, cet homme a contribué à ajouter un mot nouveau à notre vocabulaire: le *McCarthyisme,* tout comme *Watergate* allait devenir un autre mot exécrable quelque vingt-cinq ans plus tard. Dans ses techniques plus que douteuses, McCarthy accusa publiquement et sans preuves certaines gens vraiment sérieux. Ses pairs le mirent au ban: son tripotage de la vérité l'avait détruit.

Même avant le jour où le Christ se tint devant Pilate qui lui demanda: «Dites-moi, *qu'est-ce que la vérité?*», cette question a toujours été sur toutes les lèvres. Depuis le début de l'humanité, les hommes en ont pris à leur aise avec elle et ils continuent. Tout comme il y eut des champions de la vérité, l'humanité a également connu de grands menteurs. Malheureusement, il semble que la horde de ces derniers a toujours été plus nombreuse que la troupe des autres. Adolph Hitler les dépassa tous d'une coudée. Il essaya de faire croire que plus le mensonge est grand, plus il est répété souvent, plus il finit par prendre des couleurs de vérité. Avec sa technique malencontreuse, il amena le monde tout près de la ruine.

On a parlé, écrit, glosé, et souvent très sérieusement, sur la vérité et le mensonge, parfois en des termes amusants. Il est regrettable, mais tellement vrai, que nous prenions plaisir à nous gausser de quelqu'un qui farde un peu la vérité. Pourquoi ne serions-nous pas plus prodigues de compliments lorsqu'il s'agit de la vérité?

Il y a plusieurs années, quelqu'un a publié un best-seller qui devint par la suite un film. L'ouvrage était intitulé: *Nothing But the Truth* (rien que la vérité). C'était l'histoire d'un homme ayant parié une forte somme qu'il allait dire la vérité toute pure durant une certaine période de temps. Il réussit. Pourtant, le pétrin dans lequel il se retrouva aurait été suffisant pour décourager les plus téméraires de ne jamais dire la vérité.

Ne vous laissez pas aller au découragement, je vous en prie!

Si vous voulez attirer la confiance des autres, si vous voulez que l'on vous considère comme une personne digne de respect, qu'on peut croire sans devoir exiger des preuves, dites la vérité. Ce conseil s'applique à chacun de vous, peu importe ce que vous êtes, ce que vous faites ou l'endroit où vous opérez. Il s'adresse aux adultes comme aux enfants, aux hommes comme aux femmes, aux riches comme aux pauvres, aux vedettes comme aux inconnus. Je ne peux parler moi-même que selon mon expérience de vendeur.

Il est certain qu'un vendeur (et je suis un vendeur qui réussit depuis de nombreuses années) ne peut pas se payer le luxe de farder la vérité, d'en prendre à son aise avec la façon de dire les choses. Un vendeur qui ment, qui a recours à des demi-vérités, se retrouvera bientôt sans clients en perspective, sans clients réguliers, sans emploi. Il n'y a pas de place pour la basse flatterie, les excuses commodes, la lâcheté: les gens voient clair rapidement dans ce petit jeu.

Lorsque j'étais vendeur de voitures, je faisais tout mon possible afin de satisfaire mes clients. Je devais probablement m'imposer davantage de travail afin d'être toujours fidèle à la vérité, que si j'avais exercé une autre profession en raison de l'image indélébile que les clients emportent du vendeur. Ils s'attendent à se faire avoir, à ce que l'on ait recours au mensonge afin de boucler une vente. (Ce n'est pas une coïncidence que Richard Nixon ait été surnommé Dick le rusé: les gens n'avaient tout simplement pas confiance en lui. Vous vous souvenez de la question qui courait partout à son endroit: «Achèteriez-vous une voiture usagée de cet homme?») Croyez-moi, ma profession en a pris pour son rhume dans ces jours sombres.

Sachant à quoi m'en tenir, je m'efforçai davantage à toujours dire la vérité. Ce ne doit pas être une simple question de fierté personnelle, pas pour moi en tout cas: ce devrait être une question de survie. La vérité m'a propulsé aux plus hauts sommets de ma profession. Je parlais toujours à mon client entre quatre yeux: «Je me porte non seulement garant de nos voitures, je suis aussi prêt à encaisser vos reproches s'il en est.» Jamais je n'aurais avancé quoi que ce soit que je n'aie pu garantir. Voilà une règle de conduite que je n'ai jamais regrettée.

Il est arrivé assez fréquemment que des clients en perspective me disent qu'ils avaient magasiné ailleurs et pouvaient obtenir une meilleure transaction que celle que je leur offrais. En argent, l'offre était inférieure à la mienne de 75$ ou même 100$. Pourtant, je les voyais toujours me revenir pour me demander ce qu'on ne leur donnait pas pour les 75$ ou 100$ de moins. Ils savaient également qu'ils ne bénéficiaient pas de ma garantie; pourtant, cela comptait énormément à leurs yeux car ils pouvaient avoir confiance dans mon intégrité.

Le bon vendeur n'est pas la seule personne dont la réputation se bâtit sur la franchise. C'est vrai pour tous: étudiants, militaires, avocats, politiciens, maîtresses de maison, courtiers, agents d'immeuble, professeurs, tous.

L'univers foisonne de gens qui n'ont jamais dérogé à la vérité. La meilleure publicité, celle qui attire le plus la confiance des usagers, est encore celle qui évite les entorses à la vérité.

Récurent Dutch: chasse la saleté!
Soupes Campbell: c'est si bon!
Coca-Cola: la pause qui rafraîchit!
Café Maxwell House: bon jusqu'à la dernière goutte!
Poulet frit à la Kentucky: bon à s'en lécher les doigts!
Sel Morton: Mettez-en, c'est pas de l'onguent!

Si vous en aviez le temps, histoire de vous amuser un peu, vous pourriez dressez une liste qui vous surprendrait. Vous vous demandez pourquoi il semble tellement impératif de mettre tant d'emphase sur la façon d'annoncer un produit, vous n'arriverez pas à concevoir comment un publicitaire puisse éprouver le besoin de farder la vérité? Souvenez-vous des cigarettes Old Gold et de leur slogan publicitaire: «Avec les Old Gold, la toux est absente même après en avoir fumé une tonne!» Chose assez étrange à avancer lorsqu'il s'agit de cigarettes! Où sont donc les Old Gold aujourd'hui?

On a tellement vanté la vérité que vous ne pouvez plus douter de mes paroles.

Daniel Webster, distingué sénateur du Massachusetts et secrétaire d'État, disait: «Il n'existe rien de plus puissant que la vérité.»

La Bible avance également: *Vous connaîtrez la vérité et elle vous rendra libre.*

Mark Twain, l'auteur de *Huckleberry Finn,* un garçonnet célèbre pour ses blagues et ses petits mensonges, disait: «Lorsque vous doutez, dites la vérité. C'est encore la chose la plus précieuse que vous possédiez.»

Le poète Robert Browning ajoutait: «La vérité est tellement importante qu'elle n'a jamais blessé qui la profère.»

George Washington, encore jeune homme, a (ou peut avoir) dit: «Papa, je suis incapable de mentir!» lorsqu'il abattit son cerisier, mais nous nous plaisons à croire qu'il a vraiment dit la vérité.

Je me souviens d'un de mes professeurs qui nous avait parlé d'un philosophe grec vivant dans un tonneau. Le fait de vivre de façon aussi originale aurait suffi pour que je me rappelle, mais il y avait autre chose. Un jour, il sortit de son tonneau et, armé d'une lanterne, il partit à la recherche d'un honnête homme. Même dans ce temps-là, l'honnêteté faisait défaut.

L'histoire d'un saint

Voici un autre souvenir de mon enfance et de mon adolescence, une leçon que je n'oublierai pas de sitôt sur la vérité et la nécessité de s'y attacher!

Cette leçon me fut servie par un des hommes les plus doux et les plus sages qu'il m'ait été donnés de connaître. Je le savais très original. Il ne me connaissait probablement pas autrement que par l'appellation de «p'tit Joe» parce que je faisais partie de la bande de garnements espiègles qui hantaient les rues de mon quartier.

Cet homme était un capucin, le père Solanus Casey, simple prêtre attaché à ma paroisse, dépendance du monastère de Saint-Bonaventure dans l'est de Détroit, durant mon enfance. À partir de 1924 jusqu'en 1945, puis de nouveau en 1956, époque où il revint pour des traitements jusqu'à sa mort, le père Solanus a imprégné une marque indélébile sur le monastère et les gens. Je l'ai fréquenté à partir de ma première communion jusqu'à l'âge de dix-sept ans, je l'ai aimé comme nous le faisions tous et, de plus, j'ai écouté ses conseils.

Laissez-moi vous dire d'abord quelle sorte d'homme était le père Solanus et pourquoi il avait tellement d'ascendant sur nous, les jeunes garçons. À mes yeux, il était un saint et il l'est demeuré. Un jour, Dieu aidant, il montera sur les autels.

Bernard Casey naquit dans le Wisconsin d'une famille qui comptait neuf garçons et six filles. On lui donna le nom de son père, un immigrant irlandais. Avec tant de garçons, rien d'étonnant à ce qu'on ait pu former une équipe de baseball, une formation unique qui s'est mesurée maintes fois à d'autres équipes scolaires, un groupe possédant ses propres meneuses de claques en la personne des six soeurs. Si vous avez vécu à Détroit, vous comprendrez pourquoi nous, les jeunes, avions tellement d'affection pour des gens comme le père Solanus. Détroit est une ville de baseball avec ses fameux Tigers et ses héros légendaires tels Ty Cobb, Hank Greenberg, Mickey Cochrane et Schoolboy Rowe. Dans cette ville, vous naissez presque avec un gant de baseball; c'est pourquoi j'affirme que c'était vraiment la niche du père Solanus.

Durant sa jeunesse, Bernard Casey ne se révéla pas seulement un magnifique athlète, il avait aussi du coeur au ventre. On raconte qu'un jour, encore jeune homme à la campagne, il s'attaqua à un chat sauvage et sauva ainsi la vie de son chien. Il connaissait également ce que c'est que de trimer dur pour gagner son pain. Il se fit embaucher comme garçon de ferme, bûcheron, briqueteur, gardien de prison (c'est là qu'il apprit à être compatissant) et opérateur sur les nouveaux tramways de la ville.

À vingt et un ans, il sentit l'appel à la prêtrise et entra au Séminaire de Saint-François-de-Sales à Milwaukee. À vingt-six ans, il arriva dans ma paroisse pour la première fois et se présenta au noviciat des capucins de Saint-Bonaventure où il passa deux ans. Il repartit ensuite pour Milwaukee où il fut finalement ordonné prêtre à trente-trois ans. Ses notes scolaires n'étaient pas des plus mirobolantes (je le comprends puisque les miennes faisaient le désespoir de mon père) et, jeune prêtre, il ne pouvait que dire la messe à l'exclusion de tout autre ministère. Il ne pouvait donner l'absolution qu'en cas de nécessité. On ne lui permettait pas d'entendre les confessions et il n'a jamais prononcé une homélie. Pourtant, sa vie était un sermon continuel, une vie bâtie sur la vérité.

Il lui a fallu attendre d'avoir ses cinquante-quatre ans avant de revenir dans ma paroisse, cette fois attaché à Saint-Bonaventure où il demeura vingt et un ans. C'est alors que je fis sa connaissance et devint un de ses fervents admirateurs. Il occupait au monastère la fonction la plus humble, celle de portier.

Je me souviens de l'avoir entendu maintes et maintes fois nous répéter à nous les garçons de toujours dire la vérité. Nous pouvions réussir à tromper les autres, mais jamais Dieu. Je n'ai pas oublié ces paroles. Je le revois encore par la pensée, grand, le visage affublé d'une grosse barbe, l'image parfaite du saint homme si jamais j'ai eu le bonheur d'en approcher un. Je suis sûr qu'il sera canonisé un jour car, il y a quelques années, on a introduit à Rome la cause de béatification du serviteur de Dieu qu'était le père Solanus Casey. Il a fait des miracles véridiques et prouvés. Les gens, par milliers, attestent de son pouvoir miraculeux sur le corps aussi bien que sur l'esprit. Pourtant, jamais il n'en a pris le crédit, renvoyant tout à Dieu. On a écrit des livres, des articles dans les revues, fait des documentaires télévisés sur sa vie. Quelques-uns des rédacteurs ne le connaissaient que pour en avoir entendu parler.

Moi, je l'ai connu et, tous les ans à Noël, je retourne dans ma paroisse natale pour me souvenir de lui durant la messe de minuit. D'autres pères capucins ont remplacé mon grand ami;

pourtant, c'est toujours lui que je revois et il me semble alors entendre ses paroles: «Vous, les jeunes, dites toujours la vérité et vous marcherez toujours la tête haute.»

Bon, je ne veux pas dire que le fait de dire toujours la vérité fera de vous ou de moi un saint, mais je puis vous assurer que vous ne le regretterez pas.

Le prix du mensonge

Dire la vérité n'est pas tellement affaire de conscience, c'est aussi affaire de justice. Devant un juge, un témoin fait le serment de dire la vérité, toute la vérité, rien que la vérité en prenant Dieu à témoin. Il en coûte cher de se parjurer. Omettre de dire la vérité tout en étant sous serment entraîne des amendes élevées et souvent un séjour derrière les barreaux.

Il semble que, bien souvent, des hommes de loi et des fonctionnaires en prennent à leur aise avec la vérité. Certains faits dont nous nous souvenons paraissent centrés autour d'enquêtes menées par un Comité du Congrès ou autres, enquêtes qui s'étaient soldées par des condamnations pour mépris de cour chez plusieurs témoins. Ces cas nous frappent davantage par la couverture que leur ont faite les média d'information et la télévision. Cette dernière est devenue, pour un bon nombre de politiciens, un véritable épouvantail.

On attribue à Sydney Harris, journaliste accrédité bien connu, les paroles suivantes: «Même les politiciens supérieurs ne sont pas à l'abri du double sens, de l'équivoque, des demi-vérités, des alliances louches, d'actions frôlant la trahison afin d'obtenir un mandat des électeurs. Ils ne travaillent pas pour ces derniers, ils ne pensent qu'à eux-mêmes et leur logique se rapproche de celle du président de General Motors qui affirmait: *Ce qui est bon pour General Motors est bon pour le pays*».

Il est possible que les politiciens se soient tirés d'affaire en agissant de la sorte dans le passé, mais il n'en est pas ainsi de nos jours où le prix du mensonge est très élevé. Récemment, la station radiophonique WJR de Détroit, qui jouit de l'une des meilleures cotes d'écoute dans le Midwest, émettait une entrevue entre Hal Youngblood, un des réalisateurs, et Nicholas Pennell, membre de la célèbre compagnie du Festival de Stratford en Ontario, au Canada. Au cours de la conversation, Pennell affirma qu'il était virtuellement impossible de mentir devant les caméras de télévision car celles-ci captent en gros plan toutes les émotions qui passent sur le visage d'une personne. Elles peuvent la trahir, et c'est une des raisons pour lesquelles les politiciens trouvent pénible de passer à la télé. John Mitchell, procureur général sous l'administration Nixon, l'a découvert à ses dépens. Vous pouvez penser qu'il vous est possible de leurrer des personnes par votre duplicité, mais ce n'est pas le cas. Le mensonge est toujours découvert et il vous faudra payer la note.

De nos jours, la franchise est de prime importance, surtout lorsqu'il s'agit de vendre une maison ou une propriété. Nos lois modernes stipulent que, si l'acheteur est induit en erreur lors de la transaction, il a le loisir de poursuivre le vendeur devant les tribunaux. L'ancienne coutume de se payer la tête de l'acheteur est révolue et personne ne s'en plaindra.

Un mensonge peut faire avorter une transaction, perdre des amis, la confiance des autres, entraîner des difficultés et vous coûter cher. Espérons que le prix à payer pour le mensonge nous portera davantage à ne dire que la vérité et d'y tenir ferme afin de conserver nos amis, ceux qui ont confiance en nous, notre réputation surtout. Nous sommes tous humains, je vous l'accorde. Habituellement, on est blessé plus facilement et davantage lorsque l'on touche à notre portefeuille. Il est possible que, pour plusieurs, ce soit alors le motif qui les poussera à toujours dire la vérité.

En toute franchise, je dois ajouter que le fait de dire la vérité peut faire perdre des amis et coûter des sous parfois. Vous devez alors décider ce qui est le plus important à vos yeux, la vérité ou l'ami qui disparaît dans le décor sitôt que la vérité sort du sac.

Un général qui n'avait pas peur de dire la vérité

Un exemple classique se retrouve chez le célèbre général américain Billy Mitchell qui nourrissait depuis sa tendre enfance le désir de voler et se dirigea en conséquence vers l'aéronautique. Même avant la première grande guerre, il avait prévenu les États-Unis qu'un jour la guerre se ferait dans l'espace. Il préconisa avec force l'inclusion des avions dans l'armée et proposa une force aéronautique indépendante. Pendant la guerre «pour sauver la démocratie dans le monde», il devint le premier Américain à survoler les tranchées lors de l'occupation de la France par les Allemands.

Il disait toujours la vérité telle qu'il la voyait, mettant en garde, suppliant, affirmant auprès du gouvernement et des états-majors que nous allions vers la défaite à moins que nous ne développions notre puissance dans les airs. Après la guerre, il démontra la justesse de ses affirmations en bombardant, en quelques secondes et du haut des airs, un bateau d'exercice là où, d'habitude, il aurait fallu au moins vingt minutes. Parfois, les gens n'aiment pas entendre la vérité, surtout si elle touche un point névralgique, et les officiers d'état-major du temps réagirent de façon typique. Mitchell, en dépit de cette démonstration concluante de la supériorité du combat aérien, passa en cour martiale, déchu de son rang et suspendu. Billy Mitchell disait-il la vérité ou s'enfonçait-il dans le mensonge? Eh bien, une de ses prédictions, l'attaque de Pearl Harbor par le Japon, qu'il avait dit pouvoir se produire un dimanche matin, lorsque tout le monde dormirait, se réalisa à la lettre. Oui, la vérité peut coûter cher. Ses amis le crurent dérangé et lui refusèrent leur appui. Le coeur brisé, il résigna ses fonctions dans l'armée. Pourtant, la vérité devait triompher un jour ou l'autre. Les événements subséquents donnèrent raison à Mitchell... le temps avait oeuvré en sa faveur. La disgrâce qu'il avait encourue en disant la vérité se mua en honneur: il fut réintégré dans les rangs militaires avec le grade de major-général et on lui décerna le *Congressional Medal of Honor*. Comme ces honneurs lui étaient décernés en 1945, Mitchell ne put en profiter car il était parti pour l'autre monde en 1936, ignorant les honneurs et les louanges qui se mirent à pleuvoir sur lui neuf ans après son décès.

Dire la vérité peut également coûter des sous. Vous devez donc décider ce qui est le plus important de l'argent ou de la vérité.

Mon pauvre dos

Le 3 janvier 1947, je fus mobilisé à l'âge de dix-huit ans. Je ne faisais partie de l'armée que depuis trois semaines lorsque mon peloton fut envoyé en exercice. Dans ce cas, nous étions transportés par camions de deux tonnes et demie vers une étape d'où nous devions revenir à pied, une distance de quelque douze kilomètres.

En chemin, assis sur l'abattant arrière du véhicule, je faisais le pitre. Nous descendions alors un chemin très raboteux lorsque notre camion frappa un trou de boue sur la route. Le véhicule bondit et je bondis aussi... par-dessus bord. Je planai un moment dans les airs avant de me retrouver moitié sur le dos, moitié sur les fesses.

Gisant sur le sol, je ressentais des douleurs atroces, le souffle coupé, presque paralysé. On me ramassa dans une jeep et on me transporta à l'hôpital militaire. C'est ainsi que prit fin ma carrière dans les forces armées. J'étais blessé, il est vrai, mais ma blessure n'était pas grave; suffisamment cependant pour me faire déclarer inapte à la vie militaire.

Les docteurs m'ont sondé à partir des aisselles jusqu'au nombril. Je passai le plus clair de mon temps en visites à l'hôpital pour des séries de séances aux rayons X, des massages et autres thérapies. Je m'acquittais de menus travaux à la caserne. Il m'était interdit de trop marcher et surtout de lever des poids.

Quelque temps après, les docteurs de l'armée me convoquèrent en rapport avec mon accident. On me demanda si j'avais jamais été blessé au dos auparavant. L'heure de vérité venait de sonner pour moi. J'aurais pu leur répondre par la négative et bénéficier par la suite d'une pension en tant que handicapé de guerre. Mais je me souvins des paroles du bon père Solanus sur la nécessité de toujours dire la vérité et... je dis la vérité.

Je m'étais blessé au dos à l'âge de quinze ans en tentant un plongeon demi-torsion à la piscine de mon école Barbour Intermediate. Je n'avais pas réussi à m'éloigner suffisamment du plongeoir et je le heurtai du dos en descendant. Pendant un certain temps, j'en avais ressenti des malaises qui avaient disparu avec le temps. J'avais complètement oublié l'épisode mais, même si j'avais essayé de le cacher, les rayons X, eux, m'auraient démenti.

Si je m'étais tu devant les médecins de l'armée, il est possible que je m'en serais tiré avec les honneurs de la guerre. Le soldat profite toujours de la sympathie et on lui donne toujours le bénéfice du doute. J'aurais pu décrocher une rente mais j'aurais dû vivre également le reste de mes jours avec moi-même et le souvenir de mon mensonge. Tous les mois, j'aurais reçu un chèque qui m'aurait rappelé régulièrement que j'étais un menteur.

Il n'est pas toujours facile de dire la vérité. Quelquefois, la vie peut en devenir plus pénible. Feue Martha Mitchell a raconté que lorsqu'elle tenta de dire la vérité sur ce qui se passait à Washington, elle fut ligotée et bâillonnée et qu'on lui fit des injections afin de la rendre inoffensive. Son histoire prit le monde par surprise. Les événements lui ont donné raison plus tard sur beaucoup de choses qu'elle avait révélées.

Cependant, si vous vous confinez à la vérité, peu importe ce que cela peut coûter, vous sortirez toujours victorieux. Des gens qui avaient menti se sont rachetés en se tournant vers la vérité. Pierre, le chef des apôtres, dit aux soldats venus pour arrêter le Christ qu'il ne connaissait pas cet homme: mensonge qu'il répéta trois fois cette nuit-là pour sauver sa peau. Mais il se repentit et devint plus tard le chef de l'église de Rome et sera connu à travers les âges sous le vocable de saint Pierre.

Voici quelques trucs, négatifs et positifs, qui m'ont bien servi dans l'art de dire la vérité. Tous, les négatifs que vous éviterez et les positifs que vous suivrez, vous aideront immensément dans l'art de vous faire accepter.

Quatre trucs positifs

1. Être sincère avec soi-même.
2. Réfléchir deux fois avant de parler.
3. Trouver une autre façon d'exprimer sa pensée.
4. Adoucir la vérité d'une dose de bonté.

Quatre trucs négatifs

1. Ne jamais exagérer.
2. Ne pas se faire le complice des autres.
3. Ne pas demander aux autres de se faire vos complices.
4. Ne jamais dire de petits mensonges innocents.

Examinons chacun en détail.

1. *Être sincère avec soi-même.* Vous avez appris que, pour aimer les gens, il faut commencer par s'aimer soi-même. Eh bien, il est tout aussi important que vous compreniez bien cette vérité également. Avant d'être véritablement sincère à l'égard des autres, vous devez l'être à votre endroit. Retournons une fois de plus au bon vieux Shakespeare. Vous avez entendu son conseil nombre de fois mais il n'est pas mauvais de le rappeler ici en raison de son excellence. Je vous en donne mon interprétation personnelle:

«Le plus important, c'est que vous soyez sincère avec vous-même et, tout comme le jour suit la nuit, vous ne pourrez agir autrement envers les autres.»

Donc, ne vous leurrez pas, ne vous tapez pas sur l'épaule d'un air ravi, ne vous mentez pas à vous-même. Au fond de votre coeur, vous savez très bien qu'il vous est impossible de vous mystifier vous-même. Si vous tentez de le faire à l'égard des autres, tôt ou tard, vous vous en mordrez les pouces.

Si vous êtes sincère avec vous-même, si vous regardez la vérité en face, si vous faites preuve de la plus honnête loyauté envers vos objectifs, votre attitude, vos aptitudes, votre travail, votre statut familial, vous découvrirez qu'il est très facile d'agir de la même façon envers les autres.

Comme toute autre chose - la charité, le respect du prochain, l'affection réciproque, l'entraide - la vérité commence par soi-même.

2. *Réfléchir deux fois avant de parler.* Cela est possible avec un peu de pratique. Je possède un des plus sérieux handicaps qui puisse affliger un vendeur: je bégaie, ou plutôt je bégayais. Pouvez-vous vous imaginer l'effet produit par un présentateur au débit saccadé? Je rendis donc visite à un psychiatre qui me donna le conseil suivant: «Joe, les gens ont réussi à se corriger de ce défaut de langue de multiples façons. Les uns ont tenté l'hypnotisme; d'autres se sont astreints à répéter à l'infini des mots et des phrases qu'ils enregistraient sur bandes magnétoscopiques. D'aucuns se remplissaient la bouche de petits cailloux et essayaient de parler. Je vais t'indiquer la façon la plus facile de te débarrasser de ton handicap.

167

Attends un instant avant d'émettre ce que tu veux dire, réfléchis durant un petit moment, puis vas-y!» Je puis vous assurer que le truc fut miraculeux pour moi. J'ai suivi le conseil à la lettre et, après quelques mois de pratique, mon bégaiement avait disparu.

La même chose s'applique dans l'art de dire la vérité. Réfléchissez profondément avant d'exprimer votre pensée. Demandez-vous si ce que vous allez dire est bien la vérité. Si la réponse est positive, allez-y! Croyez-moi, cela en vaut la peine. Vous découvrirez que les faussetés auront une forte tendance à disparaître, faussetés que vous n'aviez pas l'intention de faire connaître; vous en serez quitte pour vous taire. Voyez-vous, les demi-vérités que nous énonçons souvent nous échappent tout simplement. Nous les regrettons plus tard quand le mal est fait. Vous serez content de pratiquer ce truc car, à la vérité, nous sommes tous à l'image de nos paroles.

Jack LaLanne me dit un jour que nous sommes à l'image de ce que nous mangeons. Afin de fournir à notre corps les aliments indispensables, nous devons veiller à ce que nous nous mettons sous la dent. Cette pensée s'applique également aux mots. Nous sommes le miroir de nos pensées. Nous devons donc veiller attentivement sur ce qui sort de notre bouche car nous donnons aux autres la nourriture de leur esprit. De là, il s'ensuit que nous devons penser en fonction de l'honnêteté et parler avec sincérité.

3. *Trouver une autre façon d'exprimer sa pensée.* On vous en aimera davantage, on vous acceptera plus volontiers, on louera votre tact. Ceci est basé sur l'expérience. Peggy vendait des produits de beauté dans un magasin à rayons depuis de nombreuses années. Aujourd'hui, elle vend un produit de porte en porte et n'obtient qu'un succès limité. La clochette annonçant son arrivée ne résonne tout simplement pas pour elle. En votre qualité de directeur des ventes, vous vous devez de lui dire la vérité afin de l'aider à devenir plus efficiente. N'allez pas l'aborder en disant: «Peggy, si vous ne vous amé-

liorez pas, je devrai me dispenser de vos services.» Réfléchissez un moment et trouvez une autre façon de lui passer le message. «Peggy, votre expérience de vendeuse est tout simplement fantastique. Voyons voir comment vous pouvez la faire servir à votre réussite afin de demeurer longtemps avec nous.» Vous avez dit la vérité et donné un coup de pouce à Peggy dans son entreprise.

Si vous êtes vendeur de voitures comme moi, vous n'allez certainement pas dire à votre client que sa voiture usagée ressemble à une vieille bagnole qui paraît avoir connu la guerre du Viêt-nam, est sur le point de rendre l'âme et n'aura pas la force de se rendre au prochain garage. Rappelez-vous qu'aux yeux du propriétaire, c'est encore son bien et il l'aime. Il est venu vous trouver, non seulement pour acheter une nouvelle voiture mais également pour revendre la sienne; cela va lui briser le coeur. Vous devez penser à une autre manière de lui faire voir la vérité sans trop le blesser. Vous n'avez pas besoin de mentir en lui affirmant que sa voiture vaut plus qu'elle ne paraît, quitte à augmenter votre prix ou à renoncer à une vente. Essayez de procéder comme suit: «Monsieur Smith, il semble que votre voiture vous a donné de bonnes années de service. Vous ne pourriez l'en blâmer si elle vous disait qu'elle est fatiguée. Voyons voir ce que nous pouvons vous allouer pour cette fidèle voiture.» Des années de service, c'est vrai, et vous avez dit la vérité à monsieur Smith. Il sera alors prêt à se départir de sa voiture probablement pour beaucoup moins qu'il ne s'était proposé.

Avec un peu de pratique, vous pouvez trouver d'autres façons de dire la vérité sans blesser et sans mentir. Rappelez-vous également le dicton: «Si vous ne pouvez dire quelque chose de constructif, il vaut mieux vous taire.»

4. *Adoucir la vérité d'une dose de bonté.* Parfois, je dirais même souvent, la vérité est pénible à entendre mais elle s'impose. Dites la vérité mais... ce MAIS ne signifie pas qu'il faille mentir; il signifie tout simplement qu'il faut l'adoucir de

manière à ne pas trop blesser l'interlocuteur ou même lui briser le coeur. Dites la vérité mais abstenez-vous si vous devez causer de l'embarras. Le quatrième truc est étroitement lié au troisième. Il conseille, en plus de trouver la façon délicate de dire la vérité, d'y ajouter une dose de bonté. Si vous agissez ainsi, vous remonterez d'un cran dans l'estime de tous.

J'ai connu plusieurs personnes qui ont manqué le bateau dans leurs efforts à se faire accepter parce qu'elles disaient la vérité sans se soucier des effets désastreux sur ceux à qui elle s'adressait. Le fait d'y ajouter un peu de bonté contribuera au mieux-être de la personne et elle vous admirera.

Passons maintenant aux trucs à éviter.

1. *Ne jamais exagérer.* La ligne de démarcation entre l'exagération et le mensonge est très mince. Certaines personnes exagèrent tellement que l'on a peine à discerner la vérité. Pis encore, ces gens en arrivent à prendre leurs propos outrés pour des vérités.

Une fois qu'on a commencé à dire d'une personne: «Ne prêtez pas attention à ce qu'elle dit!», cette personne ferait mieux de vider les lieux.

Ne fardez pas la vérité, ne jouez pas sur les mots; vous pourriez regretter les résultats.

Vous vous souvenez sans doute de l'anecdote du petit berger qui, par pure espièglerie, se mit à crier «Au loup!» un jour? Les autres bergers se précipitèrent à son secours et furent heureux de constater l'absence de loup. Un peu plus tard, le jeune pâtre recommença son petit jeu car il retirait grand plaisir à se payer la tête de ses compagnons. Il riait de bon coeur devant leur déconvenue. Au bout d'un certain temps, les bergers se rendirent compte qu'il les faisait marcher.

Vous savez ce qui se produisit: un loup se présenta effectivement dans la prairie. Terrifié, le jeune pâtre se mit à hurler «Au loup!» mais personne n'y prêta la moindre attention et, ce jour-là, le loup fit un festin de roi.

2. *Ne pas se faire complice des autres.* On vous demandera peut-être, et souvent, de vous faire complice de la duplicité des autres. Ne le faites pas. Une secrétaire ou une préposée au téléphone surtout peut être exposée à ce genre de problème. Le patron lui a demandé de répondre qu'il était en conférence si un tel appelait, ou bien qu'il était hors de la ville, ou autre mensonge semblable. Une des pires erreurs qu'un supérieur puisse commettre à l'égard d'un employé, c'est de le forcer à trouver des excuses à sa place, à se faire complice de ses mensonges. Voilà une des décisions les plus difficiles qu'un employé puisse être appelé à prendre. Devrais-je mentir pour mon patron, pour tirer mon ami d'un mauvais pas?

Essayez de vous refuser à vous prêter à ce manège. Vous serez surpris de votre audace et de votre honnêteté. Votre patron le sera encore plus. Il éprouvera peut-être plus de respect à votre égard et il ne vous demandera jamais plus d'agir ainsi. Mais, dans le cas contraire?

Je ne vous dirai qu'une chose: résignez vos fonctions, partez!

Parents, évitez de mentir à vos enfants. Enfants, assurez vos parents que vous ne voulez pas mentir.

Je dois vous dire que, lorsque vous vous faites le complice d'une fausseté, vous ne leurrez vraiment personne. Quand une secrétaire doit répondre que son patron est en conférence, contre la vérité, le correspondant à l'autre bout du fil peut déceler après quelque temps si cela est véridique ou non. Il sait qu'elle ment et elle sait qu'il en est conscient. Alors, qui gagne au change? Personne!

3. *Ne pas demander aux autres de se faire vos complices.* De même que je vous ai conseillé de ne pas mentir pour les autres, il est tout aussi vrai qu'il ne faut jamais demander aux autres de le faire pour vous. Ne placez pas les gens dans des situations embarrassantes. Si vous avez une secrétaire, il est tellement plus facile de demander de répondre à vos clients que vous désirez ne pas être dérangé pour le moment. Pourquoi alors la forcer à mentir en disant que vous êtes en conférence quand vous ne l'êtes pas? Écoutez, il est extrêmement plus facile de dire la vérité que d'échafauder un tissu de mensonges.

4. *Ne jamais dire de petits mensonges innocents.* Voilà le grand obstacle dans le jeu de la vérité. Croyez-en Joe Girard: innocent ou non, un mensonge est toujours un mensonge. C'est un peu comme la vieille blague de la demi-grossesse. Un mensonge est un mensonge comme la grossesse est la grossesse.

Vous ne pouvez camoufler un mensonge sous le couvert d'une blague, le faire avaler sous les dehors du rire, vous ne pouvez vous faire accepter de cette façon.

Pis encore, les petites entorses à la vérité deviennent rapidement de gros mensonges. Avant que vous n'ayez le temps de vous retourner, vous en créez un autre pour couvrir le premier, et puis encore un autre... ou bien, vous oubliez que vous avez menti et vous vous retrouvez dans l'embarras, pris à votre piège.

Et voilà! Vous connaissez maintenant les trucs positifs et les trucs négatifs.

Je n'ai jamais rencontré une personne qui ait souffert d'avoir dit la vérité. J'en connais par contre qui ont récolté le respect, les honneurs, l'affection, l'estime parce qu'ils avaient dit la vérité.

Un programme très dur à suivre? Je vous l'accorde! Vous vous demandez s'il se trouve des occasions où le mensonge est de mise?

Sûrement! Tout ce qu'il vous faut, c'est de devenir membre d'un club de menteurs. C'est très amusant et vous pouvez vous débarrasser là de vos mensonges. Vous savez de quelle sorte d'association je veux parler: celle où les membres s'acharnent à dire les plus gros mensonges. Ils en font une compétition et non une façon de vivre, un style de vie. C'est là que l'on entend les histoires de pêche les plus abracadabrantes, les hauts faits de celui à qui rien ne résiste et la source des farces plates. C'est aussi le seul endroit que je connaisse où le mensonge est récompensé, où le menteur peut être l'invité d'honneur à un banquet et faire la une des journaux. Donc, allez-y de vos mensonges là où ils ne feront de mal à personne.

À partir de maintenant, en dehors de ce cas, donnez à la vérité la place d'honneur. Vous serez renversé devant toutes les occasions de vendre qui se présenteront à vous.

Actes à poser MAINTENANT!

- Former le voeu de toujours travailler au triomphe de la vérité.

- Garder sur soi un billet de un dollar américain durant tout un mois. Tous les matins, y admirer le visage de George Washington. Dire comme lui que vous ne pouvez pas mentir.

- Prendre la résolution de réfléchir avant de parler. Être sûr que seulement la vérité sortira de votre bouche.

- Dire la vérité avec tact et bonté.

- Ne pas farder la vérité, ne jamais exagérer.

- Se souvenir qu'un petit mensonge innocent ne vaut pas plus qu'une demi-grossesse, que l'on ne peut se payer la tête de personne avec cet argument.

10

La portée
d'une promesse

L es gens qui occupent une position en vue apprennent
très tôt que leur bonne réputation dépend de la façon dont
ils tiennent leurs promesses.»

Ces paroles furent prononcées par le juge Myron H. Wahls
de la cour de comté de Wayne dans le Michigan. Ce district est
situé dans la partie sud-est de l'état et a juridiction sur l'ensemble de Détroit. Comme pour tous les chefs-lieux de comtés,
il préside aux destinées d'une si nombreuse population que les
gens pensent sincèrement qu'on devrait en faire le cinquante
et unième état de l'Union. Naturellement, il revient à cette
masse d'électeurs d'élire les juges de circuit pour un mandat
de six ans.

Le juge Wahls, un de mes bons amis, n'a pas besoin de se
lancer à fond de train dans une campagne électorale à la façon
d'un candidat à un poste de gouverneur ou de sénateur: la
fonction de juge est non partisane, neutre. Le postulant à un
tel poste ne doit avoir dans son coin que la justice et la vérité,
ses principales alliées. Il doit veiller à ne pas prononcer de
discours enflammés ou à se laisser aller à la médisance. Un
juge ne doit pas faire de promesses dans le genre de: «Je
réduirai les taxes.» ou «Je vous construirai de meilleures
routes, de meilleures écoles, un meilleur système d'irrigation,
je rendrai les conditions de vie plus acceptables pour les handicapés mentaux!» Il ne peut que promettre de respecter la loi
et dispenser la justice de la façon la plus équitable. Croyez-
moi, voilà toute une promesse.

Cependant, le juge Wahls a goûté au plaisir de la campagne électorale dans le passé. Il s'est déjà présenté au poste de procureur général de l'État et il pourrait très bien le décrocher s'il lui venait à l'idée de tenter à nouveau l'expérience. Il est licencié en droit de l'Université Northwestern et possède la compétence nécessaire.

En attendant, il occupe le banc du comté et, pour emprunter les paroles de Robert Frost, il doit tenir certaines promesses envers le peuple et envers lui-même.

Les appartements du juge Wahls sont situés au neuvième étage d'un édifice abritant l'Hôtel de ville et la Cour, immeuble s'élevant sur les bords de la rivière Détroit dont les quais sont les plus achalandés du monde. On y trouve également le fameux Renaissance Center qui vient de changer complètement la silhouette de la ville de l'auto, arrière-plan propice à la réalisation d'une promesse, une simple promesse.

Voici comment le juge voit la chose: «Si vous pensez ne pas pouvoir honorer une promesse ou faire tourner à bien un engagement, ne vous créez pas d'obligations au départ.» C'est direct et honnête! Le juge Wahls est persuadé qu'une promesse doit être tenue: «Je pourrais citer les noms d'une bonne demi-douzaine de personnes de ma connaissance qui m'ont fait la plus grande impression. Toutes et chacune vont au bout de leur engagement. Elles font des promesses et n'ont de cesse qu'elles ne les aient accomplies.»

Son poste lui permet de rencontrer beaucoup de gens de ce calibre. Très estimé pour ses bons services à la communauté, on le sollicite souvent pour faire partie de conseils de direction ou de comités. Cependant, il ne s'y prête que d'une façon bénévole. Il retourne une proposition en tout sens, se demandant comment il pourra être utile; il tente de discerner quelle promesse il devra faire et remplir. C'est seulement lorsqu'il est persuadé qu'il pourra s'acquitter de son engagement qu'il acceptera le poste proposé. Il sait pertinemment que les réputations sont à la hauteur des promesses tenues ou rompues. Il est également convaincu qu'une promesse devient partie intégrante de la personnalité et de la réputation d'une personne.

Le juge Wahls possède un sens sûr des personnes qui peuvent faire avancer un projet, des gens d'action: comme il l'a découvert, ces derniers sont fidèles à leur parole une fois qu'ils l'ont donnée. Il a aussi découvert autre chose: la plupart du temps, ces gens occupent des postes de confiance dans d'autres sphères d'activité.

Il a parfaitement raison. Respecter sa parole est tout aussi important en tant que membre d'une association parents-maîtres ou pompier volontaire que, comme dans le cas du juge, en qualité de membre d'un comité consacré aux affaires civiques. Tenir une promesse faite à sa famille, à son voisin, à ses amis n'a pas moins d'importance que celle faite au niveau de la ville, du comté, de l'état. Les personnes ou les motifs peuvent être différents mais le respect d'une promesse reste le même.

«Je crois que les hommes et les femmes, les garçons et les filles sont responsables les uns des autres, et cette responsabilité comprend le fait de s'engager à quelque chose et de s'y tenir. Ce devoir prendra la forme de soins à une famille, de l'éducation des enfants, d'un emploi à dénicher et à conserver, d'un mariage réussi, de bonnes notes à l'école, du soin des malades ou des personnes âgées.» En résumé, le juge Wahls pense sérieusement que vous ne faites pas seulement une promesse, vous la devez aux personnes à qui elle s'adresse. Il a toujours cru qu'il devait quelque chose à la communauté dans laquelle il vivait. Il apprit à se comporter ainsi sur les genoux de sa mère qui lui enseigna à donner, à partager. À son sens, il doit donc partager son éducation, son expérience, son temps. *Partager* est devenu à ses yeux une promesse qu'il se doit de tenir à tout prix, une promesse qu'il s'est faite à lui-même de rendre ce qu'il avait reçu.

D'après lui, les bontés qu'on a eues à son endroit - secours dans le besoin, aide à défrayer le coût de ses études, conseils de la part de sa famille, de ses amis - ne sont pas des dettes d'argent qu'il peut rembourser, sauf en se consacrant au bien-être des autres, en les faisant profiter de son habileté.

Il dit si bien: «J'ai bénéficié des promesses que l'on m'a faites et je tente d'en faire autant en m'engageant envers les autres.»

Probablement le meilleur exemple de cette affirmation est la façon dont ce juge a promis de renforcer la loi et de voir à ce que justice soit faite. Ce n'est pas chose facile, croyez-moi! Une décision peut plaire aux uns et indisposer les autres. Pour être juge, il ne suffit pas d'occuper le banc et de prononcer des sentences. Cette profession a donné à Myron Wahls l'occasion de faire le bilan de ses aptitudes et de partager ses expériences.

Je ne m'arrêterai qu'à la façon dont il s'adresse aux membres d'un jury. Il pourrait facilement employer des termes légaux ronflants, longs d'ici à demain, qui seraient autant d'énigmes ou d'incantations auprès de la majorité des citoyens ordinaires, moi compris, mais il s'en abstient. La loi est très souvent obscure, c'est pourquoi le juge Wahls s'en tient au bon vieux principe du ESD (être simple et direct) et les jurés aussi bien que tous les témoins le comprennent parfaitement. Entendre le juge expliquer aux jurés ce que l'on attend d'eux, ce qu'ils doivent considérer dans leurs délibérations et ce qu'ils doivent omettre, dispose bien les membres. À la fin d'un procès, il s'adresse aux jurés d'une manière simple et directe qui ne laisse aucun doute. Il s'acquitte de sa tâche de faire partager son expérience et son savoir de façon à démontrer qu'il prend à coeur de voir la loi bien interprétée et d'être vraiment bien comprise de tous.

Il a coutume de dire: «Je crois fermement que la loi est faite en fonction des problèmes et mon attitude dans l'exercice de mes fonctions de juge doit être à l'image de mes promesses envers moi-même et à l'égard de mes concitoyens.»

Le juge Myron H. Wahls est un des meilleurs exemples d'hommes de parole que je connaisse. Il se fait accepter de tous de plusieurs manières, mais toujours sous l'aspect d'un individu en qui on peut avoir confiance. Il est la preuve vivante de la puissance d'une promesse.

Les promesses: normes de sincérité

On m'a parlé d'un bouquin que je n'ai pas encore lu intitulé: *The Hucksters* (les profiteurs). J'ai cru comprendre qu'il s'agit d'un publicitaire qui désire donner une bonne impression de lui-même. Il tente de se faire accepter tout comme vous et moi, choisit ses vêtements avec un soin jaloux, porte des chaussures bien cirées et ne se sépare jamais de sa cravate qu'il a baptisée «la cravate de la sincérité».

Allons donc! Il n'existe pas de vêtements, de chaussures ou de cravates «sincères». La sincérité vient du dedans.

Une des plus grandes qualités d'une personne sincère est l'art de savoir tenir parole.

Si vous voulez que l'on vous accepte volontiers, vous ne devez jamais revenir sur votre parole. Jamais! Une personne intègre est sincère dans ses paroles et ses actes; on peut s'y fier sans crainte de se tromper.

Je connais un jeune homme employé chez un concessionnaire de voitures au détail. Il est préposé aux écritures et son travail consiste à rédiger des factures de réparations sur voitures. Eh bien, un bon de réparation est l'équivalent d'une promesse; il assure que les réparations demandées seront complétées et, dans certains états, que le prix convenu ne sera pas dépassé ou que l'on ne fera pas de travail supplémentaire sans préavis et autorisation. Ce commis fait des promesses: «On ira prendre votre voiture à quatre heures, monsieur Untel.» Ou bien: «On vous appellera si elle n'est pas prête ou si nous rencontrons des difficultés, monsieur Latour.»

Des promesses simples. Pourtant, mon jeune ami ne les a pas toujours tenues. L'auto n'est pas prête à temps ou il oublie d'appeler le client. Bientôt, l'estimation de sa sincérité fut à son plus bas niveau. Les gens entendaient ses paroles sans y croire. Les clients ont perdu confiance en lui et, plus tard, délaissèrent le service où il travaillait. Il a failli à la tâche de se faire accepter et des affaires importantes, même la vente future de nouvelles voitures, en ont souffert.

Un jour que nous prenions le lunch ensemble, il ne put s'empêcher de me parler de ses déboires. «Joe, je suis dans le pétrin. Je suis pas mal certain que je vais être renvoyé.»

«Et pourquoi, Alex?» J'avais une bonne idée de quoi il retournait mais je posai la question quand même.

«C'est ma grande gueule! Je m'engage à quelque chose et je ne suis pas capable de tenir parole.» Il ajouta certains détails pertinents.

Alors, tout en mangeant un sandwich au jambon et au fromage, je lui démontrai comment il pouvait se bâtir une réputation d'homme sincère pour ainsi changer le cours de ses transactions et ne pas perdre son emploi. «Alex, dis-je, je vais te demander de faire deux choses et je veux que tu y sois fidèle pendant trente jours.» Voici les règles que je lui traçai:

1. Efforce-toi, peu importe ce qu'il t'en coûte, de tenir la promesse que tu as faite. Tu es seul à pouvoir le faire.

2. Réfléchis bien avant de faire d'autres promesses dans l'avenir. Demande-toi si tu peux réellement faire ce à quoi tu t'engages.

Alex demeura pensif un long moment puis nota ces deux principes sur une serviette de papier. Lorsqu'il eut terminé, j'ajoutai: «Au bout de trente jours, tu me diras ce qui s'est produit.» Je l'ai également prévenu que la première règle est la plus pénible mais qu'il devait s'y tenir car, après tout, il était solidaire de la parole donnée ce jour-là, la veille ou la semaine précédente. La seconde règle allait le protéger contre la récidive. «Pense, réfléchis bien, Alex, et ne promets que ce que tu peux faire.»

Lorsque nous eûmes terminé notre repas, je prévins mon jeune ami que s'il suivait mes directives à la lettre, quatre résultats en découleraient:

1. L'embarras ultérieur disparaît si l'on a réfléchi avant de s'engager.

2. Il n'est plus nécessaire de présenter des excuses.

3. On se rend compte de la sincérité de celui qui promet.

4. Votre sincérité transparaîtra à travers vos paroles et vos actes.

Je le revis un mois plus tard: il était rayonnant. «J'ai suivi votre conseil, Joe... les deux règles, vous savez, et vous aviez raison. Les gens me disent que je tiens parole et ils l'apprécient. L'un d'eux m'a traité de gars sincère. Des personnes m'ont remercié de les avoir contactées pour les avertir des difficultés que nous avions avec leurs voitures. Je dois vous dire cependant que vous avez fait erreur en ne mentionnant que quatre résultats.» Il avait un sourire moqueur.

«Oh!» À vrai dire, j'étais estomaqué.

«Il y en a réellement cinq, dit-il. Le cinquième, c'est la satisfaction de mon employeur. Il n'est plus question qu'il me renvoie. Que pensez-vous de tout cela?»

Réfléchissez avant de vous engager

Le conseil donné à Alex était sûr; essayez et vous verrez. Peu importe le calibre de la promesse - rencontrer quelqu'un à l'heure dite, appeler son épouse pour l'avertir que l'on rentrera à dix-huit heures - le principe est solide: réfléchir, être sûr de ce que l'on avance.

Trop souvent, nous faisons des promesses en l'air, sans réfléchir, tellement souvent qu'elles nous échappent presque automatiquement. Ce sont peut-être des paroles devenues de véritables habitudes chez nous et que nous prononçons sans y penser. Quand nous faisons des promesses, il faut penser au temps, à l'occasion, au contexte:

- Je promets, maman, de rentrer avant minuit.

- Je ferai le plein, papa, avec de l'essence sans plomb.

- Je te le rendrai samedi, je te le promets.

- Aujourd'hui, je vais écrire cette lettre à Tom.

- Monsieur, votre complet sera prêt dès cinq heures.

- Je prendrai l'avion jeudi et je m'occuperai de ton problème.

- Mon fils, je te donnerai un dollar pour chaque A sur ton bulletin.

- Continue à bien travailler, Tom, et tu auras une surprise sur ton chèque de paye du mois prochain.

Essayez ceci: notez, jetez sur papier toutes les promesses que vous avez faites dans le courant de la semaine. Soyez honnête! Cochez celles que vous n'avez pas tenues et, sans fausse pudeur, celles que vous ne vous proposez pas de tenir. Si vous n'avez fait que quelques crochets, vous méritez une étoile d'or et de passer à la tête de la classe. Mais si vous faites partie du commun des mortels, je vous garantis que vous rougirez. Affichez cette feuille quelque part où vous pourrez la consulter tous les jours. Que ce soit pour vous une incitation à toujours tenter de faire mieux.

Vous voulez vous améliorer, n'est-ce pas? Si vous désirez réellement vous faire accepter des autres, soit de votre patron, de vos collègues, de votre petit(e) ami(e), de votre professeur, de vos élèves, de vos parents, de vos enfants, de vos voisins, alors il vous faut prendre l'habitude d'être fidèle à votre parole. On vous acceptera d'autant plus facilement.

Pourquoi? Tout simplement parce que les mots «Je promets» sont les deux termes les plus puissants au monde.

Une promesse équivaut à un contrat

Pour employer une expression consacrée, votre parole a la force d'une obligation. C'est un peu comme un parafe au bas d'un contrat. J'entends bien par là qu'une promesse vaut un véritable contrat. Elle ne doit jamais être considérée à la façon d'un engagement de joueur car nous savons tous que ce genre de promesse ne vaut souvent pas plus que le morceau de papier sur lequel il est écrit. Tous les contrats entraînent de véritables obligations. Des gens qui ont parafé des documents légaux peuvent parfois s'en sortir ou les racheter, quoique cela ne soit pas toujours facile, tout comme il n'est pas toujours facile de revenir sur sa parole. C'est pourquoi il est important d'y réfléchir sérieusement.

Le contrat de mariage en est un exemple frappant, surtout en nos jours de soi-disant nouvelle moralité.

Les voeux prononcés par les époux sont des promesses authentiques. Si vous êtes marié, vous vous rappellerez le moment où vous vous êtes présenté devant un pasteur, un rabbin, un prêtre, ou devant un juge de paix peut-être; vous vous souviendrez que l'on vous a demandé si vous consentiez à prendre la personne qui se tenait à vos côtés pour votre époux ou votre épouse, afin de satisfaire à la loi, dans la richesse et la pauvreté, pour le meilleur et pour le pire, dans la santé et la maladie, et vous avez solennellement engagé votre foi en disant: «Oui, j'y consens!»

En de tels moments, le refrain le plus populaire après la marche nuptiale a toujours été *O Promise Me* (promets-moi).

Je me suis toujours demandé pourquoi tant de personnes faisaient ou recevaient des promesses à la légère. Je crois que cette attitude vient parfois de ce que nous avons toujours vu faire depuis notre enfance. Les parents, maîtres, frères et soeurs aînés doivent donner le bon exemple parce que les plus jeunes sont de fieffés imitateurs. Si les parents et les maîtres ne tiennent pas leurs promesses, les enfants feront de même.

Une promesse qui remonte à mon enfance, et à laquelle je pense encore avec bonheur, me vient de ma mère. Elle était la meilleure cuisinière au monde, à l'exception de mon épouse naturellement et, à l'époque des fêtes, elle confectionnait toujours une grosse fournée de délicieuses galettes qu'on appelait des *biscotti*. Chaque année, ma mère promettait d'en faire et elle n'a jamais manqué à sa parole.

Devenu homme, au temps des Fêtes, je ne pouvais m'empêcher de me rappeler les savoureuses galettes de ma mère et je disais à ma femme comme ce temps me reportait aux biscotti de mon enfance. Celle-ci, qui n'était pas sicilienne, me dit en souriant: «Joe, je vais t'en faire!» Il y avait de fortes chances que j'oublie tout dès le jour suivant. Pourtant, une semaine plus tard, j'arrivai à la maison et soudain, je me retrouvai au temps de mes huit ans. Quarante ans venaient de disparaître comme par enchantement: June avait fait des biscotti. Elle non plus n'a jamais manqué à sa parole.

Oh! le bien-être qui suit une promesse tenue!

Pourtant, adultes, lorsque l'on voit la politique s'ingérer partout d'une façon ou de l'autre, on a tendance à devenir cynique à l'égard des promesses. Il est bien malheureux de constater que les promesses dont on fait le plus de cas sont celles émanant de politiciens. Cet exemple se justifie ici car la politique, tout comme le sexe et le mariage, le travail et les loisirs, l'étude et la santé physique aussi bien que mentale, fait partie de cet ouvrage.

Le grand journaliste, Sydney Harris, connu dans tout le pays, dit: «Pour un fonctionnaire corrompu par l'appât du gain, il en existe une douzaine d'autres talonnés par le désir de se faire élire qui les pousse à clamer tout ce qu'ils pensent pouvoir leur attirer les faveurs des électeurs.» Ah oui, les promesses électorales!

Judd Arnett, un autre journaliste renommé du Midwest, affirme aussi: «C'est bien cela qui crée une telle salade de la politique américaine. Vous vous tuez à faire élire tel candidat puis, une fois son but atteint, il opère un virage de 180 degrés et oublie ses promesses.»

À la vérité, à long terme, un politicien qui ne tient pas parole ne sera pas réélu. Il ne devrait jamais faire de promesses oiseuses, engagements qu'il sait ne pas pouvoir tenir. Pourtant, c'est bien là l'exemple si souvent présenté à nos jeunes. Il ne faut pas se surprendre alors de leur cynisme, de leur façon de promettre tout en sachant qu'ils n'honoreront pas leur parole. Pourtant, il y a une leçon à tirer des promesses électorales. Lorsqu'un maire ou un gouverneur s'engage à diminuer les taxes et s'aperçoit qu'il ne peut le faire, il doit retourner au peuple et s'en excuser. En jouant sur les mots rendus célèbres par le film *Love Story* (Une histoire d'amour), tenir parole signifie que vous ne serez jamais obligé de dire que vous regrettez.

Le héros d'une chanson s'en est tiré à bon compte et il ne fut pas obligé de livrer des roses car il disait: «Jamais je ne t'ai promis un jardin de roses!»

185

Ne promettez pas de roses quand vous ne pouvez livrer la marchandise. Si vous êtes fidèle au principe de réfléchir avant de parler, vous n'engagerez pas votre parole.

Vous pourrez vous exempter de manquer à votre parole, même après avoir réfléchi, si vous vous en tenez à la simple règle suivante:

Avisez la personne concernée (par téléphone, par lettre ou de vive voix) que vous devrez peut-être remplacer l'objet de votre promesse par un autre. Si, par exemple, vous avez promis de livrer quelque chose pour une certaine date et qu'un imprévu se présente (un accident dans une pièce d'équipement, pièces ou accessoires), l'attitude la plus simple et la plus honnête consistera à appeler ou aviser la personne lésée afin de lui fournir des explications.

Il est tellement plus facile d'appeler et de dire: «Je sais que j'ai promis de vous rencontrer demain matin à neuf heures, mais je dois me rendre à une de nos succursales afin d'y régler un problème urgent. Pouvons-nous fixer un autre rendez-vous?» que de manquer complètement à votre parole. Expliquer la situation crée un climat sympathique. Briser une promesse fait une sérieuse encoche à sa crédibilité et fait douter de sa sincérité.

Il suffit d'une fois. Brisez votre promesse et je puis vous assurer que vous venez de détruire la confiance qu'on a placée en vous. Vous venez de sonner le glas de votre crédibilité et de perdre tout probablement une vente. L'an dernier, un de mes collègues en a fait l'expérience, à sa grande consternation. Un de ses clients partait en vacances et il avait besoin de sa voiture. Il avait loué un condominium en Floride pour sept semaines à partir du jour où il allait prendre possession de son automobile. *Pas de problème,* lui avait assuré le vendeur. On lui livrerait la voiture avec tous les trucs supplémentaires dans les sept semaines avant son départ. Pourtant, il fallut quatre semaines de plus, quatre semaines dont on venait de léser l'acheteur. Après enquête, il découvrit que le vendeur était parfaitement au courant qu'il ne pouvait livrer la voiture dans les sept semaines.

Combien de fois est-il retourné vers ce vendeur, pensez-vous? Je n'ai pas besoin de vous le dire, n'est-ce pas?

Les promesses sont des choses tellement importantes que même la Bible parle de terre promise aux enfants d'Israël. Pouvez-vous vous représenter l'état d'esprit de Moïse si Dieu avait failli à Sa parole donnée à Son peuple captif en Égypte?

Si vous le pouvez, imaginez alors la réaction des gens à qui vous avez fait des promesses que vous n'avez pas tenues.

Vous est-il déjà arrivé de promettre à vos enfants de leur rapporter quelque chose lors d'un voyage et d'oublier de le faire? Vous souvenez-vous de leur regard chagrin et déçu lorsque vous leur avez fait part de votre oubli? Si vous n'avez pas d'enfants, pouvez-vous vous souvenir du crève-coeur que vous avez éprouvé lorsque votre père vous a dit qu'il regrettait mais qu'il avait oublié?

Pour clore ce chapitre, j'aimerais faire remarquer ceci: il nous sera souvent plus facile de tenir nos promesses à l'égard des autres si nous avons pris l'habitude de tenir celles que nous nous sommes faites à nous-mêmes. Vous savez de quoi je veux parler. La promesse que vous vous êtes faites de prendre des vacances d'une semaine si vous parvenez à briser votre record, de faire trois appels supplémentaires afin de contacter des clients en perspective, de diminuer vos calories à 1 200 par jour dans le but de perdre vingt livres, de ne pas vous laisser aller à la colère, de ne pas critiquer ou harceler qui que ce soit.

Parfois, les promesses que nous n'avons aucun scrupule à briser sont celles que l'on se fait à soi-même. Alors, engagez-vous dès maintenant! *Arrêtez-vous et réfléchissez:* est-ce une promesse que vous êtes sûr de pouvoir tenir? Parfait alors!

Notez-la noir sur blanc. Mettez cette note dans votre poche et conservez-la pendant dix jours. Lorsque vous changez de vêtements, assurez-vous que vous transférez la note également. Aux femmes, je conseille de la conserver dans leur sac à main et aux enfants, dans la poche de leur jean.

Dix jours, n'oubliez pas! Chaque jour, consultez-la attentivement; il est important que ce soit pendant dix jours. Si votre projet est à long terme, comme le fait de perdre du poids, alors portez cette note plus longtemps sur vous. Si, au contraire, le projet doit être exécuté le jour même, tel confectionner une tarte à la meringue, la note ne comptera que pour la journée. L'important, c'est de ne pas jeter le papier avant que la promesse ne soit accomplie.

Pratiquez ce truc à votre endroit et vous verrez quel défi vous devrez relever. En peu de temps, vous serez surpris de constater comme il vous deviendra plus facile de tenir les promesses que vous ferez également aux autres.

La puissance d'une promesse! Savoir tenir parole est un atout formidable dans votre démarche pour vous faire accepter des autres. Le succès en affaires, dans la vie conjugale et la vie de famille, les rapports avec le prochain, une jouissance plus saine de la vie, dépendent largement de la fidélité à tenir parole.

Tenir parole attire la confiance et la crédibilité. Le contraire peut non seulement détruire la confiance mais également briser des coeurs.

La personne fidèle à ses promesses rayonne.

Actes à poser MAINTENANT!

- Faites-vous la promesse que vous honorerez votre parole auprès des autres autant que vous le pourrez.

- Notez cette promesse sur un bout de papier que vous porterez sur vous.

- Une promesse est un véritable contrat signé avec vous-même.

- Réfléchissez avant de vous engager. Demandez-vous si vous pourrez vraiment tenir parole.

- Si vous vous apercevez que vous pourrez difficilement tenir une promesse en raison de circonstances incontrôlables, avisez la ou les personnes concernées et tenez votre nouvelle promesse.

11

La magie d'un sourire

Il y a quelque chose de sensationnel dans un sourire. Il peut colorer la vie en rose, éclairer l'esprit, transformer les choses environnantes, nous changer nous-mêmes. Il est extrêmement plus facile de se faire accepter avec le sourire que sans lui.

Une des premières leçons que j'ai apprises dans l'art de se faire accepter fut la suivante: votre visage ne sert pas qu'à manger, à se laver, à se raser si vous êtes un homme, à se maquiller si vous êtes une femme. Le visage a plutôt été conçu pour manifester le plus grand don de Dieu à l'être humain, le sourire. Fait sur mesure? Je vous l'assure! Davantage de muscles entrent en action pour produire un froncement de sourcils qu'il n'en faut pour sourire.

Plus vous montrez une mine renfrognée et plus vous êtes payé de retour. Offrez un sourire et il y a de fortes chances que l'on vous rendra la pareille.

J'ai affiché une petite pensée bien en vue dans mon bureau et qui se lit comme suit: *J'ai vu un homme sans sourire; alors, je lui ai donné le mien!* J'ignore le nom de l'auteur de ces mots mais j'y souscris sans discuter. J'aimerais cependant pouvoir lui donner le crédit de tout le bonheur qu'il suscite et du sourire qui naît spontanément sur les lèvres de tous ceux que je rencontre.

C'est probablement la raison pour laquelle on fait tant de chansons sur le sourire: lorsque nous sourions, le monde sourit avec nous... on devrait enfouir ses problèmes dans sa besace et sourire, sourire, sourire... le sourire rend heureux... placez-vous sous le signe du sourire... souriez, bon Dieu, souriez... lorsque les yeux des Irlandais sourient, tout le ciel s'éclaire et les coeurs chantent.

Je ne suis pas complètement d'accord avec le compositeur des dernières paroles citées car les yeux souriants d'un Italien, d'un Allemand, d'un Espagnol, d'un Anglais ou de n'importe qui opéreront le même prodige. Le sourire enchaîne les coeurs.

Vous pensez que c'est donner beaucoup d'importance au sourire, n'est-ce pas? C'est pourtant comme je le disais, le sourire adoucit les moeurs tandis qu'un air renfrogné repousse.

Rencontre organisée qui me fit voir la lumière

Lorsque je n'étais encore qu'un adolescent de dix-sept ans, je m'en étais allé à un rendez-vous double avec un de mes copains où je ne connaissais pas ma partenaire d'un soir. L'entente suivait la formule habituelle: son amie devait convaincre une de ses copines de m'accompagner... n'importe laquelle! Ceux à qui il est arrivé de passer par cette expérience comprendront facilement ma nervosité. De quoi aurait-elle l'air? Comment me suis-je laissé embarquer dans une telle aventure?

Ce soir-là, nous sommes partis dans la voiture de mon copain vers la maison de cette jeune fille. Un coup de klaxon et ma partenaire s'amène. Au premier coup d'oeil, je fus déçu car j'avais devant les yeux un véritable laideron. Je n'avais plus le coeur à la fête.

Mais lorsqu'elle monta dans la voiture, que son amie fit les présentations, le ciel s'éclaira de toute la beauté de son sourire spontané, un sourire éblouissant. Dans les quelques secondes que dura la présentation, je la vis sous les traits de la plus belle fille du monde. Son sourire ne fut pas éphémère, il dura toute la soirée car il lui était naturel; ses yeux pétillaient, sa voix chantait. Je crois ne m'être jamais tant amusé que ce soir-là avec ma partenaire d'occasion.

En plus d'être ébloui par son sourire, j'ai compris le pouvoir que celui-ci peut exercer. Elle s'était fait accepter par la magie de son sourire que je n'ai jamais oublié.

Solutionneur de problèmes

Claudio Carlo Buttafava, Italien comme moi, préside aux destinées du fameux hôtel Savoy de Londres, immeuble presque centenaire. Buttafava est très habile dans le règlement des problèmes qui surgissent dans l'administration d'un hôtel de quatre cents chambres: problèmes concernant les réservations, la disposition, la location des chambres, la lingerie, le service de salle à manger et souvent l'humeur des clients.

Il est facile de concevoir la somme des problèmes lorsque l'on considère que le Savoy a été, depuis de nombreuses années, l'hôte de gens de presque toutes les couches de la société: rois et reines, vedettes de l'écran et de l'opéra, golfeurs professionnels et boxeurs, généraux et premiers ministres, présidents.

Comme vous pouvez vous l'imaginer, les problèmes affluent à la douzaine chaque jour et demandent également des règlements à la douzaine. En sa qualité de directeur général, Buttafava ne doit pas seulement surveiller un personnel nombreux, des chasseurs aux boulangers, des femmes de chambre aux musiciens, il doit également solutionner les problèmes qui se présentent. Voici ce qu'il dit, tel que cité par Israel Shenker dans le *New York Times,* sur sa façon de procéder si simple que chacun pourrait en profiter:

«Je souris beaucoup, parce que je suis ainsi fait; et puis, les problèmes sont toujours plus faciles à régler avec le sourire.»

Vous allez dire: «Holà! C'est bien trop facile; on ne peut résoudre les difficultés seulement avec le sourire!» Moi, je vous dis que vous le pouvez car, comme Claudio l'a appris lui-même, les problèmes s'estompent si vous savez les prévenir. Le truc consiste tout bonnement à prévoir et un sourire dans le regard ou dans la voix est un excellent moyen de détourner les coups. Le fait de vous faire accepter peut avoir des répercussions heureuses sur les problèmes futurs qui n'oseront pas montrer le bout de l'oreille.

Pourquoi l'atmosphère semble-t-elle aussi chaleureuse?

Chez United Airlines, le principal facteur de succès auprès des usagers est la politique du sourire.

Dans *Le livre des records Guinness* de 1979 (page 339), United Airlines est citée comme la compagnie d'aviation commerciale qui a transporté le plus de passagers en 1977, soit 35 566 782, dans sa flotte de 352 appareils où triment 49 866 employés. (Je ne puis m'empêcher d'en être époustouflé; après tout, mon nom ne se trouve-t-il pas également dans cet annuaire?)

Comme vous le savez, United Airlines clame que le ciel est son ami. Cependant, cette amitié commence sur la terre ferme. N'allez pas conclure que je suis en train de mousser l'usage des avions de cette compagnie; loin de là car je vole sur toutes les lignes. Je veux simplement en venir à l'expérience de ma fille, Grace.

Dernièrement, celle-ci se présenta à une entrevue dans le dessein d'obtenir un poste dans cette entreprise. Puisqu'elle est connue seulement sous le nom de Girardi, notre nom véritable, les gens ne pouvaient lui établir aucune relation avec moi. Il lui fallait se faire accepter pour elle-même et, incidemment, elle obtint gain de cause.

Lors de l'entrevue, on l'avisa que son instrument de travail serait le téléphone, surtout dans le domaine des réservations, annulations, transferts ou confirmations.

À son grand étonnement, l'intervieweur lui tourna carrément le dos durant l'entretien. Comme il le lui dit plus tard, il n'agissait pas ainsi pour être impoli, mais seulement pour entendre le sourire dans sa voix. À ses yeux, le sourire importait avant tout. Il désirait entendre son sourire, le sentir, car ce sourire allait devenir un atout important dans le poste qu'elle convoitait. Il lui révéla également que la principale raison qui avait fait pencher la balance en sa faveur était son sourire car il allait comme un charme avec la politique de la maison.

Il est bien certain que peu de gens verraient ce sourire, mais ils le sentiraient tout de même au téléphone.

Le sourire ne déçoit jamais

Voici un autre exemple de l'efficacité du sourire dans la voix; je veux parler de Jimmy Launce, un des plus populaires animateurs de musique enregistrée à Détroit. En fait, son renom dépasse depuis longtemps les frontières de la ville car la station radiophonique WJR où il travaille depuis plus de vingt ans est une des plus puissantes du Midwest. L'émission animée par Jimmy est entendue chaque matin jusqu'en Pennsylvanie, en Ohio, au Kentucky, en Indiana et dans l'Illinois en plus de couvrir tout le territoire du Michigan. Il se trouva même des occasions où des gens habitant le Sud ont écrit à Jimmy, l'homme au sourire dans la voix, pour lui dire qu'ils l'avaient entendu avec plaisir et avaient apprécié son émission, qu'ils pouvaient même le voir sourire lorsqu'il passait ses commentaires.

C'est vrai! Rien qu'à l'écouter faire son boniment d'une voix engageante, on peut se représenter facilement le sourire qui doit courir sur ses lèvres et illuminer toute sa physionomie. Beaucoup ont eu le plaisir de le rencontrer, et j'en suis un, car Jimmy Launce est également comédien et directeur d'un de nos meilleurs cafés-théâtres professionnels du Midwest. Ce café est situé dans un des mails les plus élégants du Détroit métropolitain, le Somerset, et associé au restaurant Alfred, l'endroit de prédilection des gourmets.

Jimmy n'est pas seulement un réalisateur reconnu pour son bon goût, il est de plus un acteur consommé. Il fut la vedette de pièces à succès telles que: *Private Lives, The Prisoner of Second Avenue, The Owl and the Pussycat, Don Juan in Hell, Don't Drink the Water, A Man for All Seasons, Our Town* et *The Man Who Came to Dinner*. Ses admirateurs ne se comptent plus.

Lorsque l'on ne retrouve pas Jimmy sur scène, il est sûr qu'on l'apercevra en train de réchauffer une salle, comme on dit en jargon radiophonique. Du fait que la plupart des spectateurs se rangent parmi ses admirateurs, il sourit et leur lance: «Et puis, vous n'êtes pas non plus ce que je me représentais!» Cela n'est pas tout à fait exact car Jimmy m'a dit que l'un des commentaires les plus fréquents qu'il reçoit dans le salon durant le cocktail qui suit se résume à ceci: «Jimmy, votre sourire est en plein ce que je me figurais en vous écoutant à la radio. Je craignais d'être déçu mais c'est le contraire qui se produit.»

Un sourire ne déçoit jamais. Des gens demandent souvent à Jimmy pourquoi il est toujours aussi joyeux. Son secret? Il ne gaspille pas son temps à pleurer sur l'épaule des autres. Au contraire, il tâche toujours de jouer lui-même ce rôle sympathique. Il dit: «Mon travail consiste à rendre la vie plus agréable aux autres et cela commence par un sourire qui vient du plus profond de moi-même.» Ce n'est pas par hasard que Jimmy, une réussite dans le domaine à peu près le plus compétitif qui soit, ait adopté comme thème de son émission la chanson: *Put on a Happy Face* (montre un visage heureux). Il complète son talent certain et son expérience d'un sourire irrésistible. Il affirme, radieux: «Les autres vous aimeront davantage si vous souriez; et puis, on se sent tellement mieux dans sa peau! Un sourire ne coûte rien et il rapporte tellement plus de dividendes qu'aucune compagnie d'actions sûres ne pourrait donner.»

Jimmy Launce est la preuve vivante de la magie du sourire.

Un sourire à faire fondre le métal

Il y a quelque temps, Dolly Cole, l'épouse du président de General Motors à l'époque, me dit: «Joe, je suis présidente de la «March of Dimes» (marche des dix sous) cette année. Nous avons l'appui d'un certain nombre de personnes connues et nous aimerions que tu participes à notre entreprise.»

Même si je ne me considère pas comme une célébrité, je lui répondis que je me sentais flatté de son offre et que j'allais certainement prêter mon concours à une si noble cause. J'ajoutai cependant une condition: «Il faudra pour cela que tu me présentes à ton mari.» J'étais persuadé que j'y avais bien droit; après tout, je vendais ses voitures depuis de nombreuses années. Dolly sourit et m'assura qu'elle le ferait avec plaisir.

Je n'oublierai jamais la rencontre avec Ed. Lorsque Dolly fit les présentations, il était accompagné de Phil Donahue, animateur d'une causerie. Dolly devait lui avoir fait part de mon désir car Ed se tourna vers Donahue et dit: «Phil, voici Joe Girard, l'as des vendeurs de voitures au détail. Voilà l'homme qui apporte de l'eau à mon moulin.»

Qui peut dire mieux? Pourtant, Ed se surpassa car il me dédia alors un des plus merveilleux sourires tout en me serrant la main, un sourire si sincère, si engageant, si amical, si bon qu'il aurait pu faire fondre le métal le plus solide.

197

Il n'avait pas besoin de se vendre à moi. Au vrai sens du mot, il était alors mon patron. Pourtant, il s'est fait accepter par son sourire, le même qui l'avait fait monter d'échelon en échelon jusqu'au premier rang de la plus importante compagnie de voitures du monde. Nous sommes devenus amis à partir de ce moment-là et nous le sommes demeurés jusqu'à sa mort tragique prématurée dans un accident d'avion.

Un sourire qui mousse la vente

Il y a six mois, le Centre des Congrès Cobo Hall de Détroit fut l'hôte d'un gigantesque Salon nautique: cet endroit est ordinairement réservé à la tenue de congrès ou au Salon de l'auto. Les foules affluèrent, qui pour acheter un petit bateau, qui pour se procurer un yacht de croisière.

Un jour, au cours d'une démonstration, une vente fantastique fut ratée... puis reconquise. Voici l'incident tel que me l'a raconté un des vendeurs de mon école de formation et comme il fut rapporté dans les pages financières des journaux de Détroit.

Un homme immensément riche, qui avait fait sa fortune dans les puits de pétrole du Moyen-Orient, se présenta au Salon. Il fit halte devant un étalage et s'adressa calmement au vendeur. «Je désire acheter pour vingt millions de dollars de bateaux.» Des paroles de ce genre devraient être suffisantes pour sortir le tapis rouge de bienvenue, du moins on le penserait. Au lieu de cela, le vendeur toisa le client en perspective, semblant vouloir lui dire: «Mais vous êtes complètement fou; je n'ai pas de temps à consacrer à un loustic de votre espèce.» Je dois ajouter qu'il était loin de sourire en regardant l'homme.

Le magnat du pétrole considéra sérieusement le vendeur et s'éloigna sans mot dire.

Il passa à un autre étalage et, cette fois, fut reçu par un vendeur au sourire engageant, un rayon du soleil de l'Arabie saoudite. Le sheikh se sentit accepté simplement par ce sourire amical. Il répéta sa requête: «Je veux acheter pour vingt millions de dollars de bateaux!»

«Très bien, répondit le vendeur, je vais vous montrer ce que nous avons.» Ce qu'il fit sans plus tarder, mais il avait pris soin de se faire accepter auparavant: il avait vendu le produit le plus puissant au monde, *lui-même,* par son sourire.

Cette fois, le sheikh resta et fit affaire avec lui. Il déposa un versement initial de cinq cents dollars en assurant au vendeur: «J'aime les gens qui montrent qu'ils m'aiment. Vous m'avez conquis par votre sourire. Vous êtes le seul ici qui m'ayez aidé à me sentir chez moi. Demain, je reviendrai avec un chèque visé de vingt millions.»

Le sheikh tint parole. Le jour suivant, il revint avec le chèque visé, y ajouta les cinq cents dollars déjà déposés et conclut la transaction.

Le vendeur qui avait réussi à se faire accepter par son sourire pour ensuite faire accepter son produit a obtenu dans l'échange une commission de 20%. Il n'a probablement plus besoin de travailler mais je suis prêt à parier qu'il ne demeurera pas oisif. Il continuera à se faire accepter et, par son sourire, à s'ouvrir les portes qui mènent au succès.

J'ignore ce que le premier vendeur fait maintenant; il a dû en tout cas s'en mordre les pouces.

Maintenant, nous savons tous qu'il faut plus qu'un sourire pour conclure une transaction de ce genre. Il faut un bon produit, une bonne connaissance de ce dernier de même qu'une formation solide et une volonté d'aider. Ce qui s'est produit dans le cas cité plus haut, c'est que l'absence d'un sourire a fait passer un client éventuel chez un concurrent.

Elles sont légion les ventes ratées... et gagnées de cette façon. Pensez-y.

Cet incident du Salon nautique prouve le bien-fondé d'un petit poème que je garde encadré dans mon bureau. Je n'en connais pas l'auteur mais j'aimerais vous le passer tout de même Il est intitulé *Les bonnes affaires* et une des stances se lit comme suit:

Des gens évitent un magasin
Et pénètrent plutôt chez le voisin;
Non que le second leur offre
Soies et dentelles pures de ses coffres
Et prix attrayants aussi; mais en moins de deux
Ils ont sourire et accueil chaleureux.

Un sourire au bon moment et au bon endroit peut faire des miracles.

Voici sept règles simples à suivre si vous voulez profiter davantage de la vie. Chacune d'elles vous rendra la tâche plus facile dans vos efforts pour vous faire accepter dans n'importe quelle situation.

Comment augmenter le pouvoir de votre sourire

1. Souriez même si vous n'en avez pas envie.

2. Ne partagez que vos pensées constructives.

3. Souriez de tout votre visage.

4. Changez les froncements de sourcils en autant de sourires.

5. Exercez votre sens de l'humour.

6. Souriez à tue-tête.

7. Ne dites pas: «Souriez», dites plutôt: «Je vous aime bien.»

Ces règles paraissent simples à suivre, pourtant elles demandent beaucoup de pratique si on veut les maîtriser. Examinons-les une à une.

1. *Souriez même si vous n'en avez pas envie.* Je place cette règle en tête de liste parce qu'elle est probablement la plus difficile à suivre. Donc, vous devez vous y mettre sans tarder. Dites-vous que, peu importe votre état d'esprit du moment, triste ou désemparé, les autres ne doivent pas s'en apercevoir. Gardez vos problèmes pour vous. Faites en sorte que les gens aient l'impression que vous êtes heureux. Il vaut mieux que l'on se demande: «Pourquoi sourit-il comme cela?» que de les entendre dire: «Il ou elle a tous les droits de paraître triste.» Dans l'art de se faire accepter, il est préférable de laisser les gens sur leur appétit.

Un des tableaux les plus connus au monde, la Mona Lisa de Léonard de Vinci (encore un Italien!) que l'on peut admirer au Louvre, est surtout populaire en raison de son sourire mystérieux. Depuis des siècles, les gens se demandent pourquoi elle sourit. Personne ne connaît la réponse à cette question et jamais personne ne la trouvera, semble-t-il. Mais pourquoi les foules affluent-elles chaque année pour admirer cette oeuvre d'art? Ce n'est pas à cause de l'artiste, non plus que des nombreux vols dont elle fut l'objet et de sa récupération; on n'y vient pas non plus pour évaluer les coups de pinceaux ou le coloris, pour découvrir qui en fut le modèle. On vient la voir tout simplement parce qu'on est fasciné par son sourire.

Nous touchons ici à une excellente règle de conduite: *conserver un petit côté mystérieux,* et la meilleure façon de réussir ce petit tour consiste à sourire même si on n'en a pas envie. Lorsque vous vous sentez déprimé, c'est le temps d'afficher votre plus beau sourire. On a dit bien souvent que le sourire de la Mona Lisa cachait un coeur brisé. Si cela est vrai, elle réussit merveilleusement bien à le camoufler.

2. *Ne partagez que vos pensées constructives.* Répandez-les autour de vous, ne craignez pas de les semer à tout vent. À l'instar de tant de choses positives, le sourire est vraiment contagieux. Lorsque vous souriez, les gens pensent que vous êtes satisfait et heureux, que vous vous sentez bien dans votre peau. Il n'en faudra pas long pour qu'ils se mettent à vous imiter. Il est virtuellement impossible de sourire si votre esprit et votre coeur sont encombrés de pensées négatives. Il faut se souvenir de ne pas perdre de vue un certain nombre de données sur cette règle: ne partagez que les bonnes nouvelles, cessez de discuter d'articles de journaux qui ne traitent que de crimes et de violence. Au contraire, parlez des réussites de votre communauté, posez des actes qui réjouiront les autres. Si vous ne pouvez pas dire quelque chose de bon sur quelqu'un, alors taisez-vous.

Plus tôt vous commencerez à partager des pensées positives avec les autres, plus tôt vous découvrirez que le sourire les accompagne naturellement, tout comme le bacon accompagne les oeufs. En parlant d'oeufs, pour parodier la chanson, faites du sourire le *miroir* de vos pensées.

3. *Souriez de tout votre visage.* Un beau sourire ne se limite pas seulement aux lèvres. Il signifie que les yeux brillent, le nez se plisse et les joues bougent. Un bon sourire couvre tout le visage et est ravissant à contempler; il devient alors impossible de ne pas sourire à son tour.

Tout l'état du Michigan connaît la magie du sourire merveilleux de notre gouverneur William Millikin. Son visage s'éclaire tout simplement, il rayonne. Je concède qu'il faut plus qu'un sourire pour remporter une élection (sa dernière fut un véritable raz de marée comme on n'en avait jamais vu dans le Michigan), mais Millikin sait pertinemment que son sourire y fut pour quelque chose. Rien ne réussit mieux à faire oublier les rigueurs d'un hiver que son sourire sincère, chaud, rayonnant. Il attire les gens, inspire la confiance. Je ne serais pas surpris de le voir entrer à la Maison Blanche un jour.

Un autre personnage qui doit une grande partie de sa réussite à son sourire se nomme Robert Binsfield qui fut longtemps un des instructeurs de mon école de formation des vendeurs. Toutes les huit semaines, il devait faire face à un nouveau groupe de vendeurs-étudiants qui venaient apprendre à se faire accepter afin de mieux réussir dans la carrière qu'ils avaient choisie.

Le premier jour, dès la première heure, ils ne savent pas à quoi s'attendre. C'est toute une expérience pour eux et tellement nouvelle. Les uns se sentent mal à l'aise, d'autres sont un peu sceptiques, d'autres encore ont hâte d'en avoir terminé ou se tracassent devant la perspective de se lever et d'apporter leur participation. Je n'ai jamais vu quelqu'un mettre un groupe à l'aise aussi rapidement que peut le faire Bob avec son visage rayonnant. Son sourire semble dire: «Ayez confiance en moi, je suis votre ami.» Il les conquiert spontanément sans qu'il soit nécessaire de prononcer un seul mot. Mon école s'en trouve tellement mieux de compter parmi ses instructeurs un homme de la trempe de Bob.

Il y eut et il existe encore des gens qui savent sourire de tout leur visage. À part mon gouverneur, William Millikin, et mon instructeur Bob Binsfield, je peux vous en nommer six autres qui se présentent à mon esprit. Ils sont sur mon tableau d'honneur des personnes les plus souriantes au monde. Pourquoi n'auriez-vous pas votre propre liste? Je cite:

L'ancienne Première Dame, Eleanor Roosevelt, la journaliste sportive et ancienne Miss America, Phillis George, et la merveilleuse Farrah Fawcett-Majors parmi les femmes; chez les hommes, on retrouve Oral Roberts, le président Jimmy Carter et mon éditeur Michael Korda.

Chacun, comme je l'ai remarqué, sourit de tout son visage et c'est tellement engageant.

4. *Changez les froncements de sourcils en autant de sourires.*
Retroussez les extrémités d'une grimace et vous obtiendrez un
sourire, avec de la pratique.

Frank Bettger, auteur du livre: *How I Raised Myself from
Failure to Success,* affirme que, jeune homme, il était le plus
sombre des humains, un véritable éteignoir. Il savait également que s'il ne s'y mettait pas, cette attitude ne lui attirerait
que des échecs. Il avait connu tellement de déboires dans sa
jeunesse, maladies, faim, malheurs que, pour employer ses
paroles, il n'y avait pas de quoi sourire. En fait, disait-il, la
famille craignait de sourire et c'est ainsi qu'il devint un grand
ténébreux.

Il décida alors que, s'il voulait rencontrer la réussite, il
devait changer son attitude et maîtriser le handicap que les
difficultés et les tracas avaient buriné sur son visage. Il se mit
donc à l'oeuvre, déterminé coûte que coûte à conserver le
sourire, à remonter les extrémités de sa grimace, à tirer un
sourire du dedans qui réfléchisse la paix et le contentement
intérieurs. Il allait faire plus que poser un masque heureux
sur son visage, il allait détruire celui qui existait déjà.

Ce ne fut pas facile. Dès que les tracas refaisaient surface
ou que les craintes reparaissaient, le sourire s'effaçait. Les
craintes et les froncements ne marchent pas de pair avec le
sourire. Il s'obstina. Il consacra quinze minutes dès son lever
à la pratique du sourire et continua l'exercice durant tout le
jour. Avant de pénétrer dans son bureau ou dans une pièce,
avant d'aborder une situation, il tâchait de penser à quelque
raison de sourire, à des choses qui le rendaient heureux et tout
de suite son visage prenait un air réjoui. Il se créa ainsi une
habitude de tout voir du bon côté, ce qui produisit finalement
une accoutumance. Le fait de travailler à être heureux engen-
dra le bonheur. Travailler à montrer un visage souriant finit
par donner une sensation de bonheur intime. Les résultats
bénéfiques ne se firent pas attendre dans ses affaires, sa
famille et du point de vue social.

Frank Bettger dit bien: «Vous pouvez cultiver le bonheur avec un sourire. Essayez juste pendant trente jours. Donnez à toutes les personnes que vous rencontrez le meilleur sourire de votre vie et voyez comme vous vous sentirez beaucoup mieux. Voilà une des meilleures façons de chasser les tracas et de commencer à vivre vraiment.»

Allons, retroussez les extrémités de votre grimace!

5. *Exercez votre sens de l'humour.* Vous le pouvez même si vous pensez en être incapable. Admettez que vous jouissez d'une bonne blague, comme n'importe qui, et je ne parle pas ici des farces plates ou crues au détriment d'autres personnes. Je fais allusion tout simplement à une histoire drôle.

Plus vous réagissez positivement à ces histoires, plus vous développez votre sens de l'humour et plus vous souriez. Cela ne signifie pas que vous soyez obligé de raconter des histoires vous-même: il y a des gens qui ne le peuvent tout simplement pas. Vous connaissez le genre qui finit toujours par faire perdre le piquant de ce qu'il raconte? Mais il ne s'agit pas de vous laisser aller. Si vous avez déjà entendu l'histoire qui se raconte, taisez-vous et souriez de nouveau. Tâchez de voir le côté humoristique des choses. Ne soyez pas taquin car la taquinerie n'est pas toujours drôle et peut blesser des personnes sensibles; peu importe ce que l'on vous a déjà dit, les gens, surtout les jeunes, n'aiment pas être taquinés. Voici des trucs pour pratiquer la bonne humeur: 1. Souriez et entrez dans le jeu lorsque vous êtes le dindon de la farce, et 2. Souriez avec l'autre personne, jamais à son détriment.

6. *Souriez à tue-tête.* Si le sourire est fantastique, alors un bon rire venant du coeur est plus que sensationnel. Le rire est un sourire bruyant. Avez-vous déjà remarqué comme le rire est contagieux? Allez au cinéma voir une bonne comédie. Quelqu'un risque un petit rire, un autre le suit et bientôt toute la salle se tord. Plus tard, vous pourrez revoir la même comédie chez vous et sourire seulement; rire franchement tout seul est presque impossible.

Sourire à tue-tête demande également de la pratique. La prochaine fois que vous sourirez, faites-en un petit rire discret. Lorsque vous vous sentirez porté à rire à gorge déployée, allez-y, ne vous retenez pas. Les autres vous en sauront gré. Rire est un des meilleurs exercices au monde. C'est tellement bon pour la santé. Rire à vous en rendre malade n'est vraiment pas une souffrance. Jamais on n'a vu une personne blessée par le rire: au contraire, les gens qui savent rire trouvent facilement la clé du succès. Pensez seulement à Phyllis Diller et à Carol Channing. Vous pourriez sans doute m'en citer d'autres de ces semeurs de bonheur.

7. *Ne dites pas: «Souriez», dites plutôt: «Je vous aime bien!»* Depuis l'invention de l'appareil photographique, les photographes ont toujours répété qu'il fallait dire «Souriez» pour faire sourire les gens. Ce mot avait l'effet de faire retrousser les lèvres en un semblant de sourire.

J'ai appris que dire «Je vous aime bien!» attire un sourire encore plus franc.

Parfois, au cours d'une conférence, je tente l'expérience suivante. Je demande à deux des auditeurs de me rejoindre sur la scène ou l'estrade. Avant de pousser plus loin, laissez-moi vous dire que, lorsque je vendais des voitures, j'avais recours également à ce truc pour amorcer ma vente. Je savais que la plupart des acheteurs de nouvelles voitures ressentaient quelque crainte, un peu comme celle éprouvée avant l'acquisition d'une nouvelle maison. Ils se préparaient à dépenser une grosse somme d'argent et ils avaient le droit d'être sur des épines. Ils désiraient qu'on les mette à l'aise.

Donc, mon premier geste consistait à sourire et à remettre au client en perspective un gros papillon portant les mots: «Je vous aime bien!» Il le regardait et il ne fallait pas plus de deux secondes avant que le sourire naisse sur son visage. Il était ravi de ce que je venais de faire. Il se détendait alors et commençait à se sentir à son aise.

Vous savez, il est difficile de dire ces quatre mots oralement ou par écrit sans sourire soi-même et s'attirer un sourire en retour.

Lorsque je quittai la vente des voitures pour me lancer dans d'autres domaines, je m'aperçus que cette méthode de dire aux autres qu'ils nous plaisent était tout aussi efficace. Je décidai alors de m'en servir dans mes conférences. Comme je le disais plus haut, je faisais appel à deux volontaires de l'auditoire. J'agis encore ainsi.

Je remets à chacun un masque qu'il doit mettre devant son visage, deux masques identiques sans expression aucune. Je demande alors aux auditeurs laquelle des deux personnes les attire le plus. Presque toujours, je reçois la même réponse: aucune. Les masques ne présentent aucune expression; donc, on ne peut choisir.

Je demande alors aux volontaires d'enlever les masques. Maintenant, nous avons deux personnalités différentes sur la scène, deux visages différents. Sur ma consigne, l'un d'eux prend un air revêche sans dire un mot. L'autre doit ouvrir les bras tout grand, sourire et dire aux auditeurs: «Je vous aime bien!»

Je m'adresse alors aux spectateurs: «Maintenant, dites-moi lequel des deux vous attire davantage!» La réponse invariable: celui qui sourit.

Un coup monté? Naturellement! Mais il contribue à briser la glace et à disposer le groupe en ma faveur. Je demande à chacun des membres de l'auditoire de se tourner vers son voisin et de lui dire à haute voix une ou deux fois qu'il lui plaît. Lorsqu'ils le font, on voit fleurir les sourires sur tous les visages et l'atmosphère en est tout éclairée.

Dire à quelqu'un qu'il nous plaît ou que nous l'aimons bien est une des façons les plus faciles de faire naître le sourire.

Notre pays se pique d'avoir une semaine consacrée au développement physique. Je crois que l'on devrait instaurer une semaine pour acquérir l'art de sourire.

Voilà sept règles bien simples. Essayez-les et vous verrez!

Vous vous souvenez de la fameuse phrase qui s'est répandue au coup de vent sur le pays: *Smile, you're on Candid Camera!* (souriez, vous êtes sous l'oeil de la caméra), la trouvaille télévisée d'Alan Funt qui avait fait les beaux jours de la radio auparavant sous la rubrique: *Candid Microphone* (les indiscrétions d'un microphone)!

Comme il ferait bon vivre, et combien plus facile il serait de se faire accepter des autres, si nous pensions souvent que nous sommes le sujet de l'indiscrétion d'une caméra et que, pour ne pas être pris en flagrant délit de pessimisme, nous avions toujours le sourire!

Le sourire fait tellement de bien à qui le surprend sur les lèvres d'un autre.

Actes à poser MAINTENANT!

- Placez bien en évidence cette pensée: «*J'ai vu un homme sans sourire, alors je lui ai donné le mien.*»

- Souriez toujours lorsque vous rencontrez un visage morose.

- Essayez par le sourire de chasser les problèmes avant qu'ils ne se présentent. Du moins cette attitude aidera-t-elle à les garder dans leur perspective propre.

- Prenez l'habitude de mettre du sourire dans votre voix. La façon la plus facile d'y arriver est de sourire en parlant. Les gens qui ne peuvent vous voir entendront quand même ce sourire.

- Plantez-vous devant votre glace et tâchez d'arriver à sourire de tout votre visage. Souriez des yeux, des lèvres. Au début, vous vous sentirez un peu stupide et vous pourrez rire à gorge déployée. Si cela se produit, vous avez gagné la partie.

- Prenez la résolution de saluer tout le monde avec un large sourire.

- Servez-vous des sept règles du sourire. Vous serez renversé de la façon dont elles vous aideront à vous faire accepter.

12

Le second souffle

Quelqu'un... *te requiert-il pour une course d'un mille, fais-en deux avec lui.»*

(Matt. 5;41).

Voici un de mes passages favoris de la Bible non seulement parce qu'il fait partie du merveilleux Sermon sur la Montagne, mais surtout parce qu'il représente un des conseils les plus sûrs.

«Requiert», comme le dit l'Écriture, est un mot très fort. En nos temps modernes, aux États-Unis, il est bien possible que l'on ne vous obligera pas à faire quoi que ce soit. Alors, j'aimerais plutôt employer un autre mot: *demande*. Si quelqu'un vous demande de faire un mille avec elle ou lui, faites-en deux. Encore mieux, faites-le même si on ne vous le demande pas.

C'est simplement là une autre façon de dire qu'il faut en faire davantage que ce que l'on demande afin de se faire vraiment accepter. Faites un effort supplémentaire. Dépassez-vous afin de vous rendre utile au prochain. Tendez la main vers lui. Le geste vous sera salutaire.

L'élan de la septième manche

Vous êtes-vous déjà rendu compte du bien-être que vous ressentez en vous étirant? Vous levez les bras, votre colonne vertébrale se détend, vous vous dressez sur la pointe des pieds, vous tendez tous les muscles de votre corps, relâchez toutes les tensions, les sentez disparaître de votre cou, de vos épaules. Quelle détente! Vous venez de vous accorder une grande faveur et vous vous sentez renouvelé à la suite de cet effort.

Je crois que personne n'ignore ce que nous appelons dans notre pays l'élan de la septième manche. L'expression est aussi familière dans le langage du baseball que les arachides et les «Cracker Jacks», les hot dogs, la bière, les programmes doubles et les frappeurs désignés.

Personne ne jouit davantage de l'élan de la septième manche que moi lorsque j'assiste à une joute de baseball. Le meilleur élan que j'aie vu sur le losange est bien celui de Pete Rose lorsqu'il touche le second but en route vers le troisième ou le troisième en route vers le marbre. C'est plus qu'un élan, c'est vraiment un plongeon gracieux et élégant vers le marbre: Pete Rose vient de se surpasser afin de prouver qu'il mérite bien d'être le joueur le mieux payé des ligues majeures de baseball.

Une partie de l'art de se faire accepter consiste à faire un effort supplémentaire pour atteindre son but, à opérer un véritable élan de septième manche. Vous devez faire passer cet effort dans votre vie personnelle, au travail, à la maison, à l'école, partout et en tout temps.

Un étudiant de collège que nous appellerons Raoul vint me trouver l'autre jour et me dit: «Joe, je suis en classe d'histoire mais je ne réussis pas à m'intégrer. J'ai l'impression d'être tenu à l'écart tel un spectateur neutre.»

«Tu veux dire que tu veux vraiment te faire accepter du reste du groupe?»

«C'est une façon de résumer mon problème, oui.»

212

«Il n'y en a pas d'autre, je crois. Tu es le meilleur étudiant au monde, n'est-ce pas? Maintenant, dis-moi qui ne veut pas t'accepter?»

Nous avons eu une longue conversation sur le sujet. J'ai appris ainsi que son problème ne venait pas de son instructeur. Ses notes étaient excellentes car il était un excellent étudiant. Seulement, il se sentait mis à part. Un semestre venait de s'écouler et il en était toujours au point mort. En insistant davantage, je découvris qu'il en était ainsi dans tous ses autres cours: biologie, anglais, sciences politiques. Je le savais plutôt timide mais il sentait comme un mur entre lui et ses camarades. Il n'était pas seul dans son bateau car nous sommes nombreux à ne pas nous sentir acceptés.

«Étire-toi!» lui dis-je.

«Qu'est-ce que vous dites?»

«Aie recours à l'élan de la septième manche.» Devant son air ahuri, je m'empressai d'expliquer. Au lieu de s'étirer en hauteur, un mouvement physique, je lui dis de tendre la main, d'aller vers les autres, vers ses compagnons; c'est un exercice mental qui exige de changer son attitude envers eux. C'est l'attitude de celui qui prend son second souffle. Je lui conseillai de réviser ses points de vue, d'allonger ses foulées, de toucher la vie de ceux qu'il côtoyait, de ses compagnons d'études ou de jeu, de partager leurs espoirs et leurs rêves.

Raoul admit qu'il n'entretenait aucun rapport avec ses condisciples. Je le poussai alors à faire les premiers pas. Il faut souvent s'étirer pour établir le contact mais c'est un exercice tellement profitable.

Je l'avertis également qu'il lui faudrait peut-être prendre un second souffle avec certains avant d'arriver à son but. Par exemple, il devrait donner une heure supplémentaire de son temps pour aider un compagnon dans son travail. Je lui suggérai de mettre sa gêne de côté lorsque l'instructeur demanderait un volontaire pour rédiger un rapport et de se proposer pour la corvée. L'instructeur serait surpris et ravi, la classe renversée et, plus important encore, Raoul lui-même serait étonné de son courage. On en arriverait à le considérer dans une autre perspective et il deviendrait partie intégrante de la classe.

«Alors, ajoutai-je, va vers les autres étudiants non seulement au point de vue des études, mais sur un plan plus personnel et tu te sentiras mieux que jamais.»

Raoul ne semblait pas rassuré pour autant: «Comment dois-je procéder, Joe?»

Je proposai alors: «Fais un effort pour parler à l'un d'eux de son passe-temps préféré, de ce qu'il aime lire ou les films qui l'intéressent. Partage avec lui tes intérêts, jamais tes problèmes. Fais constamment en sorte d'être captivé par les autres comme si tu attendais avec impatience le moment de l'élan de la septième manche. Sois celui qui n'hésite pas à courir un mille supplémentaire. Si quelqu'un te demande de lui faire faire un bout de chemin avec ton auto, va plus loin; ramène-le jusqu'à son domicile. Voilà la meilleure façon de faire tomber la muraille dressée entre tes camarades et toi.»

Ce conseil s'applique à tout le monde. Êtes-vous esseulé? Êtes-vous timide? Pensez-vous que l'on vous ignore? Existe-t-il une muraille entre vous et les autres? La vie passe-t-elle à côté de vous comme un carrousel où il vous est impossible de monter? Éprouvez-vous de la difficulté à vous faire accepter? Vous ne réussirez jamais à atteindre le carrousel à moins que vous ne vous é-t-i-r-i-e-z. Comme le dit le poète: «*Tendez la main vers l'esseulé/Votre esseulement va se terminer.*»

Lorsque vous tendrez la main, vous vous étirerez d'une façon tout à fait salutaire; de même lorsque vous irez plus loin, que vous maintiendrez un effort un peu plus longtemps.

Plus vous tendez vers les autres, plus vous exercez une bonne influence autour de vous. Au fond, c'est bien là l'essence de l'acceptation de soi par le prochain: enfoncer, faire tomber les murailles.

Incidemment, Raoul suivit mon conseil. Il m'affirme que depuis qu'il tente de faire un mille supplémentaire dans ses rapports avec ses camarades, qu'il pratique l'étirage de la septième manche, il n'a plus besoin de se préoccuper des murs. Il les franchit simplement sans effort. Il s'est fait accepter.

Effets concluants

Prendre l'habitude du second souffle signifie que vous devez vous surpasser afin de faire votre travail mieux ou plus vite, ou les deux. Les résultats sont vraiment concluants. Ils peuvent prendre la forme d'une augmentation de traitement ou d'une promotion. À part cela, vous serez plus fier de votre travail et cette satisfaction personnelle vaut encore mieux que de l'argent ou une tape sur l'épaule.

Parfois, les résultats se feront sentir simplement dans la façon dont vous aurez exercé les muscles de votre attitude mentale, les aurez lubrifiés en courant le mille additionnel. Se dépasser est encore le meilleur exercice spirituel que l'on puisse imaginer.

Quelquefois, les résultats se manifesteront dans la surprise ravie et la gratitude à votre égard. Une voisine, parlant d'une autre, me dit un jour: «Monsieur Girard, cette dame Kelly qui habite de l'autre côté de la rue est tout simplement sensationnelle. Vous savez ce qu'elle a fait? Elle a insisté pour me conduire faire mes courses quand elle a appris que ma voiture était au garage.» Je n'ai pas répété ces paroles à madame Kelly mais je vous les passe pour vous montrer comment cette dame savait se faire accepter.

Nous avons tous vu la gratitude éclairer le visage de l'aveugle ou du vieillard que l'on a aidé à traverser la rue ou la circulation dense. Il n'est pas nécessaire d'être scout pour faire sa BA chaque jour. Vous ne devriez pas non plus vous attendre à de la gratitude pour votre geste, mais vous l'obtiendrez de toute façon. Être un adepte du second souffle, ça veut dire donner de soi-même de façons que l'on ne vous demandera peut-être même pas.

Parfois, les résultats positifs se manifestent par un degré plus élevé de bonheur dans la vie. Je ne connais pas de meilleur exemple que celui du mariage. Aucun autre état de vie ne demande autant d'abnégation que l'état conjugal où les partenaires doivent arriver à des compromis et aller souvent au-delà de leurs obligations pour y réussir. Un petit présent inattendu et bien pensé, un renoncement à ses exigences, un peu de tendresse, un appel si l'on doit rentrer plus tard que d'habitude. Mon épouse June et moi avons vécu vingt-huit magnifiques années de bonheur parce que nous avons su nous étirer un peu plus l'un vers l'autre. Les cours de divorces regorgent de naufrages conjugaux parce que l'un des partenaires a refusé de courir le mille supplémentaire avec l'autre.

Le dividende peut se traduire également par une plus grande compréhension de l'autre. Souvent, courir un autre mille peut vouloir dire chausser les souliers de l'autre. Vous connaissez le dicton: «Marche un peu dans ses mocassins afin de voir comment il se sent et ce qui le fatigue.» Eleanor Roosevelt courut son mille supplémentaire dans les chaussures de son mari, Franklin, à partir du moment où il fut frappé par la poliomyélite. Elle savait mieux que quiconque le tourment qu'allait être son existence à partir de ce moment tragique.

Si vous voulez comprendre ce que signifie chausser les souliers d'un autre, assistez à une réunion des Alcooliques anonymes et vous verrez ce que la vie peut être du point de vue d'un autre.

Parfois, la récompense du second souffle arrive sous la forme d'un regain d'énergie dans l'art de se faire accepter. Les coureurs (la course est devenue un des sports les plus populaires de nos jours) connaissent très bien l'importance du second souffle. Je ne suis pas un coureur et je n'ambitionne pas de me qualifier pour un marathon, mais laissez-moi vous raconter ce qui m'est arrivé et qui illustre bien ce que j'avance.

Récemment, le Boys Club de Royal Oak au Michigan, une banlieue de Détroit, m'a invité à servir d'encanteur au cours d'une journée consacrée à recueillir des fonds pour le club. C'est un événement annuel et les hommes d'affaires locaux, les reporters sportifs, les gens de la radio et de la télé ainsi que des journaux offrent aux enchères des articles utiles et assez chers donnés par des marchands de la place.

Je faisais équipe avec Mickey Lolich, ancien roi des lanceurs pour les Tigers de Détroit et maintenant avec les Padres de San Diego. Nous disposions d'une demi-heure pour écouler notre marchandise et, à tour de rôle, nous étions censés vendre toutes sortes de choses: équipements sportifs, appareils stéréo, T-shirts et voyages à Disneyland.

C'était beaucoup demander pour une pauvre demi-heure. Depuis la matinée, la salle était bondée de parieurs. Je me tenais à l'écart, attendant notre tour à Mickey et à moi. Pendant que je surveillais les échanges, j'appris qu'un des encanteurs qui devaient passer juste avant moi n'avait pu se présenter et son partenaire allait devoir se débrouiller seul, ce qui n'était pas une mince affaire. C'est alors qu'une petite voix me souffla: «Vas-y, Joe, remplace cet homme. Cela ne te fera pas mal et tu as besoin d'exercice.» Je n'ai pas cherché à savoir si j'allais faire là le mille supplémentaire, il me fallait agir.

Mon partenaire pour cette demi-heure était un reporter du Detroit *News,* Fred Girard (aucun lien de parenté). Ce dernier gravit l'estrade et je me mis à circuler dans la salle. J'ai trimé dur, je vous le garantis, à crier à tue-tête: «Allez, mesdames et

217

messieurs, montez les enchères, c'est pour nos enfants!» Nous avons amassé un joli magot tous les deux mais j'étais épuisé à la fin de cette demi-heure. Maintenant, il me restait à faire la même chose avec Mickey Lolich, mon partenaire assigné ce jour-là. Sans m'en rendre compte, le petit effort que je venais de fournir, le petit coup de pouce, avait disposé les gens envers moi. Je devais courir ici et là d'un bout à l'autre de la salle, sans répit, et le miracle s'accomplit. Je ressentis un élan nouveau, je n'étais plus fatigué et ma voix avait repris de l'ampleur. Les enchères montèrent d'un cran, doublèrent même. Je pourrais dire que ma seconde demi-heure fut plus réussie que la première. Lorsque nous eûmes terminé, Michael ressemblait à quelqu'un qui vient de lancer un match sans coups sûrs et je me sentais encore plus dispos qu'au début.

Mais ce que j'ai trouvé de plus merveilleux, c'est la façon dont les gens ont répondu en plongeant davantage dans leurs porte-monnaie. Voyez-vous, chaque fois que nous allons vers les autres et faisons plus que ce que l'on attend de nous, le monde s'en porte mieux. Ce bienfait se manifesta dans la façon dont les parieurs aidèrent les enfants.

Là où commence la vente

Celui qui donne ne se retrouve jamais à court. Plus il tente de vider son escarcelle et plus il semble qu'elle se remplit. Aucun effort pour secourir les autres ne reste sans récompense.

C'est pourquoi j'affirme que celui qui pratique la politique du second souffle possède la plus belle philosophie de la vie qui soit, une philosophie qui m'a rapporté des dividendes incalculables tout au long de ma carrière de vendeur.

Aux yeux de plusieurs vendeurs, la vente est terminée sitôt le contrat signé. Rien n'est plus faux; c'est là qu'elle commence vraiment. Les rapports entre un vendeur et son client devraient ressembler à un long mariage. Le succès se base sur les affaires à répétition et ce principe s'applique à la vente de meubles, d'assurance, d'immeubles, d'appareils ménagers ou d'automobiles. Il s'applique également à l'art de se faire accepter. Il est bien malheureux de le constater, mais beaucoup de vendeurs annulent leurs chances de répétition dès la signature d'un contrat parce qu'ils oublient que là est vraiment le début de la vente.

J'ai toujours affirmé que je faisais partie intégrante de la voiture que je vendais. Cela signifie que je dois me faire accepter en premier lieu et c'est justement ce qui doit se produire avant tout. Voici ma façon de comprendre le procédé: lorsque vous vous adressez au client, vous vous tenez entre lui et le produit. La vente conclue, vous devenez son ami; en fait, vous devez faire en sorte qu'il en soit toujours ainsi.

Du fait que le produit acheté peut être mécanique comme une voiture, ou posséder un défaut de manufacture comme des vêtements, il y a des chances que quelque chose ne tourne pas rond ou ne fasse pas l'affaire dès le début. Il faut du temps avant de faire disparaître les défauts de mécanisme d'une voiture qu'on ne peut pas toujours déceler au départ. Étant humain, il se peut très bien que le client ne soit pas satisfait, qu'il arrive en coup de vent et réclame justice à grands cris, prêt à arracher la tête du malheureux vendeur.

J'ai été témoin de la conduite de certains vendeurs qui, à la vue d'un de leurs clients mécontents revenu après la vente, s'exclamaient: «Bon, voilà encore l'emmerdeur!» et couraient se cacher pour ne pas le rencontrer. La toilette devenait l'endroit tout indiqué dans ce cas, ou bien ils se réfugiaient dans l'arrière-boutique, ou bien demandaient à d'autres de s'occuper du trouble-fête. Ils étaient prêts à tout pour ne pas faire face à la musique.

Parfois, ils se débarrassaient de l'importun en disant: «Passez par la porte arrière, tournez à gauche et prenez la première porte sur votre droite; vous serez alors au Service de l'entretien et des réparations. Là, vous demanderez monsieur Finnegan et il s'occupera de vous.»

Peu importe que vous ayez évité un raseur ou que vous ayez réussi à passer le manche à un autre, vous avez perdu là ce que j'appelle une vente à long terme. Pourtant, c'est bien où elle aurait dû débuter, surtout si vous vous souvenez qu'il faut agir à la façon d'un coureur qui attaque le mille supplémentaire.

Du fait que je me tenais entre mon produit et mon client, je ne pouvais me défiler. Je mettais tout en oeuvre pour être affable, le plus utile possible, satisfaire le client du mieux que je le pouvais même si je savais qu'il n'y avait aucune commission à attendre de cette attitude pour le moment. Souriant, je disais: «Monsieur Jennings, vous avez des problèmes d'entretien, n'est-ce pas? Laissez-moi m'en occuper. Je vais aller en discuter avec le directeur de ce service. Ne vous tracassez pas.» Et je faisais exactement ce que j'avais dit.

Vous vous souvenez du chapitre sur la puissance d'une promesse donnée? Donc, comment aurais-je pu me tromper? Je donnais peut-être dix minutes de mon temps pendant lesquelles les autres pouvaient penser que je ne faisais rien. Quelle erreur! Je garantissais une vente.

Quelquefois, dans mon second effort, je devais y aller d'un peu de mes propres deniers. Vous êtes probablement au courant que parmi toutes les belles garanties sur une nouvelle voiture, l'usine a omis celle qui porte sur l'alignement des roues avant. Alors, à la clôture de la transaction, je me faisais un devoir de le faire remarquer au client: «Je sais, monsieur Bates, qu'il est possible que vous frappiez un cahot pouvant détraquer l'alignement des roues avant. J'apprécie tellement votre clientèle que je vais vous remettre un certificat personnel vous garantissant un alignement gratuit si jamais vous en avez besoin.» Ce document ne me coûtait que quelques dollars et pourtant, certains de mes collègues se gaussaient de moi:

«Joe, tu as le cerveau dérangé. Tu n'es pas obligé de faire cela. Il n'y a que toi pour penser à de telles choses.» Je le regrette pour eux mais cette attitude me valait encore plus de clientèle et d'achalandage.

Cette volonté de courir un mille de plus avec mon client m'a rapporté de bons dividendes car il revenait toujours vers moi. Il n'est pas surprenant que mes ventes à répétition représentaient le beau pourcentage de 65% et me firent remporter le titre de meilleur vendeur au monde.

Courir un mille de plus entraîne et aide à boucler une transaction; c'est ainsi que vont les choses dans la vente d'un produit ou d'un service. Imaginez votre rentabilité si vous étiez vous-même le produit à écouler!

Vous faire accepter devient de plus en plus facile quand les autres constatent votre propension à aller encore plus loin pour leur plaire; et c'est encore plus facile parce que vous êtes devenu meilleur vous-même.

Afin de réussir à courir cet autre mille, il faut prendre certaines résolutions en ce qui vous concerne. Si vous vous y conformez, vous verrez bientôt comme les choses iront toutes seules, combien votre succès grandira dans la vente. En voici une liste:

Dix règles du second souffle pour réussir

1. Si vous êtes vendeur, faites un appel supplémentaire ou deux chaque jour.

2. Demeurez un peu plus longtemps au bureau ou à l'usine, ou bien arrivez plus tôt le matin.

3. Rendez-vous utile au bureau, à la maison ou à l'appartement sans qu'il soit nécessaire qu'on vous le demande.

4. Sous l'impulsion du moment, faites un petit présent à quelqu'un que vous aimez.

5. Donnez un petit quelque chose à quelqu'un qui ne vous dit rien; il se peut que, ce faisant, vous lui remontiez le moral.

6. Efforcez-vous d'aider quelqu'un; soyez simplement là lorsque cette personne a besoin d'aide.

7. Faites un compliment à une personne chaque jour.

8. Secourez les autres au lieu de leur être un fardeau.

9. Si vous êtes étudiant, occupez-vous davantage de vos livres; ainsi, vous apprendrez peut-être quelque chose.

10. Apportez votre contribution à une personne ou à un projet en n'attendant rien en retour.

Il existe tellement de façons de courir un mille supplémentaire dans la vie. Vous pouvez devenir un Grand Frère... accepter de faire partie d'un comité même si vous croyez être trop occupé pour cela... prendre une part active dans l'organisation des guides et des scouts... faire la lecture à un aveugle... donner du sang à la Croix-Rouge... souhaiter la bienvenue à un nouvel employé ou à un nouvel équipier... visiter une personne malade ou confinée à la maison... arbitrer une joute de balle de la Petite Ligue... servir d'aide bénévole dans un hôpital... faire un gâteau ou une tarte que vous porterez à votre voisine... assurer la garde des enfants de gens qui ne peuvent payer pour ce service... ne pas seulement prêter une oreille attentive aux plaintes, donner de son coeur.

Bref, impliquez-vous. Descendez de votre tour d'ivoire et souvenez-vous de ceci: *il est impossible de courir un mille de plus si l'on reste assis.*

Actes à poser MAINTENANT!

- Recopier ce verset de la Bible: «*Quelqu'un... te requiert-il pour une course d'un mille, fais-en deux avec lui.*» Relisez-le tous les jours.

- Soyez fidèle à l'élan de la septième manche et allez vers les autres.

- Tous les matins à votre réveil, répétez trois fois ces mots: «*Plus je vais vers les autres, plus je les aide à devenir meilleurs.*»

- Habituez-vous à chausser parfois les souliers des autres.

- Commencez à observer les dix règles du second souffle pour réussir en les adaptant à votre personnalité et tenez-y mordicus. Vous serez estomaqué par les résultats.

13

Se faire accepter comme femme

Dernièrement, une femme écrivait au docteur Joyce Brothers, psychologue et journaliste de grande renommée. La correspondante, mère de famille, se tracassait à propos de sa fille et désirait comprendre son attitude. Le docteur Brothers publia et la lettre et sa réponse.

Il semblait que la jeune fille était heureuse de travailler au Service des réparations dans un garage. Elle désirait se marier éventuellement, avoir des enfants, mais s'était fixé l'objectif de posséder sa propre entreprise, sa propre station-service un jour, et de continuer à faire quelques menues réparations automobiles. La mère ne pouvait comprendre cette attitude chez une fille. Dans son temps, disait-elle, les filles penchaient toujours vers une occupation féminine lorsqu'il s'agissait de choisir une carrière. De plus, ajoutait-elle, lorsqu'elle était jeune, on n'avait pas coutume de planifier sa vie comme sa fille le faisait. Pourquoi cette dernière agissait-elle de la sorte?

Le docteur Brothers lui répondit que nous vivions dans un monde bien différent de nos jours et que nombre de nos jeunes femmes ne se voient pas confinées dans des rôles essentiellement féminins: maternité, entretien de maison, tout en laissant le reste au mâle, le gagne-pain. De plus, les rôles du point de vue du sexe n'étant plus aussi nettement définis, il n'était plus mal vu qu'une jeune femme se case dans un domaine depuis toujours reconnu comme l'apanage des hommes, tel la mécanique dans un garage. Aux yeux de la mère, cette attitude moderne devait être bien difficile à avaler.

Ces nouvelles fonctions de la femme et cette recherche de la parité avec les hommes sonnent-elles le glas de tout un passé traditionnel où les femmes se sentaient quand même heureuses, satisfaites? Pas du tout!

Une des plus nobles façons pour la femme de se faire accepter encore de nos jours réside dans le mariage et la maternité. L'édification d'une union solide et réussie demande autant d'esprit de décision et d'exigences de la part d'une femme qu'exercer une carrière à l'extérieur. Peut-être même plus. Si une femme n'aime pas les exigences d'une profession ou d'un emploi, si elle n'est pas d'accord avec les exigences qu'on lui impose en sa qualité de sténographe, secrétaire, vendeuse, caissière, mannequin, fille de table, reporter, enseignante ou dans une occupation créée en fonction d'un homme, elle peut au mieux en changer ou, au pis, résigner ses fonctions. Elle peut céder sa place ou se désister et personne ne trouvera rien à redire ou ne la mésestimera pour autant.

Des options semblables n'existent pas dans l'état du mariage, dans la vie conjugale. Une femme ne peut tout simplement pas fuir parce qu'elle n'aime pas les obligations engendrées par le mariage et l'éducation des enfants. Encore de nos jours, la bonne société n'excuse pas ces écarts de conduite. Le mariage et la maternité demandent une implication et un dévouement plus forts que tout ce que l'on peut imaginer dans un emploi. En fait, la plupart de celles avec qui j'ai traité du sujet, en dépit de tout ce qu'on peut lire sur la soi-disant *libération de la femme,* m'ont affirmé que le mariage et la maternité étaient encore les plus belles carrières pour la femme moderne, les plus satisfaisantes et les plus nobles. Elles sont encore plus enrichissantes de nos jours où l'homme s'est libéré des tabous traditionnels et se sent enfin libre de partager avec son épouse les responsabilités du ménage et de l'éducation des enfants.

La phrase maudite et perfide: «Gardez vos femmes pieds nus et enceintes!» semble perdre de plus en plus de terrain, du moins le devrait-elle. Une telle attitude est tellement dégradante envers la femme et réfléchit encore davantage la malice de l'homme.

Une femme ne devient pas mère par le simple fait de donner naissance à un enfant. Parmi les meilleures, on retrouve des belles-mères et des responsables de foyers nourriciers; parmi les pires, surtout des mères naturelles. Les quotidiens sont remplis de rapports sur des mères naturelles qui ont donné leurs bébés ou, pis encore, les ont abandonnés. Dans le même temps, nous lisons à propos de maris et femmes qui ne peuvent concevoir un enfant, qui sont navrés d'apprendre que la demande de bébés pour adoption dépasse l'offre. Ces gens vivent dans l'espérance mais, bien souvent, ils ont le coeur brisé.

La maternité est autre chose qu'une grossesse suivie d'une naissance. C'est une promotion conquise au cours des années, un poste truffé de sacrifices et de travail ardu, de bonheur et d'amour également. La maternité demande une disposition spéciale de la part de la femme à la vente de soi-même. La mère peut laisser derrière elle un héritage formidable de vente de soi simplement par la façon dont elle élève ses enfants et la bonne influence qu'elle exerce sur eux. Une mère se fait accepter tous les jours comme femme et, lorsqu'elle agit ainsi avec succès, il n'existe pas de meilleur emploi pour elle.

Mais que penser de la femme qui cherche satisfaction dans un autre domaine, qui désire ajouter une carrière à la maternité et au mariage? Quelles perspectives envisage-t-elle pour se faire accepter comme femme dans le monde des affaires, dans le domaine professionnel?

Théâtre, chansons, modes, nourriture

Voici le fond de la pensée de quatre femmes ayant connu un succès retentissant. Elles oeuvrent dans différents milieux: le spectacle, la mode, l'art culinaire. Pourtant, leurs conseils peuvent s'appliquer à toutes les femmes qui se lancent sur le marché du travail et tentent de se faire accepter, peu importe leur statut social. Toutes sont citées par James A. Randall dans le magazine *Mainliner* dont j'ai eu la chance de trouver un exemplaire lors d'un voyage en avion à travers le pays. À chaque cas, j'ai ajouté mes propres commentaires.

Carol Channing, super-vedette de *Hello Dolly* et de nombreuses autres comédies musicales aussi bien que de films, dit: «Le succès dépend de la persévérance; on ne doit pas passer son temps à sauter d'un poste à un autre. Au théâtre, c'est le talent qui compte. Cependant, il cède le pas à l'expérience et l'expérience vient avec le temps. Je me souviens avoir entendu mon père me dire que je trouverais le succès si je ne dépréciais pas mon patron immédiat dans ma montée.»

Je suis pleinement d'accord avec mademoiselle Channing. J'ai toujours affirmé que le succès est la récompense de la persévérance. Les gens qui butinent d'un emploi à un autre se retrouvent nulle part. Il va de soi qu'il existe toujours des exceptions à la règle et une femme doit sentir qu'elle n'est pas obligée de s'attacher à un emploi ou à un salaire. Elle doit se rendre compte qu'elle peut choisir. Dans ce cas, elle fera preuve de confiance en elle et de courage. J'ai traité de la façon de développer ces qualités dans un chapitre antérieur.

Dolly Parton, super-vedette de la musique western et qui s'achemine tranquillement vers d'autres genres de musique, dit à son tour: «Vous faites vous-même votre chance. La réussite demande beaucoup de travail et la volonté de faire les sacrifices qui s'imposent. Nombre de personnes m'ont inspirée mais nulle n'a influencé ma conduite. J'ai fait ce que je voulais à ma façon, mais j'ai été épaulée en cela par des gens secourables.»

Ici encore, je suis complètement d'accord avec mademoiselle Parton. Je porte sur moi une carte qui me rappelle cette vérité chaque fois que je la tire de ma poche: «*Si cela doit être, cela dépend de moi!*» ou bien «*Je suis seul responsable des résultats.*» Cette pensée se rapproche énormément des mots de Dolly Parton: «*Je me suis faite à ma façon.*» Elle est persuadée que le travail acharné, la détermination et une disposition au sacrifice sont la clé du succès. Elle a bien raison. Comme je me plais à le répéter: «*L'ascenseur vers le succès est en panne; alors, il faut gravir l'escalier un degré à la fois.*»

Diane Von Furstenberg, dessinatrice de mode de renommée internationale, affirme: «Le succès consiste à concevoir un projet sensé, pouvoir concentrer ses efforts sur lui et l'accomplir en faisant montre de détermination, d'audace, sans se laisser ralentir ou arrêter par les obstacles.»

Comme elle dit vrai! Une bonne partie de l'art de se faire accepter consiste à posséder un but réaliste et réalisable, à s'y accrocher et à faire tous les efforts en vue de l'atteindre. Les hommes ont toujours agi ainsi, pourquoi les femmes n'en feraient-elles pas autant? Peut-être mieux si cela est possible! Pourquoi? Eh bien, dans les temps révolus, peu de femmes s'orientaient vers des buts précis. On ne les encourageait pas à trouver des projets en dehors du foyer. Donc, il va de soi que, de nos jours, elles doivent acquérir l'habileté nécessaire pour réussir dans une carrière.

Bert Whitehead, doyen de la Faculté d'administration du Marygrove College de Détroit, disait ceci en parlant de réalisme dans les objectifs, au cours d'une conférence auprès de la Fédération des femmes d'affaires et professionnelles du Michigan (paroles rapportées dans le *Birmingham Eccentric* par Carol Mahoney): «Une femme doit se persuader que ce qu'elle désire est encore ce qui compte le plus dans sa vie. Elle ne deviendra jamais présidente de General Motors si elle doit être à la maison à dix-sept heures pour préparer le souper.»

Julia Child, chef de cuisine très connue et auteur de plusieurs livres de recettes devenus des best-sellers, rédactrice de nombreuses chroniques portant sur la nourriture et les recettes gastronomiques, vedette de sa propre émission télévisée, confie: «Une grande partie de mon succès vient de mon mari... car nous oeuvrons dans des domaines diamétralement opposés; il n'y a donc aucun danger que nous devenions rivaux, ce qui pourrait ruiner une carrière.»

Madame Child sait très bien de quoi elle parle. On avait coutume de dire que derrière chaque homme prospère, on pouvait voir se profiler une femme. Julia Child prouve que le dicton peut être renversé à l'avantage de la femme tout aussi véridiquement. De nos jours, dans le monde des affaires, les femmes se retrouvent souvent en compétition avec les hommes et plusieurs à nombre de femme: il faut choisir un domaine différent de celui de son mari afin d'éliminer tout risque de rivalité. On retrouve énormément de femmes vedettes de cinéma ou de télévision mariées à des hommes qui ne sont pas comédiens. Ils pourront faire partie de la même profession, tels réalisateurs, directeurs ou scripteurs, sans pour cela passer devant la caméra. Donc, pas de rivalité et des carrières plus heureuses.

Des femmes qui ont réussi au fil des années

Certaines femmes ont connu le succès dans le passé car elles avaient décidé d'oeuvrer dans des domaines considérés dans le temps comme très acceptables pour elles: infirmières par exemple, où elles furent longtemps reines et maîtresses; maintenant, de plus en plus d'homme embrassent cette carrière. Deux grandes dames qui ont percé dans ce domaine s'appellent Florence Nightingale, cette Anglaise qui a contribué à réduire de 42 à 2 pourcent la proportion de mortalités dans les hôpitaux durant la Guerre de Crimée, et Clara Barton qui s'est illustrée durant la guerre civile aux États-Unis et a fondé la Croix-Rouge américaine.

D'un autre côté, des femmes ont dû dissimuler leur identité pour rencontrer le succès; elles durent adopter des dehors masculins: George Sand, le célèbre écrivain français dont le nom véritable était Amandine Aurore Lucile Dupin et qui fut également la maîtresse de Chopin. Mary Ann Evans connut la renommée sous le pseudonyme de George Eliot; elle devait, par ses écrits, mener la vie dure aux meilleurs auteurs masculins.

Se faire accepter comme femme a présenté de nombreux obstacles durant de longues années. Les femmes rencontraient infailliblement le rejet, le refus de se voir prises au sérieux et même une opposition systématique. De nos jours, nous avons peine à croire qu'il fut un temps où le fait d'être actrice enlevait toute respectabilité. Dans les pièces de Shakespeare, les rôles de femmes étaient tenus par des hommes et des garçons. Dans le passé, il était vraiment mal vu pour une femme de prétendre devenir médecin.

Même de nos jours, il est encore difficile d'être acceptée comme étudiante dans cette faculté. Quand on pense que les femmes n'avaient même pas le droit de vote jusqu'à ce qu'on introduise en leur faveur le 19e amendement à la Constitution en 1920, vous pouvez vous rendre compte comme il était virtuellement impossible pour elles de se lancer en politique. Jusqu'à cette époque où la femme put enfin voter, on aimait à répéter que le seul endroit où elle pouvait se prévaloir de son droit de dire oui ou non, c'était dans la chambre à coucher. Pourtant, en dépit des difficultés rencontrées dans leurs efforts pour briser le moule dans lequel on les avait enfermées - enseignantes, infirmières, secrétaires ou maîtresses de maison - en dépit des obstacles dressés devant leur désir de se faire accepter dans le monde des affaires, sur le marché du travail, dans les professions, le commerce ou la politique, elles n'ont pas jeté les armes. Elles continuent toujours à enfoncer les portes.

La liste de ces femmes est impressionnante: Marie Curie a découvert le radium, Frances Perkins fut secrétaire du Travail sous l'administration Roosevelt, la première femme, en fait, à occuper ce poste de chef de cabinet. Oveta Culp Hobby la suivit de près en qualité de secrétaire de la Santé, de l'Éducation et du Bien-Être. Au moment où je vous parle, deux femmes sont membres du cabinet de Jimmy Carter: Juanita M. Kreps, secrétaire au Commerce et Patricia Roberts Harris, secrétaire à la Santé, à l'Éducation et au Bien-Être. Dans l'Histoire moderne du Congrès américain, on retrouve plusieurs membres féminins. Pour n'en nommer que quelques-unes, je citerai Margaret Chase Smith, représentante du Maine, Bella Abzug qui a apporté un peu de vie dans cette auguste enceinte, Clare Booth Luce qui ne s'est pas contentée d'être sénateur, mais devint ambassadrice en Italie et a écrit plusieurs pièces qui ont fait les beaux jours de Broadway. Tout étrange que cela puisse paraître, son plus grand succès était intitulé: *The Women* (les femmes). On a vu des femmes occuper le poste de gouverneur d'un état, des femmes échevins et des mairesses, des femmes juges. J'éprouve une grande fierté à mentionner que le nouveau juge en chef de mon état se nomme Mary Coleman, la première femme à jamais présider aux sessions de la Cour suprême du Michigan.

Les femmes se sont fait remarquer également dans d'autres domaines: Mildred (Babe) Zaharias dans le sport; Amelia Earhart dans l'aviation; Janet Guthrie dans le monde des courses; Golda Meir en politique; Sylvia Porter en économie; Jane Pauley dans la télédiffusion, co-animatrice avec Barbara Walters du *Today Show*; et Ruth Carter Stapleton en religion. Elles ont même envahi les carrières militaires et se sont révélées des cadettes prometteuses dans les trois forces armées des États-Unis.

Vous allez dire qu'aucune de ces carrières ne vous attire. Vous êtes une jeune fille bien ordinaire qui essaie de se tailler une niche dans le monde des hommes. Parlons-en donc de ces femmes qui n'ont pas atteint la renommée, qui n'ont pas percé dans le monde des sports, de la radio, de l'aviation, de la politique.

J'en connais trois qui ont réussi de façon splendide à se faire accepter comme femmes. Elles n'exploitent pas leur sexe mais elles s'en servent pour arriver à leurs fins. Deux d'entre elles sont de véritables réussites en tant que femmes d'affaires et, même si elles ne sont pas célèbres dans le sens que l'on donne ordinairement au mot, leur occupation fait la une des journaux. Je connais personnellement la troisième et je l'admire depuis nombre d'années.

Sondra Iwrey préside aux destinées d'une entreprise de recyclage de machines à rayons X mises au rancart. Elle en fait l'acquisition pour l'argent contenu dans les négatifs. Elle assure que l'on peut obtenir trente grammes d'argent en faisant brûler un kilo de ces négatifs. Voilà un marché intéressant en raison de la demande actuelle d'argent. Il semble que plus le négatif est noir, plus il en contient et ce sont ceux qu'elle recherche de préférence. Dans les bons jours, elle peut recueillir de 350 à 700 kilos de négatifs par jour et les revendre à des entreprises qui les brûlent pour ensuite en extraire l'argent.

Puisqu'elle doit traiter avec des réceptionnistes, des assistantes dans les bureaux de médecins ou dans les hôpitaux et cliniques (j'imagine auprès des dentistes également), Sondra trouve qu'il lui est vraiment avantageux d'être femme. La détermination, la persévérance et un peu d'imagination peuvent contribuer au succès chez une femme aussi bien que chez un homme.

Envisager de devenir ingénieur ne devrait pas vous effrayer. Si les femmes peuvent accéder à d'autres professions, pourquoi pas l'ingénierie... la mécanique automobile? Rita Dalton jouissait d'une réputation bien établie de meneuse de claques pour les Cowboys de Dallas. Pourtant, elle tourna le dos à tant de gloire pour planter ses pieds solidement sur le sol des affaires. Elle réussira, je vous assure, car la même énergie qui l'a menée à la seconde position dans le concours de la meilleure meneuse de claques de toute l'Amérique à Cypress Gardens ne lui fera pas défaut. D'après les journaux, Rita est une véritable championne dans les culbutes aériennes, les sauts en longueur et les doubles sauts périlleux.

Vous devez vous souvenir qu'il ne faut jamais hésiter à sauter, si vous êtes une femme, dans un domaine longtemps réservé aux mâles. Que ce soit l'ingénierie ou la conduite d'un tracteur agrémenté d'un chargeur et d'une raclette, vous ne devez pas lancer la serviette simplement parce que vous êtes une femme. Allez de l'avant plutôt *parce que* vous êtes une femme. Accrochez vos dentelles si tel avait été votre symbole féminin, emparez-vous de l'équerre, de la perche de l'arpenteur, des clés du camion monte-charge, peu importe, si c'est bien ce que vous désirez faire.

Vous pouvez toujours vous cantonner dans le contexte féminin si c'est bien à cela que tendent vos aspirations.

Mon amie, Theresa Merlino, est propriétaire de Terry's Place, une boutique de revente de vêtements d'occasion pour femmes, dans une des banlieues voisines. Elle apporta à son entreprise une expérience considérable puisqu'elle avait occupé le poste de commis dans une pharmacie de détail durant de nombreuses années. Lorsqu'elle alla habiter la Floride, elle cessa de travailler mais n'oublia rien de ce qu'elle avait appris. À son retour au Michigan, elle décida de mettre son expérience à contribution et de se lancer en affaires dans un monde d'hommes tout en devenant son propre patron. Mais en quoi?

Elle eut l'idée de son orientation en causant avec d'autres femmes. Au cours de parties de cartes ou de thé, elle entendit souvent les dames déplorer le fait qu'il n'existait pas de bonnes boutiques de revente de vêtements chics et élégants de belle qualité.

Pourquoi ne pas tenter l'expérience, se dit-elle? Devant ce besoin dans son voisinage et comme rien n'avait encore été fait pour y pallier, elle mit sur pied Terry's Place et je peux vous assurer qu'elle fait des affaires d'or. On lui apporte des vêtements de femmes et d'enfants nettoyés et prêts à être revendus. Theresa les écoule et partage de moitié avec les fournisseurs.

«Je sens que cela me servira dans les beaux jours comme dans les mauvais, si jamais il y a récession, dit-elle, et je suis prête à faire face à la musique.»

La vente au détail, une profession qu'on a toujours attribuée aux hommes, eh bien, Theresa est en train de prouver que l'on se leurrait depuis fort longtemps. Elle a fait sa niche dans un monde d'hommes et son instinct féminin, son bon goût, ses connaissance de la mode triomphent. Célèbre? Que non! Une femme ordinaire comme on en rencontre partout.

Si Theresa Merlino peut le faire, pourquoi pas vous?

En parlant de briser le moule, la fille d'un vendeur de mes amis fut religieuse dans un couvent catholique pendant une bonne dizaine d'années. Elle quitta son ordre, se maria et se lança en affaires. En plus d'être épouse et mère, elle est aujourd'hui un cadre très bien payé chez General Motors... et très estimé. Elle ne voit aucune raison qui puisse empêcher que le président de cette compagnie soit une femme un jour.

Toutes ces femmes se sont fait accepter telles quelles dans un monde d'hommes. Ajoutez à ce groupe toutes celles qui, partout au pays, recherchent la parité avec les hommes et consacrent leurs énergies à la campagne en vue d'amender la Charte des droits de la personne. Leurs chefs de file portent des noms comme Gloria Steinem, Betty Friedan et Midge Constanza. Cette dernière a occupé un poste de commande au sein du personnel immédiat du président Carter et, durant son service de vingt mois à la Maison Blanche, n'a pas craint de faire valoir les droits de la femme. On en parle encore.

Les chances pour les femmes de se faire accepter de nos jours augmentent continuellement. En fait, elles n'ont jamais eu plus d'occasions de pouvoir dire aux hommes: «Allons, poussez-vous un peu!»

Récemment, je parlais avec deux dames qui ont su saisir l'occasion lorsqu'elle est passée près d'elles et ont réussi magnifiquement à se faire accepter. L'une d'elles vient à peine de faire surface dans le monde des affaires: Delvern Bell, caissière à la First Independence National Bank de Détroit. La seconde, Maria Piacentini, agent d'immeubles auprès de la Real Estate One de Dearborne dans le Michigan, se réclame de plusieurs années d'expérience.

J'aime être femme

Mademoiselle Bell, native de Détroit, est toujours souriante et remplie d'amabilité. Dès la fin de ses études à Central High à Détroit et une année passée à l'Université Eastern du Michigan, elle obtint un emploi avec la First Independence National Bank et y oeuvre depuis un an. Avant de devenir préposée à un guichet, elle dut suivre la filière habituelle de la banque.

Delvern Bell aime beaucoup ce qu'elle fait et se propose de demeurer employée de banque longtemps encore. Elle ne voit rien qui puisse l'empêcher de gravir les échelons, surtout en tant que femme; cependant, elle se rend compte qu'elle pourrait y parvenir plus facilement en poursuivant ses études. Elle s'empresse d'ajouter que cela vaut également pour les hommes. Une bonne part de son projet d'avancement repose sur son retour à l'université, le soir, afin de conquérir un diplôme tout en continuant de travailler à la banque.

Delvern envisage également de se marier et d'avoir des enfants mais, pour le moment, il n'en est pas question. D'autre part, elle ne pense pas que le mariage et les enfants soient des étapes nécessaires pour réussir sa vie: on peut se forger une carrière du tonnerre et rencontrer le bonheur tout en restant célibataire. Les femmes ne sont pas tenues d'assumer le rôle que les hommes leur ont imposé depuis si longtemps, celui de Marthe, reine du foyer, comme elle dit avec un sourire.

Elle admet qu'elle se sent beaucoup plus à l'aise du fait que les autres caissières sont des femmes et que le seul homme préposé au même emploi ait été promu au service de la comptabilité. À ses yeux, son emploi n'est réservé ni aux hommes ni aux femmes et elle aimerait y voir des mâles en plus grand nombre. Elle ne pense pas que le fait d'être une femme l'empêche d'aspirer à des postes plus importants mais elle s'aperçoit que plus d'hommes sont favorisés en ce sens, même à parité de compétence. Elle a donc pris le parti de se faire accepter comme femme en trimant plus fort, en étudiant davantage, en manifestant plus d'énergie et d'enthousiasme et en se tenant toujours prête à monter plus haut.

«Je ferai tout en mon pouvoir pour devenir aussi habile et préparée pour décrocher une promotion qu'un homme, dit-elle. Le fait d'être une femme ne devrait pas entrer en ligne de compte. Un homme ne compte pas sur son sexe, alors pourquoi une femme le devrait-elle?»

En d'autres domaines - social, scolaire, familial - Delvern ne s'est jamais senti diminuée parce qu'elle était une femme. «J'aime être femme et je n'en changerais pas pour tout l'or du monde.»

Ces paroles sont probablement la raison majeure de son attrait auprès des clients et partout où elle passe. *J'aime être femme!* Pouvez-vous concevoir plus belle attitude? Elle ne fait pas que s'assumer en tant que femme, un point sur lequel j'ai appuyé plus tôt et que je juge prioritaire, mais elle aime ce qu'elle est, sa propre identité. Elle est fière d'être femme et fière de son travail. Elle refuse d'être cataloguée à cause de son sexe. Bravo!

N'exploitez pas votre sexe

Voilà le conseil donné par Maria Piacentini, une mère de famille qui fait marcher de front une carrière et des obligations familiales. Elle travaille dans l'immobilier depuis une bonne quinzaine d'années, comme agent indépendant, s'il vous plaît.

Maria s'occupe de vente et d'achat de résidences et de sites commerciaux auprès du grand public. Cependant, elle avoue que les transactions commerciales - vastes terrains, vastes édifices, immeubles et magasins - sont plutôt traitées par des hommes.

Elle travaille avec un entrepreneur propriétaire de maisons et préfère se cantonner dans la préparation des ventes. Dans son bureau, les deux tiers des employés sont des femmes tandis que le chef de service est un homme. On n'a fait aucune objection à l'embauche des femmes dans ce domaine particulier, mais là où elle a senti de la réticence, c'est surtout lorsqu'il s'est agi de sites commerciaux. Pourtant, elle est persuadée que les femmes peuvent se faire accepter facilement et réussir dans ce domaine si elles le désirent; elles peuvent continuer à fonctionner sur un principe de parité avec les hommes sans pour cela entrer en concurrence avec eux. À long terme, la compétence, la connaissance des affaires et l'expérience sont les meilleurs atouts, non le sexe, et ce domaine s'ouvre de plus en plus aux femmes.

Même si son chef de service est un homme, rien n'empêchera Maria Piacentini de devenir un jour chef de service, encore moins le fait d'être une femme car dans le passé deux femmes ont déjà occupé le poste. Maria ne recherche pas un poste administratif, cependant; elle vise plutôt à établir une sorte d'équilibre entre sa vie familiale et sa carrière. Elle veut se faire accepter comme femme d'affaires aussi bien que comme mère de famille. À son sens, voilà deux mondes bien séparés. Elle aime cuisiner, coudre et s'occuper de la maison.

C'est une femme qui n'accepte pas que l'on fourre son nez dans sa vie privée. Cependant, elle n'hésite pas à parler de sa vie active de femme d'affaires.

«Je consacre à peu près le même temps au bureau et sur le terrain. J'aime rencontrer les gens.» Le fait de travailler à l'intérieur et à l'extérieur exige de Maria Piacentini qu'elle possède deux garde-robes: l'une acceptable au bureau et l'autre de mise à l'extérieur. Dans ce dernier cas, elle s'est procuré de bonnes bottes car elle se retrouve parfois dans la boue jusqu'aux chevilles lorsqu'elle fait visiter un site non encore défriché. Elle dit: «Il est important de toujours se vêtir de manière professionnelle. Je désire paraître attrayante mais je ne crois pas qu'il soit sage ni même nécessaire de manifester ma féminité naturelle en portant volants et dentelles.»

Voilà probablement la raison pour laquelle madame Piacentini a réussi à se faire accepter avec tellement de bonheur dans le monde des affaires. Elle n'a pas jeté à la face de quiconque son souci de paraître féminine et n'a pas exploiter son sexe pour parvenir à ses fins. Elle est persuadée qu'un homme ne peut être meilleur vendeur simplement *parce qu'il est un homme* pas plus qu'une femme simplement *parce qu'elle est une femme.*

Maria se hâte de faire remarquer que le fait d'être femme peut lui apporter quelques dividendes dans la façon dont elle travaille. Par exemple, en faisant visiter une propriété à un homme accompagné de sa femme, elle concentrera ses efforts davantage sur cette dernière, parlant de femme à femme, sachant qu'une femme est beaucoup plus intéressée par l'espace réservé à la cuisine, à la salle de bains, et se représente comment elle pourra disposer ses meubles, tandis que l'homme sera beaucoup plus attiré par le sous-sol avec salle de séjour, bar, foyer, garage.

Même si elle a constaté dans le passé que la plupart des clientes étaient des maîtresses de maison, elle a également observé que les femmes en général se sentent davantage libres de sortir de la maison pour se consacrer à quelque occupation dans le domaine des affaires, sans égard pour leur sexe; elles se préparent comme femmes à affronter le marché du travail tout comme les hommes. Maria Piacentini est convaincue que les femmes sont prêtes à prendre leur place à côté des hommes sur une base paritaire.

Dix règles à suivre pour se faire accepter comme femme

Sans égard pour votre genre de travail (fille de table, commis, sténographe, secrétaire) ou votre métier (il existe maintenant des femmes en électricité, plomberie et montage qui sont excellentes et grassement payées) ou votre profession (enseignante, infirmière, avocate, médecin, diététicienne), peu importe votre place dans le monde des affaires, académique ou autre, ces dix règles sûres vous aideront à vous faire accepter merveilleusement bien. Toutes les femmes à qui je me suis adressé ont contribué à l'établissement de ces règles qui fonctionnent pour elles et feront de même pour vous.

1. *Se tenir debout.* On arrive plus sûrement et plus rapidement au sommet debout que couché.

2. *S'habiller en rapport avec son emploi.* À moins de devoir porter un uniforme, on doit manifester du goût et du discernement dans ses vêtements. La simplicité et une tenue soignée sont toujours de mise.

3. *Un maquillage discret.*

4. *Porter ses bijoux après dix-sept heures,* sauf si son emploi exige un certain éclat avant dix-sept heures.

5. *Séparer sa vie privée de son travail.*

6. *Ne pas être aguicheuse.* La femme qui flirte ne va jamais bien loin dans son ascension.

7. *Attention au langage.* Ne pas raconter d'histoires grivoises. Les hommes n'acceptent pas facilement cette attitude mais ils s'inclinent devant l'expérience et le savoir-faire.

8. *Fuir les clans de bureau,* d'usine, de boutique, d'école. Le seul endroit où il est permis de jouer à la politicienne, c'est dans la politique elle-même.

9. *Attention aux consommations d'affaires* ou aux lunchs à trois martinis. Ce que les hommes acceptent volontiers entre eux ne sied pas toujours lorsqu'il s'agit de femmes.

10. *Se souvenir de viser haut* en tant que femme et non parce que l'on est une femme. La femme n'est pas d'une espèce spéciale en raison de son sexe; elle l'est parce qu'elle est un être humain.

Maîtrise de soi

Évidemment, afin d'observer avantageusement ces dix règles de conduite vers le succès, il faut une bonne dose de discipline personnelle. Je vous concède qu'il faut mettre beaucoup d'eau dans son vin comme en tout autre chose, qu'un peu de chance peut également vous aider. Ces principes font l'objet d'un ouvrage de Dorothy Tennov intitulé: *Super-Self: A Woman's Guide to Self-Management* (sur-moi: un guide de la maîtrise de soi pour la femme). Le docteur Tennov est professeur de psychologie à l'Université de Bridgeport au Connecticut et son livre un des meilleurs guides, étape par étape, pour les femmes qui cherchent la réussite dans tous les domaines, y compris l'administration de leur foyer.

Je dis que suivre les règles indiquées plus haut demande beaucoup de discipline personnelle; le docteur Tennov appelle cela se maîtriser soi-même. Son interprétation de la maîtrise de soi est des plus simples et des plus faciles à saisir. Elle dit: «Un livre de français apprendra le français, un livre de mathématique, les mathématiques; la maîtrise de soi vous pousse à étudier, à vous observer. Un livre sur la diététique vous indiquera des façons de perdre du poids, la maîtrise de soi vous y fera tenir.» Si vous suivez le conseil du docteur Tennov, vous pourrez faire vôtres les dix règles que je viens de vous indiquer. Faites-le et vous constaterez bientôt des résultats inespérés, je vous le garantis.

À long terme, le fait de vous faire accepter comme femme signifie vous faire accepter comme une personne, la meilleure, la plus grande de toutes.

Actes à poser MAINTENANT!

- Prendre la résolution dès maintenant de ne pas assumer un rôle imposé par les hommes.

- Être la femme que l'on désire simplement parce qu'on le veut.

- Être la femme que l'on veut être et y tenir. Se fixer des objectifs valables.

- Noter sur une petite carte: «*Je me fais moi-même.*» et la porter sur soi ou dans son sac à main. La relire tous les jours pour rebâtir sa confiance en soi.

- Se répéter trois fois tous les jours au réveil: «*J'aime être une femme!*» Sourire et se montrer heureuse de ce que l'on est.

- Ne pas compter ni miser sur son sexe. Au lieu de cela, travailler fort, étudier sérieusement et se tenir prête à monter plus haut.

- Commencer dès maintenant à observer les dix règles qui aideront à se faire accepter comme femme. Les suivre attentivement et les bons résultats ne se feront pas attendre.

14

Se faire accepter comme jeune personne

C et ouvrage s'adresse à tous les gens, peu importe leur âge; j'ai cependant réservé ce chapitre à l'intention particulière des jeunes.

Qu'entend-on par jeunes? À mon sens, il s'agit de l'ensemble qui englobe les étudiants d'écoles secondaires et d'universités de même que les nouveaux venus sur le marché du travail.

Il existe encore beaucoup de jeunes qui croient fermement qu'une personne ayant dépassé la trentaine est déjà sur son déclin. Ils apprennent très rapidement que tel n'est pas le cas. Pourtant, je vais me concentrer pour le moment sur le groupe des moins de trente ans, hommes ou femmes, mariés ou célibataires.

Il semble bien souvent que les jeunes de cet âge rencontrent beaucoup plus d'obstacles à se faire accepter parce qu'ils sentent que les gens plus âgés...

1. ne les écoutent pas;
2. ne les prennent pas au sérieux;
3. croient qu'ils sont trop idéalistes;
4. les pensent trop radicaux dans leurs opinions;
5. les classent tous parmi les drogués;
6. se persuadent qu'ils n'ont pas suffisamment d'expérience.

Il faut dire à la décharge des aînés qu'un grand nombre d'entre eux se font une idée des jeunes aussi erronée (ils semblent avoir déjà oublié qu'ils sont passés par là eux aussi) que les jeunes à l'égard des gens plus âgés. Les jeunes, tout comme les autres classes de gens, ont un problème de réputation. Il faut une formidable dose de confiance en soi pour présenter au monde le véritable caractère de la jeunesse. Quel est-il? Voici:

1. Les jeunes sont animés de beaucoup d'ambition couplée d'énergie et d'enthousiasme.

2. Ils veulent se tailler une place au soleil.

3. Ils sont remplis de nouvelles idées, de nouveaux rêves, de nouvelles espérances, de nouveaux trucs.

4. Ils tentent constamment de refaire le monde et il n'y a rien de mal à ça.

Le fait de se faire accepter comme jeune offre des chances uniques.

L'étudiant doit se faire accepter de son professeur. Le degré de succès dans cette entreprise se reflétera dans ses notes et probablement dans ses actions futures.

L'athlète doit constamment se faire accepter de son entraîneur, de ses co-équipiers, de ses admirateurs.

Le fils ou la fille tâche continuellement de se faire accepter de ses parents ou de ses beaux-parents.

Le jeune membre des forces armées doit se faire accepter de ses compagnons d'armes et de ses supérieurs.

La jeune épouse et le jeune époux travaillent sans relâche à se faire accepter l'un de l'autre. On aime à répéter que si l'un d'eux cesse de se vendre, c'est le signe que la lune de miel vient de se terminer.

Probablement le défi le plus formidable en ce sens réside pour un jeune dans le fait de se faire accepter sur le marché du travail. Vous savez à quoi je fais allusion. Soudain, durant cette première entrevue où chacun prend la mesure de l'autre, postulant versus embaucheur, vous découvrez que l'art de se faire accepter entre en jeu. L'inconvénient, c'est que vous et la plupart des jeunes ne savez pas comment procéder.

Les jeunes qui sortent des écoles secondaires ou des universités n'ont pour toute expérience peut-être que des emplois à temps partiel ou d'été, livraison de journaux, emballeurs dans les super-marchés, service aux pompes d'une station-service ou lavage de voitures, garde d'enfants, maître nageur dans une piscine ou moniteur dans un camp de jeunesse, pour n'en nommer que quelques-uns. La liste des moyens employés pour se faire un peu d'argent pourrait s'allonger indéfiniment.

Des emplois, oui, mais pas d'expérience dans un domaine particulier. Donc, ce que vous devez faire valoir, c'est probablement votre disposition à apprendre et le désir d'obtenir une chance de démontrer votre savoir-faire.

Un bon nombre de jeunes ont découvert des moyens de franchir cette première étape et de percer dans le monde du travail. D'autres, par contre, ont annulé les chances de profiter de leurs erreurs. Je vais les laisser parler à ma place. Vous verrez que leurs réflexions vont toutes dans le sens de huit règles sûres dans le processus d'acceptation par les autres.

Huit règles applicables aux jeunes

1. Se réjouir d'être jeune.
2. Se fixer des objectifs élevés.
3. Se révéler un véritable tourbillon de jeunesse.

4. Contourner son manque d'expérience.
5. Dissimuler ses impressions.
6. Faire attention à ses propros.
7. Conserver les yeux bien ouverts.
8. Être persévérant.

Revoyons ces principes un à un.

1. *Se réjouir d'être jeune.* Premièrement, arrêtez de penser que vous ne pourrez aller loin parce que vous êtes jeune, que les plus âgés vous considèrent à l'égal de personnes sans cervelle. Moi, je vous dis: vous possédez une chose que tous vous envient, la jeunesse. Les hommes d'affaires savent très bien qu'il leur faut embaucher des jeunes à qui ils apprendront les rouages d'une entreprise en attendant qu'ils prennent la relève.

On a besoin de vous, croyez-moi. Le fait d'être jeune n'est pas un obstacle, donc il ne s'agit pas de l'enlever de son chemin mais de composer avec lui. Le temps se chargera bien assez vite de vous débarrasser de vos illusions. Votre jeunesse est une marchandise à écouler. Lancez-vous et faites la preuve de votre bonheur d'être jeune en démontrant que vous pouvez vous entendre avec des personnes de tout âge: enfants, autres jeunes gens, personnes de quarante ans et vieillards. Votre jeunesse et votre énergie vous gagneront les coeurs. Les très jeunes vous prendront comme modèles et les plus vieux se sentiront tout ragaillardis par votre dynamisme.

Une personne est ordinairement embauchée pour travailler avec d'autres et non individuellement; donc, il est très important de savoir comment s'entendre avec ses collègues. Soyez heureux d'être encore assez jeunes pour avoir l'esprit ouvert, pour pouvoir aimer les autres, apprendre quelque chose à leur contact et les écouter.

Accepter sa jeunesse et en être fier est une des meilleures manières de passer la rampe. Je connais une petite Jeannette dans ma rue qui vend plus de petits gâteaux que toutes ses compagnes de sa ronde. On ne lui permet pas, naturellement, de faire du porte à porte toute seule car elle est encore trop jeune. Sa soeur de dix-sept ans l'accompagne. Je peux résumer son boniment à ceci: «J'ai onze ans et je vends des petits gâteaux. Mon père pense que je suis trop jeune pour faire cela mais moi je suis fière d'être jeune. Si j'étais plus grande, je devrais faire comme ma soeur et me contenter d'en accompagner une autre pour la protéger. C'est idiot.»

Ce petit discours sans fleurs de réthorique lui procure des ventes fabuleuses. Ne me demandez pas d'expliquer.

Soyez donc heureux d'être jeune.

2. *Se fixer des objectifs élevés.* Nombreux sont les jeunes qui, au cours de leurs études, s'occupent de toutes sortes d'activités: athlètes, majorettes, gardiens ou gardiennes d'enfants, afin de se faire un peu d'argent de poche. Parfois, ces occupations nuisent à leurs études et contribuent à leur faire obtenir des notes inférieures à leur talent. Si cela vous est arrivé, ne vous contentez pas de laisser porter. Relever vos notes sans devoir sacrifier les activités importantes qui suivent les cours. Vous prouverez ainsi que vous pouvez vous fixer des objectifs élevés et occuper la première place en tout ce que vous entreprenez. Ne vous leurrez pas. Les employeurs futurs feront état de vos notes et vous jugeront d'après elles.

Ann Crowe, jeune étudiante de l'Université Michigan State, s'assure d'excellentes notes en bûchant d'arrache-pied tout en travaillant dans la cuisine de la résidence de sa fraternité en qualité d'ordonnatrice des repas et de préposée aux commandes d'aliments. Tout en s'efforçant d'obtenir son diplôme, elle fait également partie de différents comités, une douzaine en fait. La semaine où je fis sa connaissance, elle allait se présenter à une entrevue auprès d'une corporation de premier plan. Un véritable tourbillon sur le campus, elle se fait littéralement accepter tous les jours.

Ann s'est fixé des objectifs élevés. D'après Tom Easthope, vice-président des services aux étudiants de cette université (une autre de nos excellentes maisons de haut savoir) et comme l'a rapporté Susan Forrest dans le Detroit *Free Press,* les gens importants sur le campus se retrouvent dans toutes les classes... des gens extrêmement sociables. Des enquêtes ont prouvé que ces personnes deviennent de véritables réussites plus tard dans le monde des affaires.

Mademoiselle Forrest sait très bien de quoi elle parle.

Se fixer des objectifs élevés, trimer dur afin de les atteindre, conserver des bonnes notes, se faire accepter de différentes façons par les autres contribuent au succès futur et, comme je l'ai constaté, à la réussite dans le mariage et les relations familiales.

3. *Se révéler un véritable tourbillon de jeunesse.* Lowell Thomas m'a appelé un tourbillon humain. À mon âge, c'est tout un compliment. Seulement, n'attendez pas de l'atteindre avant de vous mettre à la tâche. Commencez dès maintenant!

Un des meilleurs exemples de tourbillon de jeunesse dont j'ai entendu vanter les talents est celui de Steve Spivey, jeune homme d'une vingtaine d'années, finissant en classe de sciences vétérinaires à l'Université Michigan State. Un aperçu des activités de Steve vous laisserait à bout de souffle. Jetez les yeux sur le programme de ce jeune tourbillon tel que rapporté encore par Susan Forrest dans le Detroit *Free Press.*

«Les conceptions de la vie, les ambitions de Steve sont affichées sur les murs du petit bureau qu'il occupe en sa qualité de conseiller adjoint auprès des étudiants, poste qui lui rapporte 500$ par mois.

«On y remarque une affiche représentant Olivia Newton-John, un collant qui dit: *Vas-y State!,* une illustration d'une vache Aberdeen avec son veau et portant le slogan: *Les hommes, comme les voitures de course, sont à leur meilleur seulement lorsqu'ils donnent tout ce qu'ils ont!*

«Spivey, en effet, fonctionne presque à l'exemple d'une machine: 20 heures par semaine consacrées à un comité pour l'élection d'un président... tous les après-midi à son travail de conseiller... du temps réservé à la bonne marche du comité académique, du conseil des finissants, du conseil étudiant.

«Plus tard, durant le mois, il acceptera la livraison de 75 taureaux qu'il devra nourrir et abattre ensuite pour faire des expériences durant neuf mois en vue d'une maîtrise portant sur l'engraissement du bétail.

«Un ami lui a reproché dernièrement son manque d'introspection et il admit le fait tout simplement. Il lui faut faire des affaires, dit-il, et c'est bien le genre.

«Il y a des jours où je dois me défiler en raison de mon programme trop chargé si je ne veux pas me retrouver en dépression. Il m'est arrivé de refuser de faire partie de certains comités faute de temps.»

C'est assez curieux mais j'ai remarqué que les tourbillons humains avaient beaucoup plus de facilité à se faire accepter des autres que plusieurs de leurs semblables. Étant donné le monopole de l'énergie que possède la jeunesse, les *jeunes* tourbillons devraient réussir encore mieux. Commencez à en être un dès aujourd'hui. Comment? Tracez-vous un programme et tenez-vous-y. Levez-vous une demi-heure plus tôt le matin et couchez-vous une demi-heure plus tard le soir. Ne permettez pas de temps morts dans votre vie. Il est possible d'étudier même dans la salle de bains. Je connais un jeune qui porte ses livres partout où il va: en autobus, dans le train, l'avion, le métro. Il m'a dit: «C'est la seule façon que j'aie trouvée de pouvoir lire tous les livres que je me proposais et pour lesquels je ne disposais pas d'assez de temps. Il m'arrive parfois de rater le métro ou l'autobus; j'en suis quitte pour marcher sur une assez longue distance. Et puis après? Mon esprit se nettoie et mes jambes se délient. Rentrer à pied est excellent pour la santé.»

Suivez l'exemple de Steve Spivey et d'autres tout aussi dynamiques et devenez à votre tour un véritable tourbillon de jeunesse.

4. *Contourner son manque d'expérience.* Une question que les jeunes me posent sans cesse:

«Comment puis-je me dénicher un emploi sans expérience et sans recommandation?»

Manifestement, vous devez contourner ce manque par autre chose. Soyons honnêtes. Nous connaissons tous l'expression: «Ce n'est pas ce que vous savez mais bien qui vous connaissez qui compte.» Parfois, c'est la seule avenue ouverte à un jeune sans expérience et en quête d'un emploi. Personne ne devrait avoir honte de se servir de ses connaissances dans le milieu où on ambitionne de travailler.

Un directeur de personnel, qui a affaire aux jeunes et aux conseillers d'écoles secondaires et d'universités sur une base régulière, n'y va pas par quatre chemins. «Il est avantageux de connaître quelqu'un d'influent, m'a-t-il dit. Une des meilleures manières pour un jeune d'obtenir un poste consiste à connaître un parent ou un employé de la firme où il postule un emploi.

«Même si cette affirmation rejoint un vieux dicton à l'effet que la meilleure façon d'obtenir de l'avancement est encore d'épouser la fille du patron, il y a certainement là un brin de vérité. Bon nombre de vieux employés au rendement précieux iront trouver leurs chefs pour leur proposer d'interviewer leur fils ou leur fille, leur neveu ou leur nièce. Les chefs de bureau et autres sont ordinairement ravis d'une telle chance car ils savent que leurs employés ne se porteront pas garants de nullités.»

Alors, pour contourner votre manque d'expérience, n'hésitez pas à vous prévaloir de ce moyen si vous le pouvez. Il y a quelque temps, un important détaillant de meubles du Détroit métropolitain affichait le slogan suivant: «Vous avez maintenant un oncle dans le domaine du meuble», entendant par là que vous aviez un ami dans ce magasin, un ami sur lequel vous pouviez compter.

Le même phénomène peut s'appliquer dans votre cas lorsque vous êtes à la recherche d'un emploi. Laissez-moi vous parler de Linda. Elle n'a pas encore vingt-cinq ans et elle fait du porte à porte pour la vente de produits de beauté depuis six ans... avec un franc succès. Au début, lorsque fraîchement sortie de l'école secondaire et se cherchant un emploi, les affaires se présentaient mal. Ses seuls atouts consistaient en une personnalité attachante et deux ans en qualité de capitaine de l'équipe des meneuses de claques de son institution. Elle entendit parler d'un nouveau district dans la vente des produits de beauté et du besoin d'une vendeuse à cet endroit. Malheureusement, elle vit qu'elle n'était pas la seule à postuler l'emploi... il y en avait bien trente autres dans le même bateau qu'elle. Seulement, Linda avait une tante qui travaillait pour cette firme et dans le même domaine. Elle lui demanda de lui donner un petit coup de pouce. Cette dernière parla au patron et on donna à Linda une chance de se faire valoir. Elle fut soumise à un court stage de formation et lancée sur le sentier de la guerre. Et je peux vous assurer qu'elle guerroya à coeur content.

Linda me confia plus tard: «Après quelques semaines, je me servis également du même truc pour faire avancer mes ventes. Comme il avait contribué à me faire décrocher le poste, je décidai qu'il pourrait être utile dans la vente également. Je prenais place dans le salon d'une cliente en perspective et disais franchement: *Je ne suis pas très bonne ménagère mais madame Bouchard, une de vos voisines, a acheté cette lotion et me dit qu'elle est excellente. Vous la connaissez, n'est-ce pas? Pourquoi ne pas vérifier auprès d'elle?*»

Linda se servait de madame Bouchard, qu'elle connaissait, pour faire la vente à sa place. Elle réussit à merveille de cette manière.

Vous allez m'objecter que vous n'avez pas de parent ou d'ami qui puisse vous aider, que vous ne possédez pas d'influence dans la place, que vous aimeriez des suggestions?

Allons-y alors! Voici ce que m'a dit une autre jeune femme, Ruth, qui a récemment décroché un emploi de préposée à une machine de perforation de cartes de données dans les bureaux d'une grande entreprise de camionnage dont le siège social est situé en Ohio:

«Je n'ai pas attendu le dernier jour de ma dernière année de classe. J'ai fait mes approches dès le premier mois de cette dernière année. J'avais choisi la maison pour laquelle je désirais travailler et j'ai fait parvenir une demande d'emploi, une simple lettre. Comme je ne connaissais personne dans la place, j'ai adressé ma lettre au chef du personnel. Cette personne était une femme et elle me retourna une formule de demande d'emploi qu'elle me demanda de compléter et de renvoyer par le retour du courrier.

«Pendant l'année, à quatre ou cinq reprises, je la contactai par téléphone pour lui dire que mon jour de graduation approchait et lui faire savoir que je me préparais activement pour le boulot postulé. Je m'arrangeais, voyez-vous, pour que l'on ne m'oublie pas. Ce qui se produisit vraiment, c'est que la dame et moi sommes devenues graduellement amies durant tout ce temps. Je la forçais à penser constamment à moi durant cette dernière année de mes études. Lorsque mes classes furent terminées, j'étais prête à assumer l'emploi convoité, je n'étais plus une étrangère. On me dit alors de venir.»

Ruth prouve que se faire accepter ne date pas du moment où l'on se présente pour postuler un emploi; cela peut commencer un an auparavant. Se faire accepter est souvent la seule alternative au manque d'expérience. Agissez de même auprès de plusieurs chefs de personnel et vous les entendrez bientôt vous recommander ailleurs s'ils ne peuvent vous embaucher eux-mêmes.

5. *Dissimuler ses impressions.* Apprenez à camoufler vos impressions, à moins qu'il ne s'agisse d'expressions d'enthousiasme et de confiance. Un jeune homme me raconta un jour comment il avait laisser passer la chance de décrocher le poste de directeur du tirage auprès d'une succursale d'un quotidien.

Roger avoua: «J'ai fait mon propre malheur car j'ai perdu mon calme. Je suis un colosse de 1,80 mètre et je pèse 125 kilos. L'homme que je rencontrai pour le poste est court et semblait mal à l'aise de sa petite taille. Il ne cessait de déprécier les gens de ma prestance. Je sentais la moutarde me monter au nez et je commençai à le détester royalement. Il avait réussi à me mettre en rogne et cela parut sur mon visage, je suppose, car je n'ai pas obtenu le poste. Je suis persuadé que j'ai été rejeté non pas parce que je suis grand et fort, mais seulement parce que je n'ai pas réussi à conserver mon calme devant ses attaques. Je crois qu'il lisait sur mes traits comme dans un livre ouvert.»

Souvenez-vous que vous cherchez un emploi: c'est tout ce qui doit compter. Il est possible que vous n'aimiez pas la coiffure de votre intervieweur, ses vêtements, sa façon de se comporter et ses farces plates. Passez par-dessus. Ne manifestez aucun agacement ou vous allez certainement vous casser la figure.

6. *Faire attention à ses propos.* Je ne parle pas ici de jurons. Je veux tout simplement suggérer que vous devez vous retrouver, tous les deux, sur la même longueur d'ondes durant l'entrevue. Vous en connaissez déjà l'importance après la lecture d'un chapitre antérieur sur l'art de parler le langage des autres.

Un jeune homme, Laurent, a manqué le bateau parce qu'il parlait avec une personne plus âgée qui ne saisissait pas son jargon de rue. Il me disait: «J'ai vraiment raté ma chance. Je tentais d'obtenir un poste de commis dans une compagnie de bois. Le monsieur plus âgé me demanda comment j'étais au courant qu'il y avait un poste vacant chez eux et je répondis: «C'est un pote qui me l'a dit.»

«Pote. Qu'est-ce que c'est que cela?» fit-il d'un air soupçonneux.

«Un de mes amis, répondis-je alors. Pourtant, je n'avais pas de raison d'employer un tel mot devant un monsieur plus âgé que moi qui ne connaissait pas le langage que nous employons entre nous les jeunes d'une autre génération. Il me classa alors dans une catégorie à ma façon de m'exprimer; cette catégorie était celle de ceux à qui il n'aurait pas voulu faire confiance lorsqu'il s'agissait de ses deniers. Il ne m'a même pas permis de remplir une formule de demande d'emploi.»

Dans notre langage oral si coloré parfois, *pote* ne signifie pas toujours un ami, *chien* ne veut pas toujours dire un animal à quatre pattes, *gai* ne traduit pas nécessairement le bonheur et *frais* n'indique pas nécessairement la belle température. Donc, lorsque vous vous présentez à une entrevue, assurez-vous que vous parlez tous deux le même langage.

7. *Conserver les yeux bien ouverts.* Lorsque vous partez à la recherche d'un emploi, soyez constamment sur le qui-vive. La plupart des gens aiment afficher dans leur bureau des choses qui leur plaisent ou représentent des souvenirs heureux: illustrations, photos, fleurs, trophées. La photographie d'une famille sur le bureau ou le mur vous dira que cet homme est père de famille. Des coupes et des trophées signifieront que la personne est fervente de sports et probablement très compétitive. Des miniatures de bateaux, d'avions ou d'automobiles parleront de ses passe-temps favoris. Les fleurs et les plantes

peuvent vous révéler beaucoup sur la personnalité de l'interviewer à condition que vous gardiez les yeux bien ouverts.

Un jeune homme que je connais remarqua que la personne chargée de l'entrevue avait disposé un peu partout des illustrations d'équipes de la Petite Ligue de baseball et qu'une étagère supportait différents trophées.

«Une fois assis, mon intervieweur me demanda ce qui m'intéressait dans la vie. Je fis alors en sorte que mes intérêts rejoignent les siens. Je lui dis que j'avais remarqué les trophées, que j'avais été arbitre quelquefois pour la Petite Ligue à la demande de mon petit frère. Tout de suite, son visage s'épanouit. L'entrevue partait du bon pied. Lorsque nous en arrivâmes à discuter du poste lui-même (un poste de vendeur de livres), je lui dis qu'il me tardait de marcher vers le cercle des frappeurs pour passer ensuite au marbre. Il me répondit du tac au tac en me proposant un emploi au champ, ce qui signifiait que je serais envoyé en dehors de la ville. Je n'y voyais aucun inconvénient. J'obtins le poste. J'avais gagné la partie dès l'instant où je m'étais lancé dans son champ d'action préféré, le baseball.»

Donc, gardez les yeux bien ouverts. Vous pourriez déceler des indices précieux sur les passe-temps favoris ou les manies de l'intervieweur.

8. *Être persévérant.* Dernièrement, un jeune homme d'une vingtaine d'années me raconta comment il avait obtenu un emploi auprès d'une compagnie qui opère dans le domaine du métal en feuilles, fabriquant des conduits de chaleur, des unités de transfert de la chaleur, des conduits de retour d'air froid et autres pièces métalliques faites sur mesure pour les nouvelles maisons ou constructions commerciales. Il s'agit du neveu d'un type avec qui j'avais déjà travaillé dans la construction.

Roy venait de terminer ses études secondaires et l'université ne l'attirait pas. Il aimait travailler de ses mains. Il avait appris dans les ateliers de son école à développer ses habiletés manuelles.

Il s'adressa au chef du personnel de la compagnie et essuya une fin de non recevoir: aucun poste vacant. Roy était prêt à essayer n'importe quoi: expédition, chauffer un camion, n'importe quoi qui lui permette, comme on dit, de mettre le pied dans la porte. On lui répéta qu'il n'y avait rien pour lui et que, de plus, la demande de produits métalliques était à la baisse.

Roy s'informa alors s'il pouvait au moins remplir une formule de demande d'emploi et on le lui permit. Il s'y adonna sérieusement et y attacha une lettre de recommandation de la part de son professeur de métiers. À huit heures le lundi matin, il rapporta sa formule, déposa le tout et sollicita une entrevue. Le chef du personnel lui répéta qu'il n'y avait pas de poste pour lui. Et puis, ajouta-t-il, on n'embauche que des gens qui ont de l'expérience.

Toujours la même vieille rengaine! On voulait quelqu'un avec de l'expérience mais comment un jeune peut-il acquérir de l'expérience s'il n'a pas la chance de travailler?

N'ayant pas été recommandé, Roy se rendait compte qu'il lui fallait se faire accepter pour ce qu'il était: enthousiaste, dynamique, déterminé à travailler et à apprendre, en plus de promettre d'être un employé fiable et loyal.

Il remercia poliment le chef du personnel de lui avoir consacré tant de temps, repartit avec son petit bonheur et commença à faire travailler sa matière grise. Une semaine plus tard, il se présenta de nouveau à huit heures précises au bureau du chef du personnel.

«Je sais que vous êtes bien occupé et je serai bref. Je passais et j'ai pensé venir voir s'il y a du nouveau.»

«Désolé, mais je n'ai rien pour vous!»

La semaine suivante, il revint ponctuellement à la même heure et reçut une fois de plus la même réponse.

Roy persévéra durant six semaines, même jour, même heure. La standardiste le connaissait bien maintenant au point de l'appeler par son prénom. Le gardien à la barrière secouait la tête en le voyant arriver: le pauvre jeune homme ne savait pas que c'était peine perdue. Le chef du personnel riait sous cape en disant qu'il pouvait régler sa montre sur l'apparition de Roy tous les lundis matin à huit heures précises. Il commença à parler de son jeune ami dans les différents services. Tout le monde épiait son arrivée tous les lundis.

Roy pensa bientôt que la meilleure façon d'attirer l'attention était de briser l'habitude qu'il venait de donner à toute l'entreprise. Faire de l'inattendu. Donc, le lundi de la septième semaine, quelques minutes avant qu'il n'apparaisse, le chef du personnel appela plusieurs chefs de services et leur dit de synchroniser leurs montres: Roy allait bientôt se poindre. «On peut dire que le jeune sait ce qu'il veut», de dire un chef machiniste, comme me l'a répété plus tard Roy.

Huit heures! Et Roy qui n'est pas là! Le chef du personnel en fut tellement bouleversé qu'il avala plus de café que d'habitude. Il ne s'attendait pas à cela. À neuf heures, le téléphone sonna: c'était Roy.

«Je suis désolé, monsieur, mais en route chez vous, j'ai eu une crevaison. J'ai dû changer un pneu et j'arrive dans quelques instants.» Il raccrocha avant que le chef du personnel n'ait pu prononcer un mot.

Roy se présenta comme il l'avait promis. Le chef du service des machines était radieux. Le chef du personnel lui offrit une tasse de café... et un poste. Cela se passait il y a deux ans et Roy est devenu l'un des employés les plus précieux de la maison. Sa persévérance a été récompensée.

Une autre anecdote concerne deux jeunes gens, Lee Skelton que je connais personnellement et Chuck Leslie que je connais de réputation seulement. Elle démontre le succès qui couronne la persévérance dans le processus d'acceptation même s'il faut y mettre quinze ans.

Lee venait d'obtenir son licenciement des forces armées. Avec son copain Chuck, il se mit en quête d'un emploi à l'usine Ford de Dearborne dans le Michigan. Pendant deux semaines, ils se présentèrent tous les matins très tôt, à six heures en fait, afin d'être les premiers dans la ligne d'attente.

«Chaque matin, me dit Lee, le gardien ouvrait la barrière à 8h30 et nous serinait son éternel refrain: *Rien pour aujourd'hui, les gars!* Pourtant, il ne put s'empêcher de nous remarquer tous les deux. Il nous jetait un regard semblant vouloir dire que nous perdions notre temps. La troisième semaine, après qu'il eut lancé son refrain habituel et que les hommes eurent commencé à se disperser, il nous appela, Chuck et moi: *Venez ici, les jeunes! J'ai nettement l'impression que vous voulez réellement obtenir un emploi. Vous venez ici tous les jours, beau temps, mauvais temps, assez tôt pour être aux premières loges.* Nous avons répondu: *En effet, monsieur!* Il reprit: *Bon, voyons ce que nous pouvons faire pour vous deux.* Il est possible qu'il était ennuyé de nous voir toujours là mais je ne le crois pas. Il savait que nous voulions trouver du travail. On nous assigna alors à la soudure. Aujourd'hui, mon copain Leslie, qui avait comme moi battu le pavé à la porte de l'usine Ford, est avocat à Détroit et je suis directeur du personnel.»

C'est vrai! Lee Skelton est depuis huit ans chef du personnel chez Faygo Beverages Inc. Cette compagnie écoule des boissons gazeuses très populaires dans ma région. Vous vous souvenez probablement de Harold Peary, le plus grand virtuose des émissions publicitaires radiophoniques et télévisées qui a chanté les louanges des eaux gazeuses Faygo et en a fait les plus recherchées?

Le siège social de Faygo est situé à Détroit de même que ses usines de confection, d'embouteillage et de distribution. Au moment où je vous parle, la compagnie emploie 560 travailleurs, ce qui représente une augmentation de cent pour cent sur l'année précédente. Afin d'en arriver à de si beaux résultats, Lee dut interviewer plus de 1 500 postulants, des jeunes pour la plupart. Pour plusieurs, c'était un premier emploi. Vous voyez que Lee parle d'abondance lorsqu'il se lance sur le sujet de l'embauche des jeunes.

Entrevues et demandes d'emploi

Lee attire l'attention sur le fait que la majorité des entrevues débutent par une formule de demande d'emploi dûment remplie. Ce document devient un critère de sélection dans le choix des postulants qui seront convoqués pour une entrevue. Ce document est ordinairement remis plusieurs jours ou plusieurs semaines avant l'entrevue.

Examinons la formule elle-même. On vous demande quelle occupation vous désirez de préférence. Soyez clair et précis dans tout ce que vous inscrivez sur cette formule. Souvenez-vous que vous y dessinez votre portrait. C'est elle qui décidera si on vous fera signe ou non. Elle se présente comme la somme de ce que vous êtes et elle donnera probablement le ton à l'entrevue qui suivra.

Plus tard, lorsque cette dernière sera fixée, il faudra vous préparer à parler du genre de travail que vous postulez. Presque toujours, le préposé à l'entrevue aura votre formule devant les yeux. Lorsque vous vous présenterez, tout depuis votre attitude, votre tenue vestimentaire et votre comportement, devrait refléter l'impression que vous donnez de vous-même sur votre formule de demande. Les deux, formule et entrevue, doivent se compléter et démontrer l'intérêt que vous portez à l'emploi que vous tentez de décrocher et votre degré de préparation.

Lee Skelton continue en appuyant sur le fait que d'autres jeunes gens seront interviewés pour le même poste. Il y a des chances qu'une bonne demi-douzaine soient déjà en lice et vous voilà en compétition dès le début. À partir du moment où vous présentez une demande d'emploi, vous devenez un concurrent sérieux pour le poste. Vous êtes encore en compétition même lorsque vous avez «le pied dans la porte», lorsqu'on vous appelle au téléphone, que vous recevez la lettre de convocation à une entrevue. Vous compétitionnez avec d'autres qui ont réussi l'entrevue avec le chef du personnel et doivent ensuite affronter les chefs de services, surintendants, directeurs des ventes, contremaîtres, etc. Vous devez vous faire accepter partout.

«Sachant cela, prêtez une attention méticuleuse à la façon dont vous remplissez votre formule de demande d'emploi qui, vous l'espérez, vous attirera l'emploi désiré ou du moins commencera à faire bouger les choses. Ce que vous inscrivez ou omettez en dit long sur vous. Si vous avez un numéro d'assurance sociale et qu'on vous demande de l'indiquer, vous venez de vous déprécier vous-même si vous oubliez de le faire.

«Évitez de paraître désinvolte, fantasque, ou de dire des choses qui, vous pensez, attireront l'attention sur vous. Vous avez entendu parler de ce jeune homme qui, sous la rubrique SEXE, avait écrit: *De temps en temps*; ou de celui qui avait cru bon de souligner la rubrique ÉTAT CIVIL par les mots *Dans le vent?* Ce genre de plaisanterie peut faire rigoler lorsqu'on les retrouve dans les pages du *Reader's Digest* mais elle ne vous mènera nulle part lors d'une entrevue.»

Lee Skelton de même que différents chefs de personnel à qui j'ai parlé m'affirment qu'il faut être au courant d'un certain nombre de choses sur la manière de remplir une formule de demande d'emploi, de demande d'entrevue ou dans la réponse à une demande de plus amples renseignements vous concernant. Il se peut que certains détails ne doivent pas être révélés et vous avez le droit de refuser car vous êtes protégé en cela par la loi. Les employeurs n'ont pas le droit d'exiger des renseignements sur les sujets suivants:

- Votre sexe
- Votre âge (il sera peut-être nécessaire plus tard pour obtenir une police d'assurance.)
- Votre état civil
- Votre race
- Votre religion
- Votre couleur
- Tout ce qui concerne vos antécédents
- Tous renseignements que vous pensez vous être dommageables

Cette loi existe dans mon état et, je l'espère, dans d'autres. Le gouverneur William Millikin à récemment sanctionné un projet de loi défendant l'utilisation du détecteur de mensonge comme condition d'embauche. Tôt ou tard, les droits de la personne finissent par triompher.

Comment se comporter en entrevue

Beaucoup de jeunes se demandent: «Comment dois-je me comporter lors d'une entrevue? Que dois-je porter? Que dois-je dire?»

Voilà de bonnes questions. Il est facile de comprendre la nervosité qui s'empare des jeunes lors de la première entrevue. Des plus âgés sont même pris de court dans ce cas. Ils ne savent que dire, que faire ou que porter.

Je vais vous faire part des remarques compilées à la suite de causeries avec des chefs de personnel qui avaient consacré des heures à interviewer des jeunes aspirants et à choisir entre eux.

J'en ai fait ce que l'on appelle la douzaine du boulanger.

Treize principes utiles lors d'une entrevue

1. *Détendez-vous et tâchez de paraître à votre aise.* La première fois n'est pas toujours facile, mais si vous êtes nerveux et tendu, il vous sera difficile de vous faire accepter. Oubliez votre trac. Comment? Rappelez-vous que celui qui conduit l'entrevue est déjà passé par là lui-même. Prenez trois profondes respirations avant d'entrer afin de vous aider à vous détendre.

2. *Habillez-vous en rapport avec l'emploi que vous postulez. Jeunes gens,* un travail dans une usine ou une boutique ne demande pas de porter chemise blanche et cravate. Enfilez de préférence une chemise, un pantalon et un veston propres. La cravate s'impose si le but est un poste dans un bureau. *Jeunes filles,* soyez propres. Ailleurs que pour un poste dans un bureau, le pantalon est acceptable. En d'autres cas, portez de préférence une robe simple. Personne ne vous demande de perdre votre féminité.

2. *Tenue soignée.* La loi ne défend pas les longs cheveux et on ne doit pas vous rejeter pour cette raison (mais il vous faudra probablement porter un filet durant vos heures de travail). Pourtant si, en fin de compte, il reste deux concurrents sur la liste, il y a de fortes chances que celui qui porte les cheveux courts, dont les ongles sont bien tenus et les chaussures bien cirées soit élu. Votre tenue trahit ce que vous êtes avant que vous n'ayez ouvert la bouche.

4. *Montrez-vous sous votre meilleur jour.* Il n'est pas nécessaire de nos jours d'être toujours rasé de frais, mais si vous portez la barbe ou la moustache, veillez à ce qu'elles soient bien taillées. Si vous ne portez pas la barbe, rasez-vous car une ombre sur la peau indispose. Les filles, pas trop de maquillage, voulez-vous? Moins vous aurez de rouge sur les lèvres, de fard sur les joues et d'ombre aux paupières, plus vous aurez de chances d'être agréées.

5. *Laissez les bijoux à la maison.* Jeunes filles, n'ayez pas l'air d'une bijouterie ambulante: laissez colliers, bracelets à breloques et longues boucles d'oreilles dans leurs écrins. Jeunes hommes, évitez de porter chaînettes et colliers. Ce faisant, vous pourrez de nouveau refermer votre chemise afin de camoufler votre nombril.

6. *Ne vous assoyez pas avant d'en être prié.* Attendez que l'on vous invite à vous asseoir. Ne prenez jamais un siège sans y être convié. Souvenez-vous que vous n'êtes pas chez vous.

7. *Considérez votre interlocuteur comme un ami,* et l'entrevue comme une visite à un copain. Vous vous sentirez plus à l'aise et, de ce fait, il vous sera plus facile de vous faire accepter.

8. *Mettez l'intervieweur à son aise.* N'essayez pas de l'intimider. Faites tout votre possible pour qu'il soit à son aise autant que vous. Comment? Tenez-vous droit sur votre chaise et manifestez de l'intérêt pour ce qu'il dit. Si vous vous mettez à bâiller, vous venez de vous mettre la corde au cou. Faites de votre sourire l'expression de vos sentiments chaleureux et de votre plaisir de causer avec lui. Évitez les froncements de sourcils et les airs renfrognés: vous êtes sûr alors de perdre la partie.

9. *Soyez attentif et posez les questions pertinentes.* Écoutez beaucoup pour montrer l'intérêt que vous portez à ses paroles. Posez des questions qui prouvent que vous avez assimilé ce qu'il vient de vous dire. Exemple: si l'intervieweur vous dit que les jours ouvrables sont du lundi au samedi et que les heures de travail s'étendent de neuf à cinq, vous serez bien vu de vous informer si on vous demandera de faire des heures supplémentaires.

10. *Soyez un peu exigeant.* Même si c'est votre premier poste, n'allez pas accepter quelque chose qui vous causera du préjudice. Cette règle est assez dure mais tellement importante et la meilleure façon consiste à ouvrir largement les yeux et les oreilles afin de ne pas se faire avoir. Informez-vous des avantages sociaux, des congés de maladie, des conditions de travail et autres aspects du poste. Il est possible que l'endroit ne soit pas le ciel auquel vous vous attendiez, qu'il soit préférable de tourner vos regards vers d'autres lieux. Souvenez-vous que l'intervieweur tente lui aussi de faire accepter ce qu'il a à vous offrir; il vous faudra donc jouer le rôle d'acheteur intéressé aussi bien que celui de vendeur.

11. *Ne fumez pas.* Et ne demandez pas la permission de le faire non plus. Il est possible que l'intervieweur regarde votre paquet de cigarettes comme un assassin en puissance. D'autre part, si ce dernier allume une cigarette et vous invite à faire de même, allez-y si cela vous chante. S'il vous invite à fumer sans le faire lui-même, abstenez-vous.

12. *Jamais au grand jamais de gomme à mâcher.* Il est à prédire que je vais me faire des ennemis des compagnies de gomme à mâcher mais, à mon sens, mâcher de la gomme en société est une des habitudes les plus révoltantes que je connaisse; c'est un véritable suicide que de le faire durant une entrevue.

13. *Sachez quand vous retirer.* Prêtez attention aux signes avant-coureurs de la fin d'une entrevue. Ce n'est pas vous qui devez la clore mais votre interlocuteur. Il poussera un peu sa chaise vers l'arrière, se penchera sur son bureau, se lèvera, sa secrétaire semblera se montrer plus souvent que nécessaire... voilà des signes que l'entrevue est sur le point de se terminer. Remerciez et partez avec l'espoir d'être rappelé.

Persévérez dans la vente de vous-même

Votre travail en vue de vous faire accepter ne s'arrête pas du moment que vous avez décroché l'emploi désiré. Vous êtes habituellement embauché sur une base d'essai. On vous prendra en probation pour un bout de temps durant lequel la compagnie aura la chance de vous observer et de supputer votre valeur. Dans le cas d'un poste à salaire, cette période va de soixante jours à six mois. Lorsqu'il s'agit de rémunération horaire, elle variera entre trente et quatre-vingt-dix jours. Vous voyez bien que vous ne pouvez cesser de vous faire accepter dès le moment où l'on vous embauche! Soyez attentif à votre boulot, ne trempez pas dans des cabales, apprenez le métier, posez les questions nécessaires, donnez de vous-même plus que l'on vous demande et souvenez-vous que vous possédez un superbe atout dans votre jeu, votre jeunesse. À la vérité, la plupart des gens vous envient votre énergie.

L'importance d'être bien préparé

Je vais terminer ce chapitre sur un dernier conseil aux jeunes. Je place au-dessus de tout l'art de savoir écouter qui est de la plus grande importance dans la préparation de votre vie future. Retournez en arrière et relisez le chapitre intitulé: **Apprendre à écouter.** Faites attention à ce que vous entendrez et ouvrez bien les oreilles. Ne rejetez pas une chose parce qu'elle émane d'une personne plus âgée; d'un autre côté, ne vous hâtez pas d'accepter une opinion ou une idée simplement parce qu'elle a été émise par une personne d'un certain âge.

La plupart des gens sont constamment à la recherche d'une oreille complaisante, jeune ou vieille. Plus vous écouterez sans passer de remarques, plus vous vous améliorerez. Mais si vous écoutez sans prévoir les conséquences, vous tournerez à tout vent. Si vous vous donnez la peine de comprendre ce que l'on vous dit, vous vous apercevrez que vos aînés auront beaucoup plus de respect à votre égard que vous ne le supposiez. Vous apprendrez peut-être également que vous n'êtes pas aussi habile que vous le pensiez.

En prêtant l'oreille, vous manifestez de l'intérêt pour l'autre personne, vous lui dites que vous l'appréciez. Faites tout votre possible pour que les gens se sentent bien à votre contact, faites-leur comprendre que vous les estimez. À leur tour, ils aimeront votre compagnie sans se soucier de votre jeune âge. Ceci vous viendra du fait que vous serez porté à écouter et à donner de vous-même au lieu de parler à tort et à travers. Si vous ne pouvez donner de vous-même, vous ne vous sentirez jamais bien dans votre peau.

Respectez les personnes plus âgées. Traitez-les avec déférence. Ne craignez pas d'employer les mots «monsieur» ou «madame». Vous serez surpris de les voir vous ouvrir des portes. Des mots comme «s'il vous plaît» et «merci» sont aussi des aspects vitaux de votre préparation.

Apprenez le plus possible. Les études poussées sont devenues de plus en plus nécessaires en raison de la technique moderne. Vous serez ainsi plus à l'aise pour répondre d'une manière plus intelligente lorsqu'on vous demandera ce que vous faites dans la vie. Les mots flous et sans signification n'ont plus droit de cité aujourd'hui; le monde change.

Se préparer dès aujourd'hui pour demain et se faire accepter aujourd'hui vont de pair.

Actes à poser MAINTENANT

- Si vous commencez votre dernière année d'études secondaires ou universitaires, préparez-vous dès lors pour le travail que vous désirez accomplir plus tard. Écrivez, téléphonez, présentez-vous en personne et demandez que l'on vous prépare une place pour le jour qui suivra votre graduation.
- Si vous connaissez un parent ou un ami qui travaille à l'endroit où vous désirez dénicher de l'emploi, demandez-leur d'user de leur influence pour vous obtenir une entrevue.
- Examinez attentivement différentes formules de demande d'emploi. Voyez ce que l'on y exige. Même si vous ne vous proposez pas de vous en servir maintenant, il est à conseiller de vous familiariser avec les exigences.
- Recopiez les huit règles applicables aux jeunes sur une petite carte que vous porterez sur vous. Si vous êtes étudiant, servez-vous-en comme signet dans vos manuels de classe. Relisez-les souvent.
- Chaque matin au lever, répétez trois fois: «*Je suis heureux d'être jeune!*»
- Si vous vous disposez à vous présenter à une entrevue, revoyez attentivement les treize principes qui précèdent. Ils vous aideront à faire une réussite de l'entrevue.

15

L'art de se faire accepter dans l'âge mûr

V ieillir apporte la sagesse aussi longtemps que l'on sait profiter des leçons de sa jeunesse. (Mais pas dans le sens de la comparaison qui ferait dire: *Dans mon temps...)*»

Sydney Harris

Comme je le disais au chapitre précédent, cet ouvrage s'adresse à tous les gens sans égard à leur âge. Le présent chapitre intéressera plus particulièrement les gens qui ont atteint un bon degré de maturité.

De même que les jeunes, dans le processus de se faire accepter, doivent se débarrasser de l'image de «petits frais» qu'on leur a accolée, de petits «sans vergogne» et irrespectueux, les gens d'âge mûr doivent également faire face à des obstacles dressés par des mots tels que: «dépassé, prêt à mettre au rancart ou Amérique grisonnante».

Des personnes âgées en grand nombre ont prouvé la fausseté de tels épithètes par le genre de vie qu'elles ont mené et leurs réussites indiscutables.

La maturité est un drapeau qu'il faut brandir bien haut et avec fierté. Ce n'est pas une étiquette mais un état d'esprit. Je déteste au plus haut point les étiquettes que l'on attache à certaines gens comme «personnes âgées», «doyens des hommes d'état», «âge d'or» ou ce qui est pis encore, «déclin de la vie, années du soleil couchant». La plupart des personnes âgées trouvent ces expressions encore plus horripilantes que moi.

On me lance: «Arrête-moi ça, Joe!» Je leur réponds: «Avec plaisir!»

Un citoyen est un citoyen jusqu'à sa mort. Il ne devient pas meilleur simplement parce qu'il a atteint soixante-cinq ans ou quelque âge magique.

Un homme d'état est toujours un homme d'état. Il peut très bien être un politicien sans valeur à trente-cinq ans et demeurer aussi miteux même à soixante-cinq ans.

Je ne vais pas limiter la maturité car elle n'a pas d'âge. On retrouve beaucoup de gens sérieux dans la trentaine comme il existe encore des enfants de cinquante-cinq ans. On me dit qu'une réplique s'adressant à un frère de Jésus dans une pièce de théâtre intitulée *Portrait de famille* se lit comme suit: «Jacques, tu as eu quarante ans le jour de ta naissance.»

Cependant, si je me refuse à cataloguer les gens, le gouvernement et les maisons d'affaires le font continuellement. Dans le monde des affaires, il existe des règles sur la retraite obligatoire, tout comme dans le monde de l'enseignement, par exemple, qui exige une démission pour se conformer à la politique interne. Une nouvelle loi fédérale défend la mise à la retraite obligatoire avant d'avoir atteint soixante-dix ans.

La législation sur l'assurance sociale, même si elle est en perpétuelle effervescence, place la limite à soixante-cinq ans tout en permettant une allocation de retraite anticipée à soixante-deux ans. On l'amendera également un de ces jours. Plusieurs syndicats ont négocié une entente contenant une clause qui stipule que l'on ne peut travailler plus de trente ans en un certain endroit: il faut se retirer. Cela donne des retraités qui, ayant débuté à dix-neuf ans, se voient mis au rancart à quarante-neuf. Chacun sera d'accord que l'on ne peut qualifier de vieilles des personnes de cet âge.

En ce qui me concerne, la maturité n'a pas d'âge; elle peut commencer à cinquante ans, j'en suis là présentement, et se prolonger aussi longtemps que le bon Dieu décidera de nous laisser actifs sur terre, alertes et en bonne santé.

Je pense à ma grand-mère, Vita Stabile. Elle a atteint ses quatre-vingt-dix-sept printemps et manifeste l'intention de nous enterrer tous. La connaissant, elle y réussira probablement.

Vous allez dire qu'une personne de cet âge n'a plus rien à offrir? Pas ma grand-mère! Elle continue de se faire accepter de tous ceux qui l'approchent et jouit du respect, de l'admiration et de l'amour de tous.

Vita Stabile... et la patience

Vita Stabile est la mère de ma mère et tout simplement formidable. Elle voit à peine à cause de cataractes aux deux yeux, les images sont floues et il ne lui reste que 10% d'ouïe dans l'oreille droite. Pourtant, elle trouve drôle de se voir ainsi. À son sens, ce ne sont pas des hadicaps. Vous auriez de la difficulté à la suivre tellement elle est encore vive et alerte dans sa démarche. Pour tout dire, voilà une petite femme remplie d'enthousiasme, animée de dispositions aussi ensoleillées que le ciel de sa Sicile natale; elle sourit toujours.

À Noël l'an dernier, je lui ai fait cadeau d'un énorme panier de fruits: oranges, mandarines, un ananas, en lui disant: «Nonna, regarde ce que je t'ai apporté.»

Elle parvint à peine à distinguer les fruits. «Pourquoi as-tu fait cela pour moi?» (Elle m'adressa ce reproche affectueux en sicilien car elle ne connaît que deux mots d'anglais: *bonjour* et *au revoir*.)

«Parce que tu es mon grand bébé», lui dis-je en lui caressant la joue.

«Tu sais bien qu'il ne me reste que trois dents, mais je vais m'organiser.»

Pas de plaintes, pas de récriminations, pas de peine de n'avoir plus que trois dents. Au lieu de cela, elle se fit encore plus chérir en répétant: «Ne t'en fais pas! Avec de la patience, j'arriverai bien à les manger.» Patience! Voilà en un mot le résumé de toute sa vie.

Elle en a fait la devise de toute son existence jusqu'à ses quatre-vingt-dix-sept ans. Elle vit un jour à la fois, oubliant celui d'hier sitôt tombé dans l'éternité et se refusant à penser à celui de demain. Elle ne manifeste aucune hâte d'arriver à demain. Patience! Tous ceux qui l'approchent sont impressionnés par cette philosophie remarquable. Qu'il s'agisse de croquer dans une pomme ou d'attendre ce que la vie lui réserve, grand-mère Stabile se refuse à regarder en arrière. «De cette façon, me dit-elle, je sais toujours où je m'en vais.»

Cette attitude lui a attiré tellement d'amis sincères qu'elle n'en compte plus le nombre et sa patience les a conservés à mesure qu'elle s'achemine vers son centenaire.

Les avantages qui militent en votre faveur

J'ai demandé un jour à un homme de quatre-vingts ans sa recette du bonheur. Il me répondit: «Le temps!» On rapporte que Winston Churchill grogna, un jour que quelqu'un lui demandait comment on se sentait quand on était vieux, qu'il existait certes des inconvénients mais que c'était bien agréable étant donné les avantages.

Vous pouvez me croire quand je vous assure que le temps est votre meilleur allié. Peu importe votre âge, il est toujours là. À cinquante, soixante, soixante-dix, quatre-vingts, le temps est toujours à vos côtés. *Ce ne sont pas tant les jours qui vous restent à vivre que la façon dont vous les emploierez qui importe.* Le pire obstacle que puisse rencontrer une personne d'un certain âge dans l'art de se faire accepter des autres consiste en une attitude négative envers le temps: être obsédé par le peu qui reste. La célèbre chanson: *September Song* (jours d'automne), quoique agréable à entendre, est triste comme un voile de veuve et négative parce qu'elle contient des paroles dans le genre de celles-ci: «On n'a plus le temps d'attendre...»

Allons donc! Le temps est le plus grand ami des personnes mûres. Il est gênant de constater comme notre société américaine semble n'en avoir que pour les jeunes et tend à reléguer les plus âgés dans l'ombre. Les peuples orientaux, eux, éprouvent un souverain respect pour leurs anciens. Dans ces pays, les gens âgés ont le temps pour ami. On les consulte, on les vénère, on les traite avec la plus grande déférence. On peut en dire autant de plusieurs pays européens. Les choses semblent vouloir changer chez nous depuis quelque temps. On entend de plus en plus résonner les voix de nos anciens. Les gens sont appelés à vivre plus longtemps grâce aux soins médicaux plus attentifs qu'on leur prodigue, à des habitudes alimentaires et physiques plus appropriées. Les maisons d'affaires commencent à se rendre compte que les personnes âgées possèdent quelque chose de précieux à leur offrir: *leur expérience.* Et l'expérience ne vient qu'avec le temps.

Peu importe que vous ayez dépassé depuis longtemps le cap de la cinquantaine, le temps demeure votre allié. Pour plusieurs, le temps dont ils peuvent disposer signifie un changement positif. Dans son ouvrage intitulé: *You Can Work Your Own Miracles* (vous pouvez opérer vos propres miracles), Napoléon Hill fait remarquer: «Le temps échange la jeunesse pour la maturité et la sagesse... le temps est encore notre bien le plus précieux car nous ne pouvons être assurés de plus d'une seconde à la fois en aucun jour, en aucun endroit.»

S'il dit la vérité, comme je le pense, alors nous devons continuer à nous faire accepter dans l'âge mûr en faisant valoir toutes nos habiletés, ne jamais nous arrêter (tout comme ma grand-mère), parce que le temps est encore ce que nous possédons de plus précieux.

Jetons un regard sur la façon dont certaines personnes d'âge mûr se sont servies de ce magnifique don du temps dans le passé et comment d'autres le font de nos jours.

Ces gens étaient-ils finis?

Anna May Robertson, «Grandma» Moses, se lança dans la peinture une fois passé le cap des soixante-quinze ans. Elle était l'épouse d'un cultivateur et n'avait jamais pris une leçon de peinture de sa vie; pourtant, ses oeuvres qui représentent des scènes rurales datant de sa jeunesse la propulsèrent vers une renommée dont elle ne pouvait se douter. Partout, les amateurs d'oeuvres d'art s'arrachèrent ses tableaux à des prix exorbitants.

Bernard Baruch, financier et homme d'état, continua à conseiller les présidents jusqu'à plus de quatre-vingts ans. Son bureau de consultation favori était un banc dans un jardin public.

Un de mes compatriotes, Giuseppe Verdi, a continué à composer jusqu'à sa mort survenue à l'âge de quatre-vingt-huit ans, après avoir donné au monde les magnifiques opéras *Rigoletto* et *Aïda*.

George Bernard Shaw, qui disparut à quatre-vingt-quatorze ans, continua d'écrire et de surprendre tout le monde par ses pièces farcies d'humour et d'esprit, de sagesse et de gros bon sens longtemps après avoir franchi le cap des quatre-vingt-dix ans.

Henry Ford vécut jusqu'à quatre-vingt-quatre ans. Il laissa son poste de président de la compagnie Ford Motor à son fils Edsel et le reprit à la mort de ce dernier. Il tint les rênes d'une main ferme même après quatre-vingts ans bien sonnés.

Ma défunte femme June, qui aimait les toilettes de bon goût (elle y tenait même lorsque notre budget était restreint) m'assurait que Coco Chanel, créatrice du fameux parfum Chanel No. 5 vendu dans le monde entier et de la petite robe noire toute simple, celle que toute femme pouvait porter en tout temps et se sentir à l'aise, détenait encore le sceptre de la mode passé soixante-dix ans.

La brillante, longue et parfois controversée carrière du général Douglas McArthur s'étendit sur quatre-vingt-quatre années. Le pays se souvient du général pour plusieurs choses, en partant de son talent de commandant durant la guerre jusqu'à son service militaire en temps de paix. Mais il restera célèbre pour ses paroles prononcées devant le Congrès en 1951 lors de son discours d'adieu et dans lequel il disait: «*Les vieux soldats ne meurent pas.*»

Ces mots contiennent un sens particulier pour les personnes qui tentent encore de se rendre utiles dans leur âge mûr. William Manchester, dans sa biographie du général intitulée *An American Ceasar* (un César américain), rapporte que ce dernier avait écrit un jour: «Les gens vieillissent à déserter leur idéal. Les années peuvent faire plisser la peau, la perte de l'intérêt fait rider l'âme... vous êtes aussi jeune que vous le croyez, aussi vieux que vos doutes; aussi jeune que vos espérances, aussi vieux que votre désespoir... quand votre coeur est recouvert des neiges du pessimisme, alors seulement devenez-vous vraiment vieux.»

J'aime beaucoup ces paroles du général McArthur et j'y crois dur comme fer. «*Vous êtes aussi jeune que vous le croyez... aussi jeune que votre confiance en vos moyens.*»

Sont-ils à mettre au rancart?

Aussi jeune que vous le croyez. Vous vous souvenez des paroles que mon ami Norman Vincent Peale m'a dites un jour: «Le mot le plus puissant au monde est la FOI.» Voyez ce qu'est devenu le docteur Peale! Il a plus de quatre-vingts ans et demeure aussi actif qu'un homme de quarante ans, voyageur infatigable et prédicateur régulier à l'église de Marble Collegiate de New York.

Lowell Thomas, en dépit de ses quatre-vingts ans bien sonnés, parcourt encore le monde en quête de nouvelles à l'égal d'un jeune reporter de vingt ans.

Lillian Gish, vedette des films silencieux et grande dame du théâtre, fait encore du cinéma, de la télé et monte sur la scène. Elle a même ajouté à ses occupations la rédaction de livres et les conférences. Elle admet, et c'est son privilège, qu'elle n'a que quatre-vingt-cinq ans.

Richard Rodgers, l'auteur de la musique de *Oklahoma, The King and I, South Pacific* et *The Sound of Music,* et de bien d'autres comédies musicales à succès, n'a pas encore jeté la serviette à soixante-dix-sept ans.

Le colonel Sanders, qui amorça une toute nouvelle carrière tard dans sa vie, et rencontra la célébrité avec son fameux poulet frit à la Kentucky, est encore actif en qualité de conseiller auprès de la compagnie qu'il a fondée en ce qui regarde la qualité du poulet et du service.

Eugene Ormandy, de renommée mondiale et chef de l'orchestre symphonique de Philadelphie, dit: «Je m'arrêterai de conduire le jour où je tomberai d'épuisement.»

Arthur Rubinstein, pianiste d'origine polonaise, à plus de quatre-vingt-dix ans, donne encore des concerts devant un public qui l'adore.

George Cukor, le réalisateur de films qui a dirigé Katharine Hepburn dans une émission télévisée *The Corn is Green* (le maïs est vert), continue toujours son travail en dépit de ses soixante-dix-neuf ans. Mademoiselle Hepburn accuse elle-même soixante et onze ans. On rapporte que Cukor a déjà dit: «S'il est vrai qu'il existe un style Cukor, je suppose qu'il vient de deux facteurs: ma façon personnelle de percevoir le monde et mon habileté à faire produire les acteurs.» Comme le fait remarquer la revue *Modern Maturity,* Cukor, célèbre pour son humour et son style particulier, compte plusieurs décades dans la personnalisation de sa perception des gens et du monde et la façon de se faire accepter, particulièrement des comédiens. Il possède également l'art de découvrir les talents qui percent. Il décrit le changement opéré dans l'industrie cinématographique comme *le plus grand apport de la jeunesse.*

Les quotidiens et les revues sont remplis de rapports sur des vedettes célèbres de l'écran encore aussi fringantes que des jeunes poulains malgré leur âge mûr. Quelques-uns ont fait la manchette du *National Enquirer* récemment. J'ai trouvé leurs commentaires assez intéressants pour vous en faire part.

Joan Fontaine, vedette du film *Rebecca* et de nombre d'autres aussi réussis, dit que c'est merveilleux d'avoir son passé derrière soi, de n'avoir plus besoin de s'excuser.

Kirk Douglas, vedette du film: *The Champion* (Le Champion) et d'autres films qui ont fait des malheurs au bureau de location, affirme que vieillir signifie seulement changer. Il a accepté de changer et il se sent mieux que jamais à son âge; il regarde la vie avec plus de confiance.

Gloria Swanson, vedette du cinéma muet, qui a repris un deuxième souffle avec *Sunset Boulevard,* est encore en demande. Elle assure qu'elle ne se sent ni vieille ni jeune. Elle *est,* tout simplement. Récemment, quelqu'un lui demandait pourquoi elle mentionnait toujours l'âge qu'elle aurait lors de son prochain anniversaire et elle lui répondit qu'elle trouvait cela amusant.

William Holden, qui connut la renommée pour son rôle dans *Golden Boy,* il y a tant d'années, et qui fut la vedette tout récemment du film *Network,* confie que Dieu nous donne de grandes compensations lorsque nous avançons en âge. Il ne changerait pas une minute de sa vie d'aujourd'hui pour une heure du passé.

Vous allez me dire qu'il s'agit ici de personnalités. Ils ont tout pour eux: célébrité, moyens financiers de vieillir en beauté; ils peuvent se procurer tout ce qu'ils désirent. Mais qu'en est-il de l'homme ou de la femme ordinaires, de la personne qui vit dans l'ombre, dont on n'entend jamais parler? Que font ces personnes?

Beaucoup!

Je parlais de cela récemment avec James Stone, président d'un modeste collège où l'on dispense des cours sur l'administration des affaires au Michigan. Les cours orientés vers l'administration de petites entreprises sont offerts sur les campus de diverses universités en conjonction avec l'éducation permanente. De nombreuses personnes à leur retraite s'en prévalent parce qu'elles entreprennent une seconde carrière dans leur âge mûr. J'ai eu des surprises dans les nouvelles carrières dont j'ai eu connaissance et j'en suis encore estomaqué. Voici quelques exemples:

Un homme à sa retraite et sa femme se sont fatigués rapidement de n'avoir qu'à entretenir un jardin, de bricoler autour de la maison et d'attendre que les jours passent. Ils prirent le parti d'employer leur temps à quelque chose de plus utile et, par là, d'augmenter leurs revenus. L'homme se souvint d'un essai littéraire intitulé: *Acres of Diamonds* (La fortune à votre portée)* et pensa que sa chance se trouvait probablement là sous ses yeux dans son propre jardin. Il avait raison. Ils se mirent alors à observer leurs voisins, à tenter de découvrir ce

---

* Publié aux éditions «Un Monde Différent» Ltée.

dont ils avaient le plus besoin et trouvèrent enfin ce qu'ils cherchaient: un service de traiteurs pour les invalides et les gens trop âgés pour sortir. Moyennant un prix très abordable, ils portent des mets préparés à ces gens qui désirent rester chez eux plutôt que de se retirer dans un foyer pour vieillards, mais qui ne peuvent facilement se déplacer pour faire leur marché et préparer leurs repas.

Le couple travaille ensemble. Elle prépare les plats trois fois par jour et il les livre prêts à être réchauffés dans le four ordinaire ou au four à micro-ondes. Le mari livre le dîner et, en même temps, laisse tout ce qu'il faut pour le déjeuner et le lunch du lendemain. La femme est une excellente cuisinière, les repas sont préparés avec le plus grand soin et le plus grand souci de la diététique; ils sont d'une propreté irréprochables.

La retraite n'a pas arrêté ce couple. Ils rendent service et augmentent par le fait même leurs revenus.

Un ingénieur en mécanique fut mis à la retraite à soixante-cinq ans. Comme c'est le cas pour tant de personnes, il se vit confronté au problème de l'occupation de ses moments de loisirs qu'il n'avait pas cherchés. Alors, il s'adonna à ce qu'il connaissait le mieux: la mécanique. Il offrit ses services comme conseiller et s'aperçut qu'on en avait grand besoin. En fait, on le réembaucha dans sa propre compagnie. Il importe peu que vous soyez ingénieur ou autre, vous vous apercevrez que vous pouvez encore être utile aussi bien après votre retraite qu'avant. Mais le beau côté de toute l'affaire, c'est que vous êtes maintenant libre de faire un choix de projets qui rencontrent vos aspirations et vos goûts. Voilà pourquoi j'affirme que, dans la maturité, vous êtes encore et plus que jamais maître de votre vie.

Un type qui avait oeuvré en qualité de commis de bureau la plus grande partie de sa vie pensa à planifier sa retraite... une des choses les plus sages à faire. Cinq ans avant le banquet de retraite, les discours d'adieu et la montre en or, il se mit en branle. Il jeta un regard autour de lui et se choisit un domaine d'action. La plupart de ses collègues pensaient qu'il faisait du chapeau, mais plus il se renseignait sur son projet futur, plus il sentait l'enthousiasme le gagner. Voilà une façon formidable d'entrevoir la retraite, un véritable chasse-pluie.

Quel était donc le genre d'entreprise considéré? Élever des vers de terre. Des amis lui demandaient: «Combien te faudra-t-il vendre de vers de terre aux pêcheurs avant d'enregistrer des profits?» Le type surprit ses détracteurs en répliquant: «Élever des vers pour la pêche ne m'intéresse pas du tout. Vous avez l'air de ne pas connaître grand-chose à ces bestioles. Savez-vous que les lombrics contiennent beaucoup de protéines, supplément alimentaire non seulement pour les animaux domestiques, mais, croyez-le ou non, très importantes dans les pays sous-développés? L'élevage des vers de terre est un industrie qui rapporte des millions chaque année.»

Je me contenterai de recourir aux vers seulement pour la pêche. J'espère ne jamais en avoir besoin comme complément alimentaire en protéines. Mais là n'est pas la question. Cet homme avait découvert une nouvelle chance de faire valoir ses aptitudes, il s'y prépara, s'y lança dès sa retraite avec tout le sérieux que lui conférait sa maturité et, maintenant, il jouit d'une toute nouvelle carrière très prospère.

Parlons encore d'un autre couple qui continua, en un sens, lors de sa retraite, ce qu'il avait fait durant sa vie active. Lui avait été professeur de musique toute sa vie. Il planifia sa retraite à l'avance. Lorsque le jour arriva de se retirer, il était prêt. Il consacra une partie de ses économies à l'achat d'un magasin de musique, une petite boutique agrémentée de plusieurs compartiments insonorisés à l'arrière. Il continue de donner des leçons tandis que sa femme vend toutes sortes d'instruments de musique, neufs et d'occasion. Dans leur âge mûr, ils ont une nouvelle occupation, vivent confortablement et ont refusé de se laisser damer le pion par les jeunes. Bravo!

Un point important à retirer de tout ceci, et je l'ai appris à cette petite école d'administration de la petite entreprise, c'est que tous ces exemples que je viens de citer indiquent que les gens ont préparé leur retraite ou leur occupation future longtemps à l'avance et ont suivi des cours afin d'obtenir des idées de base sur la façon de se tirer d'affaire. Après tout, ils entraient dans un nouveau domaine, abordaient une nouvelle carrière et ils avaient besoin de certaines connaissances.

La liste pourrait s'allonger indéfiniment de personnes qui ont réussi à se faire accepter même lorsqu'elles avaient largement dépassé soixante-dix ou quatre-vingts ans.

Par suite de la retraite obligatoire à soixante-cinq ans, dans plusieurs domaines du monde des affaires, il est difficile de découvrir de nos jours ceux qui sont encore à l'oeuvre dans l'art de se faire accepter même dans l'âge mûr. Pourtant, ils existent et j'en connais un grand nombre:

«Debbie» Drummond de Boston, qui vend encore un produit pour l'extermination des rats, dépasse les quatre-vingts ans et réussit très bien. S'il arrive des jours où il ne se sent pas à la hauteur, il hausse les épaules et part quand même.

Jamison Handy, à la tête de l'entreprise Jam Handy, est encore actif dans la vente de programmes de communication audio-visuels. Afin de se conserver en bonne forme, il fait de la natation tous les jours. En sa qualité de nageur olympique, il représenta les États-Unis en 1904 et en 1932; pensez-y, un écart de vingt-huit ans! C'est presque incroyable. Quel est son secret pour se faire accepter dans l'âge mûr? Il y a deux ans, il adressa la parole aux membres de l'Association des producteurs de Détroit et dit entre autres choses: «Je ne m'occupe jamais des anniversaires.» Bon conseil! Les femmes connaissent ce secret depuis de nombreuses années.

Allez-y donc! Oubliez les anniversaires mais n'oubliez pas qui vous êtes. Une partie de votre travail dans le but de vous faire accepter dans un âge plus avancé doit relever des conditions inhérentes à votre âge. Des gens de votre calibre exigent de meilleures lois dans plusieurs domaines, à partir de l'augmentation de la pension de sécurité, de meilleurs logements et de programmes d'assurance-vie plus adéquats. Des organismes comme l'*American Association of Retired Persons* qui se dévoue pour vous, semblent prendre continuellement plus d'ampleur.

Il existe maintenant des émissions destinées aux personnes d'âge mûr. Une des meilleures, *Over Easy* (c'est si facile), est animée par Hugh Downs. C'est une des émissions quotidiennes du PBS (Public Broadcasting System - réseau éducationnel américain) les plus appréciées des personnes d'âge mûr.

Downs, qui nous a fait l'honneur de venir nous amuser à la télé en agissant comme hôte du *Today Show,* est encore actif dans le domaine de la télévision. Récemment, il animait le *20/20.* Il donne également des conférences, pilote un avion, écrit des livres et des articles. Au moment où je parle, Downs est âgé de cinquante-huit ans mais il se propose de fêter son centième anniversaire. Voilà comment on finit par s'accepter vraiment soi-même. Dans la revue intitulée *Modern Maturity,* édition de décembre-janvier 1978-79, il écrivait: «Atteindre le cap des cent ans n'est pas un but déraisonnable... Si je ne m'y rends pas, c'est que je serai trop malade ou que j'aurai été victime d'un accident. Ce ne sera sûrement pas parce que je serai trop vieux. Je pense plutôt que je ne serai pas assez vieux. Vieillir n'a jamais tué personne. Quand une personne âgée lance la serviette, ce n'est pas parce qu'elle est vieille mais parce qu'elle ne l'est pas suffisamment.»

Cet article de monsieur Downs se trouve dans une revue destinée aux personnes d'âge mûr. *Modern Maturity* est publiée deux fois par mois par l'American Association of Retired Persons. Cet organisme se consacre aux problèmes concernant les services de pharmacie, de voyages et d'assurance pour les personnes âgées, de même qu'à la recherche sur la retraite. Elle publie aussi une lettre mensuelle de renseignements à l'adresse de ces mêmes personnes. L'Association vise également, en plus des personnes à leur retraite, les autres qui continuent à produire dans leur âge mûr. Vous n'avez pas besoin d'être totalement inactif ou retraité pour en faire partie; tout ce que l'on vous demande, c'est d'avoir cinquante-cinq ans. En plus de tous les services offerts aux personnes âgées, l'Association et ses publications veulent vous aider à vous faire accepter davantage comme humain chaque jour de votre existence, comme une personne mûre. Par exemple, vous vendriez vos capacités si vous offriez le fruit de votre expérience en quelque domaine que ce soit, mais vous manqueriez royalement le bateau si vous deveniez le compagnon ou la compagne inséparable d'une berçante. Et je ne suis pas seul à penser ainsi.

Le sénateur Frank Church de l'Idaho, qui est président du comité sénatorial pour les personnes âgées, croit que les gens ont besoin de travailler plus longtemps et on devrait à son sens écourter leur temps de retraite. Elliot Carlson lui fait dire, dans un numéro de *Modern Maturity* de décembre-janvier 1978-79: «Je crois que les temps ont changé et je propose que l'on révise les lois régissant la retraite dans les entreprises. Je pense que le gouvernement fédéral devrait revoir ses politiques anciennes qui encouragent une retraite anticipée et les remplacer par d'autres afin de promouvoir une plus longue carrière active...» Pour bien faire comprendre son idée, le sénateur Church est persuadé que le Congrès devra trouver des moyens de pousser les gens à vouloir prolonger leur vie de travail. Il est bien clair qu'aujourd'hui, on s'oriente dans la direction opposée, faisant miroiter les avantages de se retirer avant soixante-cinq ans.

C'est ainsi que cela doit être. Si vous voulez faire accepter vos services, je vous conseille de résister à la tentation de vous retirer du monde du travail pour aller vous écraser sur votre véranda à fumer votre pipe et à vous bercer. À moins qu'une personne ne soit affligée de douleurs au dos, la berçante ne sert qu'à révéler l'âge de l'utilisateur.

Portez votre âge avec fierté, sans éprouver le besoin de le divulguer à tout venant. Il peut arriver que vous soyez obligé de le faire même si cela ne vous plaît pas. Si vous voulez réussir dans votre âge mûr, vous devez maintenir une attitude jeune envers et contre tout. Mesdames, il ne s'agit pas de se faire faire de la chirurgie esthétique, qui ne touche que l'extérieur. La jeunesse vient de l'intérieur. Vous pouvez paraître en bonne condition physique, vous sentir jeune, mais ne permettez pas à vos paroles, vos vêtements, vos amis, vos habitudes, vos idées de vous trahir. Comment éviter ces traquenards? J'ai dressé une liste de dix choses que vous ne pouvez vous permettre dans votre âge mûr. Je les ai empruntées d'une liste de vingt et un tirée de l'ouvrage rédigé par mon ami Jack LaLanne en association avec Jim Allen et intitulé *For Men Only* (pour hommes seulement). Je ne crois pas que Jack m'en voudra de répandre ses idées. Mieux encore, je dirais que ces conseils s'appliquent également aux femmes.

Comment une personne d'âge mûr peut manquer le bateau

1. Porter des vêtements passés de mode et ne les jeter que lorsqu'ils sont usés jusqu'à la corde.
2. Dire aux jeunes qu'ils ont la vie plus facile que dans son temps.
3. Répéter sans cesse les mêmes histoires.
4. Ne plus lire de livres nouveaux ni aller au cinéma.
5. Rabattre les oreilles de tout le monde de ses petits bobos.
6. Ne pas avoir fait une nouvelle connaissance depuis un bon mois.
7. Être dérangée par le bruit et le langage des jeunes.
8. Ne pas avoir appris quelque nouvelle activité ou ne pas s'être intéressé à quelque chose de nouveau depuis plusieurs années.

9. Ne pas arriver à se décider où passer ses vacances et préférer demeurer à la maison.

10. Ne jamais accepter d'aller à une réunion sociale lorsque vous savez être la seule personne de plus de trente ans.

D'autre part, voici dix principes positifs qui vous aideront à faire fi de votre âge. Ils vous seront également d'un grand secours dans l'art de vous faire accepter comme vous avez su si bien le faire par le passé.

Dix principes positifs d'action pour les personnes d'âge mûr

1. Faites vôtre cette devise d'une compagnie de cigarettes: «*Tu viens de loin, mon ami,*» et ajoutez-y: «*et tu as encore un bon bout de chemin à parcourir.*»

2. Pensez-y sérieusement lorsqu'il s'agit de vous retirer de la vie active. Si vous n'êtes pas obligé de partir, restez là où vous êtes. L'expérience n'a pas de prix.

3. Passez un examen médical régulièrement. Faites en sorte de jouir de la meilleure santé possible.

4. Faites attention à ce que vous mangez; ne vous empiffrez pas.

5. Reposez-vous beaucoup. Faites une petite sieste tous les après-midi, vous en avez conquis le droit.

6. Lisez le journal tous les jours. Ne vous isolez pas du monde et de la société dans laquelle vous vivez.

7. Faites-vous de nouveaux amis.

8. Trouvez-vous un passe-temps: ébénisterie, peinture, disposition des fleurs, une occupation qui demande de la créativité.

9. Lancez des défis aux autres et à vous-même. Jouez au bridge, aux échecs, aux dames, au jacquet, tout ce qui puisse garder votre esprit sur le qui-vive.

10. Surveillez votre conditionnement physique, votre poids. Ayez recours à des exercices d'assouplissement des muscles chaque jour. Gardez la peau ferme et le sang clair.

Je dirais que le dernier principe est presque vital. Il y a plusieurs exercices qu'une personne d'âge mûr peut pratiquer chaque jour pour conserver sa peau ferme et ses muscles solides. S'étirer et se courber au son de la musique est vraiment salutaire. Jouer au golf, aux galets (shuffleboard) courir au petit trot, si vous le pouvez. La marche est encore une des meilleures formes d'activité qui soit. Harry Truman a fait de la marche son exercice préféré quotidien jusqu'aux derniers mois de sa longue vie active et fructueuse. Je vous préviens cependant, comme je l'ai fait ailleurs dans cet ouvrage: *Avant de vous lancer dans un programme, voyez votre médecin pour en discuter.*

Occupez-vous des autres

L'autre jour, un cadre prospère d'une compagnie de bois de construction me demandait si je connaissais des trucs pour qu'il puisse contribuer à être utile aux gens de sa localité ou de sa propre entreprise lors de sa retraite. Je lui répondis: «Walt, je vais te donner une idée de la philosophie de Joe Girard: donne-toi un bon coup de pied au derrière et disparais dans le décor.»

«Que veux-tu dire par là?»

«Jusqu'à maintenant, Walt, tu as vécu pour toi-même, n'est-ce pas? Tu as trimé dur, connu certains succès, tout pour faire une réussite de toi-même. Tu n'as plus besoin de cela maintenant. Tu peux arrêter de vivre pour toi et commencer à penser aux autres. Voici ce que je te propose: puisque tu n'as plus besoin de te rendre au bureau, tâche de découvrir quelqu'un que tu puisses aider en quelque chose.»

Walt me dit alors: «Il y a un type qui tente de construite sa maison seul à deux pas d'ici. Je crois qu'il ne connaît pas la différence entre un deux-par-quatre et un perré; il trime tous les soirs et les fins de semaine...»

Je fixai alors Walt d'un oeil attentif: il saisit ma pensée sans que j'aie besoin de l'exprimer. Il se rendit sur le chantier, se présenta au jeune homme et offrit ses services. À mon sens, Walt venait de faire la plus grande vente de sa vie, bien plus importante que les ventes de camions remplis de bois de construction.

Permettez-moi de vous citer à nouveau Napoleon Hill: «Rendez-vous compte... le temps qui m'est alloué sur terre est court, limité. Je vais donc tâcher de l'employer de façon à ce que ceux qui marchent dans mon sillage ou me voisinent en profitent... Finalement, lorsque arrivera le moment de déposer le joug, j'espère pouvoir laisser le souvenir d'un homme utile... non pas simplement celui d'une statue de marbre, mais un rappel constant dans le coeur de mes concitoyens, un monument qui témoignera de ma contribution à rendre le monde un peu meilleur durant ma vie.»

Si le monde est meilleur après votre passage sur la terre, alors mon ami, vous avez vraiment réussi à vous faire accepter, à vous rendre utile.

Actes à poser MAINTENANT!

- Redites chaque matin en employant les mots de la chanson extraite de *Gigi: «Je suis content de n'être plus jeune!»* et soyez-en convaincu. Votre âge vous a conféré une bonne dose d'expérience.
- Devenez membre de l'Association des retraités (de l'Âge d'or) de votre localité.
- Peu importe le moment présent, commencez à planifier vos prochaines vacances; ça vous conservera jeune.
- Attaquez un nouveau livre aujourd'hui, allez au cinéma ce soir; commencez votre jardin si le printemps bat son plein. N'importe laquelle de ces occupations vous rendra intéressant aux yeux des autres et vous aidera à vous faire accepter.

- Apprenez par coeur les dix choses à éviter si vous ne voulez pas révéler votre âge.
- Mémorisez les dix principes d'action dans l'art de se faire accepter dans l'âge mûr et mettez-les en pratique dès maintenant.
- Peu importe que vous soyez éloigné ou très proche de votre centenaire, commencez à planifier sa célébration.

16

Se faire accepter avec ses antécédents ethniques

Q uand je fais en sorte de me faire accepter ou que je donne aux autres les moyens de se faire accepter à leur tour, d'aucuns me diront: «Joe, tout ce que tu dis sonne bien; montrer de l'enthousiasme, garder le sourire, tenir parole et tout, ça va pour les autres. Quant à moi, permets-moi d'en douter!»

«Et pourquoi cela?»

«Parce que, l'ami, je suis noir!» (Ou bien polonais, ou chinois bon à servir des roulés aux oeufs ou à faire la lessive.)

Je pourrais vous citer des réponses du genre à la douzaine, dépendant de ceux à qui je parle, mais elles rendent toutes la même note.

Les Noirs ou les Orientaux se font un complexe de la couleur de leur peau. Les Polonais, les Italiens pensent aux farces dont ils sont l'objet et ils se mettent en colère. Les Juifs se tracassent de leur image d'usurpateurs.

C'est ainsi que les gens acquièrent la fausse impression que je ne m'adresse qu'aux Blancs américains, fils des immigrants arrivés sur le Mayflower, mains nettes et chemise blanche. Allons donc! Tout le contenu de ce livre convient à tous les gens. Je serais même incapable de définir l'expression *All American*.

Lorsqu'il s'agit d'origines ethniques, ma ville natale remporte la palme. Si l'Amérique est un véritable creuset, ce mot a pris naissance à Détroit. Les gens d'ici, mes concitoyens, présentent autant d'antécédents qu'il y a de nationalités; nous avons des quartiers entiers de ces groupes. Pour commencer, Détroit est un nom français qui veut dire ce qu'il dit: un bras de mer. La ville a débuté avec l'établissement d'un Français du nom de Cadillac qui arriva en canot et s'installa avec sa femme sur les bords de la rivière Détroit au nez des Indiens de jadis. Encore aujourd'hui, nous avons plus de noms de rues à consonnance française que la Nouvelle-Orléans: Lafayette, Duquesne, Beaubien.

Puis, les Anglais vinrent et les Indiens se régalèrent devant la rivalité entre Anglais et Français. Durant la guerre de 1812, ma ville devint américaine... sous trois drapeaux: français, anglais et américain. Voilà bien Détroit.

De nos jours, vous pourriez ajouter à ce mélange une bonne quarantaine d'autres ethnies. Il importe peu que leurs drapeaux respectifs claquent au vent au-dessus de la ville; ils ont laissé leur empreinte et ils continuent de le faire.

Notre population comprend des Allemands, des Polonais, des Hongrois, des Italiens, des Chinois, des Mexicains, des Portoricains, des Juifs, des Slaves, des Scandinaves, des Irlandais, des Grecs, des Canadiens, des Arabes. On peut en ajouter une multitude d'autres trop nombreux pour en faire le décompte. C'est merveilleux!

Nous pouvons nous vanter d'être la ville aux cent ethnies: Corktown, la communauté irlandaise, Little Mexico, Little Hungary, de nombreux groupes polonais, juifs, allemands, italiens, surtout les Grecs qui forment presque le noyau du centre-ville et une communauté noire qui a largement dépassé maintenant les limites de la ville et s'est étendue à la banlieue.

Vous me direz qu'il en est de même pour d'autres villes. D'accord, mais elles ne ressemblent pas à Détroit. Laissez-moi vous donner quelques statistiques: notre maire est un des rares Noirs à avoir accédé à la mairie aux États-Unis. Son prédécesseur était un Polonais et le précédent un Irlandais qui avait succédé à un Italien.

Notre Institut international avec sa foire d'automne dame le pion à celle de New York même. Tous les jours, cette organisation se porte au secours de nouveaux arrivants venant d'Europe, de l'Orient ou de l'Amérique latine; on s'efforce de leur trouver de l'emploi et de les aider à devenir des membres à part entière de la communauté, *sans pour cela devoir renoncer à leurs origines*. En dernier ressort, c'est probablement ce qui compte le plus.

Tous les ans, durant l'été, les quais sont le théâtre d'un des plus grands festivals internationaux, fin de semaine sur fin de semaine. On entend alors partout de la musique venue de tous les coins du monde; les matinées et les soirées retentissent de cris joyeux accompagnés de danses particulières à chaque ethnie et l'odorat se délecte des arômes délicieux d'une quantité de plats disparates. Partout dans la ville, on retrouve de merveilleux restaurants offrant des mets de tous les coins du monde. Les salles de danse polonaises, italiennes, hongroises, espagnoles, scandinaves résonnent de sons joyeux à l'occasion de noces, de réceptions ou de sauteries quelconques.

Une fois l'an, Détroit, qui est située sur la frontière canado-américaine, reliée à Windsor par un tunnel et un pont, se joint à cette dernière pour organiser un grand festival des deux villes à l'occasion du quatre juillet.

Je le répète, c'est merveilleux!

Tous ces gens s'entendent-ils comme larrons en foire? Que non! Nous nous comportons comme les membres d'une grosse famille; nous nous querellons pour mieux faire la paix ensuite,

293

nous nous décrions les uns les autres et pourtant nous nous aimons.

Je vous dis tout cela pour vous faire comprendre que dans ma ville, lorsqu'il faut se faire accepter, la race fait également partie de l'échange. Nous possédons toutes les aptitudes nécessaires. Il se peut que cela se fasse instinctivement mais j'en doute: il faut y travailler. J'ai des trucs à vous passer à vous tous aux antécédents divers, à vous qui dites: «Je ne puis y arriver parce que je suis noir, polonais, chicano, yougoslave, hollandais.» Je vais vous entretenir de cinq personnes de ma connaissance qui, même d'ethnies différentes, ont réussi à se faire accepter. Il s'agit d'un Juif, d'un Noir, d'un Japonais, d'un Mexicain et d'un Sicilien comme moi.

Le préjugé, votre pire ennemi

Pour commencer, mettez-vous bien ceci dans la tête: je crois que les gens apprécient ceux qui sont fiers d'être ce qu'ils sont, peu importe la nationalité.

Un de mes amis noirs aime se payer ma tête sur le sujet et pourtant fait passer son idée: «Joe, me dit-il, il est vraiment regrettable que nous ne soyons pas tous noirs. C'est une belle couleur - c'était la préférée de Henry Ford - le noir est si élégant!» Alors, je souris et réponds: «Oui, mais le blanc est beau également.» «D'accord, dit-il, mais il est tellement difficile de le garder propre.» Nous continuons à nous taquiner de la sorte tout en essayant de gagner chacun son point et, pourtant, nous nous aimons de plus en plus. Nous pouvons nous conduire ainsi parce, au fond de nous, nous sommes tous deux fiers de notre entité et de ce que nous faisons. Chacun de nous respecte l'opinion de l'autre et c'est peut-être là la raison pour laquelle nous nous aimons tant. *La fierté personnelle est un élément important dans l'art de se faire accepter soi-même en même temps que ses antécédents ethniques.*

Il y a quelque temps, un de mes amis était descendu dans un motel de Palm Springs en Californie. Il est vendeur de voitures et m'a raconté l'anecdote suivante qui n'a rien à voir avec son occupation. Le motel possédait une piscine de dimensions olympiques qui, parce qu'il faisait chaud, était très achalandée. Il y avait là des gens de toutes les races, y compris des Noirs. Un type près de mon ami hocha la tête en remarquant: «On admet n'importe qui de nos jours, n'est-ce pas?» Mon ami m'assura alors qu'il vit rouge. Se tournant vers son interlocuteur, il lui dit: «Ne sautez pas dans la piscine, l'ami, si vous avez peur. La couleur peut déteindre sur vous. Il se peut que vous préfériez rester au bord. Quant à moi, je suis d'origine russe et j'y vais. Vous n'aimeriez pas nager avec un communiste, n'est-ce pas? Le rouge pourrait vous être contraire.»

En réfléchissant à sa conduite plus tard, mon ami me dit: «Joe, je suppose que j'aurais dû me taire car je ne faisais rien là pour me faire accepter, n'est-ce pas?» Je lui fis alors remarquer que, au contraire, il se faisait accepter peut-être de la meilleure façon du monde en s'insurgeant contre la discrimination raciale.

Vous devez combattre les préjugés raciaux, l'étroitesse d'esprit avouée ou non, l'incompréhension et parfois la crainte avant de vous faire accepter pour ce que vous êtes.

Tenir solidement les rênes

William Bailey est président de la First Independence National Bank à Détroit, une petite entreprise qui comprend un siège social au coeur de la ville et deux succursales, mais qui est destinée à prendre de l'expansion. Elle existe depuis sept ans seulement et emploie soixante-deux personnes et mon ami Bailey en est devenu le président il y a deux ans. Depuis ce temps, la banque a fait des pas de géant et peut nettement soutenir la compétition avec les autres. Bill vient de Buffalo mais il connaît bien Détroit.

À propos, Bill est un Noir.

Je puis affirmer qu'il a eu sa large part de discrimination raciale à cause de la couleur de sa peau. Pourtant, je ne connais pas une personne ayant réussi avec autant de bonheur à se faire accepter elle-même avec ses antécédents ethniques.

Il me dit souvent: «Il faut commencer très tôt dans la vie à se bâtir une confiance en soi-même, avoir la conviction que l'on parviendra à son but, quel qu'il soit.» Vous voyez ici une confirmation de ce que j'ai avancé au chapitre intitulé: **Acquérir de l'aplomb et du courage.**

Il continue: «Ma mère était une personne douée d'une force de caractère peu commune et d'une sincérité à toute épreuve qu'elle tenta de nous inculquer. Elle nous enseigna à croire que nous pouvions atteindre le succès, peu importent les obstacles qui se dresseraient devant nous. Naturellement, au début, mon plus grand handicap fut la couleur de ma peau, chose dont je ne me rendais pas compte alors.

«Sous son influence, je crois que je fus en mesure de vaincre un obstacle après l'autre. Je dois à ma mère de n'avoir jamais manqué de la confiance nécessaire pour arriver à ce que je suis aujourd'hui. J'ai grandi dans un quartier pauvre de Buffalo. Mon frère, ma soeur et moi avons dû travailler très jeunes... je gagne ma vie depuis l'âge de onze ans.

«Durant mon stage à l'université, je menais de front un emploi et mes études. J'ai fait quatre années de service dans l'aviation et, pendant que je poursuivais mes études tout en travaillant, j'avais la charge de deux enfants.

«C'est pourquoi j'affirme qu'il faut absolument avoir confiance en ses aptitudes pour percer dans la vie. Évidemment, la confiance ne s'acquiert pas du jour au lendemain.

«Je me suis toujours souvenu de ceci: si tu es noir ou d'une race étrangère, et que l'on fasse preuve de discrimination à ton endroit, attaque-toi à un obstacle à la fois. Tout en allant de l'avant, bâtis ta confiance et accomplis les choses que tu dois faire afin de vaincre les obstacles qui se présentent.

«Parfois, tu te butes à un mur de béton mais il est toujours possible de sauter par-dessus, de passer dessous ou de le contourner.

«Il existe un vieux dicton auquel je souscris entièrement: il ne faut pas lâcher les rênes. Si vous tenez solidement les rênes, les choses se tasseront d'elles-mêmes. Je ne crois pas à la théorie de relâchement d'aujourd'hui. Je crois que, bien souvent, les jeunes passent à côté de la vérité dans leur inter-prétation.

«Je suis convaincu qu'il faut tenir les rênes bien en main car, si nous nous laissons aller au relâchement, nous ne ferons pas tout ce qu'il faut pour surmonter les obstacles. Par exemple, si vous appartenez à un groupe ethnique et que, là où vous travaillez, les gens vous dédaignent parce que vous êtes noir, turc ou indien, n'allez pas leur permettre également de se gausser de vous parce que vous arrivez sans vous être lavé, rasé, ou bien parce que vous êtes ponctuel et vous acquittez bien de votre travail. En d'autres termes, ne confirmez pas le stéréotype que l'on se fait de vous.

«Si vous vous acquittez bien de tout ce que l'on attend de vous, si vous gardez les rênes solidement en main, il est alors plus que probable que l'autre problème, celui de l'ethnie, dis-paraîtra de lui-même. S'il ne prend pas la poudre d'escam-pette, du moins êtes-vous préparé à aller de l'avant et avez-vous fait preuve de qualités exceptionnelles dans la poursuite du but que vous vous êtes proposé.

«Je ne permets jamais à la moindre chose de causer un relâchement des rênes. J'aime me sentir au-dessus de mes affaires, en possession totale de mes moyens. Dans mon emploi, je dois me faire accepter tous les jours. Je dois être patient, manifester des aptitudes, des dispositions qui me rendent capable de faire face à toutes sortes de personnes et de problèmes. Voilà une condition indispensable aux démêlés avec le public.»

Bill Bailey est fidèle à sa parole depuis un bon moment. Le fait d'être noir a commencé à lui créer des problèmes dès la petite école et plus tard à l'université. Il ne fréquenta pas une école pour Noirs seulement et les Noirs étaient bien clairsemés en son temps à l'Université de Buffalo. Je lui posai la question:

«Bailey, parle-moi donc de certains problèmes que tu as rencontrés dans ce temps-là. Dis-moi comment tu as réussi à te faire accepter de tes condisciples et de tes professeurs en dépit de tes origines?»

«Joe, mes problèmes furent les mêmes que tous les Noirs rencontrent: blagues sur nos soi-disant prouesses sexuelles. Toutes ces stupidités sur les pastèques; des pointes sur Amos'n Andy. Parfois, le racisme était très subtil et parfois on en avait plein la face. Mais voici ce que j'ai appris:

«Cette attitude était leur problème, pas le mien. J'ai découvert rapidement que plusieurs de mes problèmes venaient de moi: manque de confiance en mes moyens, blocs psychologiques que je me créais moi-même. Je me faisais des montagnes de rien, devenait enragé devant le plus petit préjugé, oubliant par là de maintenir une attitude de corde raide et de courage, d'entêtement à vouloir envers et contre tout.

«C'est là une grosse difficulté pour bon nombre de jeunes Noirs, je le sais. Voici comment j'ai procédé:

«J'ai toujours essayé très fort de faire en sorte de me trouver une niche pour moi-même. J'adoptai une attitude amicale, c'est très important pour un type qui n'est pas de race blanche.

Je me suis efforcé de percer, que ce soit au basketball ou au laboratoire. Toujours, je faisais ma part et même au-delà. J'ai fait mon possible pour être toujours le meilleur et me suis cassé la figure à quelques reprises. Je me souviens de ce qu'un de mes camarades de classe, un Blanc, me disait: *Bill, tu es un vrai ami!* Puis, il ajouta quelque chose que je n'ai jamais oublié: *Il est facile de rire avec toi!*

«Je crois qu'il est absolument indispensable d'aller vers les autres si l'on désire se faire accepter, homme ou femme, et entendre à la plaisanterie.»

Bill fit son service dans les forces de l'air. Il visita plusieurs pays et eut ainsi l'occasion de s'entretenir avec une foule d'Américains de l'autre côté de l'océan. Il eut également l'avantage de voir son pays à travers les yeux des étrangers et s'aperçut que la perspective était plutôt bonne. Son association avec des militaires venus de partout au cours de son service lui a fait comprendre l'importance de l'éducation et de la discipline.

Pendant sa dernière année à l'université, Bill goûta au travail de banque; ce premier pas l'amena graduellement là où il est aujourd'hui. Il avait toujours éprouvé de l'attrait pour les questions économiques mais n'avait rien fait jusque-là. Un jour, il se mit à réfléchir sérieusement à son statut de mari responsable d'une épouse et de deux enfants; pendant sa cinquième année d'études à l'université, il se dit qu'il était amplement temps qu'il se remette au boulot.

«Ma mère, en ce temps-là, était gouvernante chez un homme d'affaires, un directeur de banque très riche.

«Elle me dit un jour, mine de rien: *Bill pourquoi ne te présenterais-tu pas à la banque et ne remplirais-tu pas une formule de demande d'adhésion au programme de formation pour les futurs employés?*

«Maman, tu sais bien qu'ils ne voudront même pas s'occuper de moi.

*«Adam m'a dit (*elle utilisait le prénom de son patron) *que tu devrais te présenter et mentionner son nom: on va s'occuper de toi.*

«Elle avait raison. Je me suis présenté et je fus agréé. Je suppose que d'autres facteurs militaient en ma faveur car nous étions dans les années soixante et l'on parlait bien fort en ce temps-là des droits de l'homme; les banques commençaient à peine à s'ouvrir à l'idée. Je me suis présenté au bon moment, je crois. J'étais le premier Noir dans leurs cours préparatoires mais les choses se sont bien arrangées.»

Bill m'assure que maintenant les choses ont vraiment changé à l'égard des Noirs. Le racisme perd des plumes. Il existe encore des obstacles mais les gens sont de plus en plus convaincus que les Noirs ne disparaîtront pas comme par enchantement. Être raciste de nos jours est vieux jeu. Ces paroles venant d'un Noir prouvent une fois de plus que ces gens comme Bill Bailey peuvent réussir à se faire accepter par eux-mêmes.

En résumé, il conseille: «Ne vous attardez pas à la couleur de la peau. Préservez votre sens des valeurs en ne vous prenant pas trop au sérieux. Vous maîtriserez la vie si vous réussissez à devenir maître de vous-même. Ne soyez pas trop intransigeant à votre égard. Examinez vos aptitudes et faites fi de vos déficiences.»

Et surtout, tenez solidement les rênes!

Trouver où se caser à son avantage

Saul Wineman est professeur agrégé de sciences humaines à l'Université Wayne State of Lifelong Learning. Petit bourgeois juif de Détroit, il n'a pas grandi dans un ghetto mais dans un voisinage plutôt agréable. Son père était un marchant distributeur de fromages, viandes fumées et poissons, bonbons et autres menus articles auprès des petits épiciers, au plus fort de la crise économique. De sa jeunesse, il conserve des souvenirs impérissables dont la plupart sont étroitement liés avec le gros marché de l'Est de Détroit.

Le Marché de l'Est, une vaste entreprise d'étalages intérieurs et extérieurs, véritable festin de bruits et de paysages, reste encore le lien entre sa vie présente et sa jeunesse. Cela l'aide à se garder dans une bonne perspective et à se rappeler ses propres origines autant que celles des autres groupes ethniques qu'il côtoie dans notre métropole.

Saul vit sur deux plans, faisant tourner ses origines à son avantage. Il n'est pas seulement Saul Wineman, professeur mais, pour des milliers de gens de Détroit et des environs, il est également Paul Winter, animateur radiophonique, vedette de la défunte émission intitulée *The Paul Winter Connection*, critique de films sur les ondes, sur fréquences AM/FM, et réalisateur de programmes spéciaux sur la chaîne 56, le poste de télévision de Détroit. Une de ses entreprises, un film intitulé: *Only Then Regale My Eyes* fut l'objet d'une récompense particulière dans le Midwest de la part du réseau PBS en qualité de meilleur documentaire réalisé par un poste de télévision local.

Saul se double également d'un comédien de bonne trempe, ayant à son crédit des succès tels que: *The Fifth Season, Thurber's Carnival, Ulysses in Nighttown, The Marriage-Go-Round* et *The Sunshine Boys*.

Il compose aussi des chansons. Un de ses albums s'est vendu à plus de mille exemplaires, m'a-t-il dit en souriant; cela représente presque tous les étudiants de Yale. Pourquoi? Comme si vous ne vous en doutiez pas...

J'ai remarqué pour la première fois Saul Wineman (Paul Winter) à l'occasion de sa venue chez nous pour préparer une annonce publicitaire pour le compte de notre concessionnaire. Depuis, je l'ai revu à maintes reprises. C'est un homme joyeux, toujours prêt à pousser une bonne blague ou une chanson.

Cependant, Saul (Paul) aime beaucoup citer les paroles d'un auteur anonyme qui résument bien, à son sens, ce que cela comporte d'être juif: «La joie d'un Juif s'accompagne toujours d'un grain de frayeur.»

Il y a certes du bonheur à être juif mais, dans notre vingtième siècle, il y eut des moments où, tout comme au cours d'autres périodes de notre Histoire, la crainte devint leur état d'esprit continuel. On n'a qu'à relire l'Histoire pour se rendre compte des persécutions sans nombre dont ils furent l'objet au cours des siècles.

Aux yeux de certains d'entre eux, le fait d'être juif comporte quelque chose de spécial, un *trésor particulier*, comme le dit la Bible. Le peuple choisi. Ils sont très attachés à leur religion et se conduisent toujours comme le peuple choisi. Paul n'est pas resté dans ce moule. D'autre part, certains Juifs font tout pour ne pas le paraître. Ils réussissent à se faire accepter comme tels. Paul n'est pas de cette sorte non plus. «Je ne suis pas religieux, dit-il, mais je suis juif et il ne me viendrait pas à l'idée de prétendre le contraire.» Il insiste sur ce fait.

«J'ai rencontré la réussite sous mes deux noms de Saul Wineman et de Paul Winter. Je crois que le secret dans la «vente» de soi-même et de ses origines consiste à emprunter ce qu'il y a de meilleur dans vos deux mondes, votre passé et votre présent. Pour moi, c'est le nom qui fit la différence.

«Au temps où je décidai de changer mon nom en celui de Paul Winter, il semblait qu'il fut nécessaire d'américaniser mon patronyme, tout comme Bernie Schwartz qui devint Tony Curtis pour les besoins de sa carrière cinématographique.»

(Je le comprenais aisément car, après tout, n'avais-je pas laissé tomber le «i» de Girardi pour en faire Girard dans le même but?)

Paul continua: «Aujourd'hui, cela n'a plus d'importance mais, dans ce temps-là, il me fallait trouver un nom qui fit le pont entre mes origines et le monde dans lequel je me proposais d'évoluer.»

Son stratagème lui a réussi au plus haut point. Le lien qui le retient à ses origines est toujours le Marché de l'Est. Là, tous les samedis matin, on peut voir un professeur agrégé de sciences humaines se perdre dans la foule des badauds, se retremper dans l'atmosphère de ses jeunes années. Il est de nouveau un jeune garçon, panier en main, marchandant à l'étalage des fruits et légumes, du poisson, tout comme il le faisait avec son père des années auparavant. Une foule de gens s'amusent à régler leurs montres sur l'arrivée de Saul le samedi matin au Marché de l'Est. Ils savent pourquoi il vient là: non pour se procurer les aliments pour le corps mais bien pour se ressourcer à la nourriture de l'âme.

Il assure: «Oublier ses origines, que l'on soit juif, arabe, yougoslave ou scandinave, équivaut à se tricher soi-même. Quand les gens acceptent Paul Winter, ils acceptent également Saul Wineman car je suis plus que moi: je suis le produit de six mille ans de judaïsme, ce qui fait de ma personnalité, comme le bon whisky, un produit bien mûri.

«Je n'ai jamais hésité à me faire valoir parce que je suis juif. Je sais cependant que je peux manquer le bateau si je tente de le nier.

«Nos parents désiraient que nous devenions de bons Américains tout en demeurant fidèles à nos origines. La plupart de nos anciens étaient des immigrants et ils sont devenus Américains parce qu'ils sont venus ici plutôt qu'ailleurs, sachant qu'ils y trouveraient une place au soleil et auraient la chance de se réaliser. Mais nous, les enfants, sommes Américains de naissance. Tout ce dont nous avions besoin, c'était de notre héritage en qualité de Juifs. Mon père, probablement à son insu, m'apprit comment le faire.

«Il me donna un endroit auquel m'attacher, le Marché de l'Est. J'y reviens fidèlement une fois la semaine pour me souvenir. Tout le monde devrait avoir un tel endroit pour se rattacher à ses origines. S'ils n'en possèdent pas, ils devraient s'efforcer d'en trouver un. Une fois qu'ils l'ont découvert, ils devraient en faire une bonne part de leur vie. Ils en retireront des dividendes fabuleux dans l'art de se faire accepter de tous en tout temps et en tout lieu.»

Votre personnalité par votre occupation.

Mon ami, Lawrence K. Shinoda, est président de la Shinoda Design Company. Un nombre incalculable des voitures que vous voyez sur la route, peut-être bien celle où vous êtes assis vous-même, porte sa marque de décorateur quelque part. Il se peut que votre tacot de chasse soit le fruit de l'imagination de Shinoda, qu'une pièce d'équipement de votre ferme provienne de la planche à dessin de Shinoda.

Lawrence Shinoda est un artiste très populaire et très recherché. Comme tous les gens, il doit se faire accepter tous les jours, avec ses origines en plus.

Lawrence Shinoda est un *nisei*, c'est-à-dire qu'il est issu de parents japonais émigrés aux États-Unis. Lui-même est né au pays, en Californie.

Il avait douze ans lorsque les Japonais bombardèrent Pearl Harbor et sa famille se vit arrachée à sa maison, à l'instar de milliers d'autres immigrants japonais. Ses parents étaient propriétaires d'une pépinière et d'une boutique de fleurs qu'ils durent abandonner. La famille vécut durant de longues années dans des camps qui, même si on leur avait donné un autre nom, n'en étaient pas moins des camps de concentration. Ces endroits, à l'égal des réserves indiennes, font la honte de notre Histoire.

Une fois, dans le camp froid et sale de la vallée Owens en Californie, le jeune Larry fit face à un autre genre de discrimination. En plus d'avoir essuyé des difficultés avec les Blancs au début de la guerre, il devait maintenant faire face à leur étroitesse d'esprit. Ayant été élevé à la mode américaine, sa famille ayant toujours frayé avec de véritables Américains, il se retrouvait au camp dans un milieu étranger. Voyez-vous, il ne connaissait pas la langue japonaise.

Larry, qui est doté d'un sens de l'humour à toute épreuve, rit encore de l'expérience: «J'étais, moi un enfant japonais, dit-il, entouré pour la première fois de Japonais et de *niseis* et on me battait parce que je ne connaissais pas la langue. En fait, j'étais trop américain pour eux.»

Larry employait son temps à jouer comme tous les enfants, à aider sa famille au travail et à faire des esquisses de ce qu'il voyait. Il avait, comme dira un de ses collègues plus tard, un crayon magique.

À l'issue de la guerre, sa famille parvint à retourner à Los Angeles et, avec le temps, à sa pépinière, après un séjour à la ferme d'un parent dans le Colorado. Larry s'enrôla à l'école secondaire où il dut subir les railleries de ses condisciples... la guerre était encore si récente! Il était en outre un des rares Orientaux de l'institution. Il devait alors se faire accepter pour lui-même des Blancs: professeurs, co-équipiers et filles qu'il désirait fréquenter. Ce ne fut pas facile. Un rendez-vous qu'il parvenait à obtenir d'une fille par téléphone se voyait annulé dès que cette dernière s'apercevait qu'il était un Oriental.

«Je parle de rendez-vous avec des filles d'une autre race, dit-il. Ce n'était pas la faute de la fille car nous, les jeunes n'avions aucun préjugé. Ce sont les parents ordinairement qui s'opposaient à ce qu'elle sorte avec moi.»

Jeune homme, il rencontra les mêmes obstacles, les mêmes fausses pudeurs qui font tant souffrir ceux de races de couleurs différentes, d'origines diverses. Vous savez, les Mexicains ou Chicanos passent tous pour être bons seulement à cueillir des cerises, des fraises, de la laitue; les Noirs ne peuvent être autre chose que des porteurs de bagages ou des hommes à tout faire; les Juifs sont synonymes de bric-à-brac; les Japonais doivent se concentrer au jardinage, point. Quel non-sens!

Afin de se faire accepter, lui et ses origines, dans un domaine aussi impressionnant que la décoration, Larry eut recours à des réponses désinvoltes.

«J'avais une blague pour tout. Par exemple, j'avais une réponse toute trouvée pour qui se permettait une allusion à ma race, ou bien je me faisais fort de faire remarquer l'étroitesse d'esprit ou le rejet dont nous étions victimes. Je ne m'y prenais pas de la bonne façon mais j'ai finalement compris.»

Larry n'était pas le genre de personne qui présente l'autre joue. Il était un lutteur né et il essuya plus que sa part de combats habituellement provoqués par une remarque comme celle-ci: «Pourquoi ne retournes-tu pas tondre le gazon?»

Il en vint à découvrir une réponse aux insultes qui lui obtint les meilleurs résultats. À qui faisait allusion à ses origines japonaises, il lançait: «Hé là, la guerre est finie! Arrête le bombardement, veux-tu?»

Larry trouva bientôt que ce n'était pas là une façon intelligente de se faire accepter pour lui-même. Il ne faisait que réagir, il n'était pas passé véritablement à l'action. Il décida de faire comprendre aux gens que la guerre était finie mais de façon différente, par ses actions plutôt que par ses paroles. Il allait leur faire voir ce qu'il valait: ils ne pourraient plus désormais le reléguer facilement au second plan.

«J'ai amorcé mes opérations dans les courses de tacots, de vieilles gimbardes. C'était là une manière, à l'Université, de refaire son image. J'avais toujours été attiré par les voitures de sport, de course. Alors, j'entrai dans le jeu avec ma vieille bagnole d'un siège, une Ford 1929. Leur faire manger ma poussière était pour moi une meilleure façon que de leur dire ce qu'ils avaient à faire.»

Bientôt, Larry prit le volant d'autres voitures de course et remporta victoire sur victoire dans le genre de celle de la Nationale de Bonneville. Ce fut un travail dur, difficile, mais c'était sa façon à lui de démontrer que des gens d'origines diverses pouvaient réussir aussi bien que n'importe qui.

En plus de son amour de la conduite automobile, Larry manifestait un attrait pour le dessin. À l'école, tout comme il l'avait fait durant ses années d'emprisonnement, Larry faisait des croquis de voitures et de camions. «Puis, continua-t-il, lorsque je fis mon stage dans les forces armées, durant la guerre de Corée, j'ai rencontré des types qui fréquentaient *l'Art Center College of Design de Los Angeles,* une des meilleures institutions pour l'enseignement du dessin industriel et commercial. Ils me persuadèrent de m'y enrôler.

«Donc, après avoir conduit des voitures, je me mis à en dessiner.» Le changement s'opéra rapidement. Larry est l'auteur de réussites comme la voiture appelée Shinoda Chopsticks Spécial qui abrite un moteur Mercury V-8 de huit cylindres à tête Ardun. Ce modèle décrocha le record national en 1955 à Dearbone dans le Michigan. Un an plus tard, son John Zink Special, construit par A.J. Watson, remporta la course d'Indianapolis. Il fut également la tête d'affiche de cet événement.

Larry obtint son premier emploi de dessinateur de voitures à la compagnie Ford Motor. Il dut alors s'installer à Dearborne. Les diverses nationalités établies dans cette ville semblent concentrées dans la partie est; l'ouest paraissait réservé aux Blancs, aux purs anglo-saxons.

Larry éprouva beaucoup de difficulté à trouver un endroit où se loger. Le scénario de l'école se répétait. «Je bouclais une transaction au téléphone et tout semblait vouloir aller à la perfection. Sitôt que je paraissais, la propriété n'était plus disponible. Naturellement, cela se passait avant la promulgation de la loi interdissant une telle discrimination.»

Larry voyait ses factures monter à un rythme alarmant du fait qu'il devait habiter un hôtel de Détroit et voyager matin et soir pour se rendre à son travail. À la fin, la compagnie lui dénicha une maison. Il leur avait dit sans ambages: «Si je suis assez bon pour travailler pour vous, vous devez m'accepter tel que je suis.» C'était et c'est toujours sa manière de voir les choses. «Prenez-moi tel que je suis à Dearborne ou je retourne d'où je viens.» Il fut tenté de recourir à ses réponses désinvoltes d'antan mais s'en abstint. En fait, il plaça ses exigences sur un plateau tellement élevé que lui-même fut surpris lorsque la compagnie releva le défi.

Plus tard, il passa au service de l'ancienne compagnie Studebaker-Packard pendant plusieurs mois pour ensuite venir grossir les rangs des employés de General Motors. Shinoda y demeure douze ans, devenant avec le temps graphiste en chef et concepteur de modèles spéciaux.

Un beau jour, il se mit à son compte et sa compagnie est devenue l'une des plus prestigieuses dans la capitale de l'automobile. Larry, en sa qualité de concepteur indépendant, ne cesse de créer de nouveaux types de voitures, de camions, de motoneiges, de roulottes, d'automobiles de course, d'équipement pour la ferme. Peu de gens ont atteint le plateau où trône Larry dans le domaine de la création automobile.

Encore aujourd'hui, Larry n'oublie jamais de se faire accepter en même temps que son produit. «Il faut pour cela une intarissable bonne humeur et de solides dispositions à la plaisanterie, surtout à propos de votre propre façon de vous exprimer. Nourrissez cet état d'esprit précieusement, c'est le meilleur conseil que je puisse donner aux gens d'origines étrangères.

«Prenez mon cas: j'ai réussi surtout au moment où tout ce qui est japonais est vraiment à la page. Tout le monde connaît les Datsun, Sony, Honda, Toyota: toutes ces marques deviennent de plus en plus populaires aux États-Unis. Vous penseriez que, dans ce cas, un type comme moi pourrait être accueilli à bras ouverts. Détrompez-vous. Les Japonais (et je me suis rendu au Japon quelquefois, à Tokyo à deux reprises) recherchent les créateurs japonais qui peuvent parler l'anglais et les créateurs américains qui peuvent s'exprimer en japonais. Vous voyez comme je n'avais aucune chance, étant américain et ne sachant pas parler le japonais!

Pour en arriver à ses fins, voici ce que Larry Shinoda a décidé de faire: tout en continuant à tenter de se faire accepter pour lui-même, il s'est mis en tête de suivre des cours accélérés à l'école de langues Berlitz et d'autres institutions afin de maîtriser aussi rapidement que possible sa langue maternelle. Il affirme: «Un de ces jours, ce Japonais saura enfin parler le japonais et ainsi mon travail sera beaucoup plus rentable.»

Se faire accepter en créant la confiance autour de soi

Mon ami, Anthony Rojas, est le directeur d'un des restaurants mexicains les plus courus de Détroit, situé dans le district appelé Little Mexico aux confins de la partie ouest de la ville. Il est également un barman de la meilleure eau, magicien de la Margarita comme il ne s'en fait pas hors d'Acapulco. Il est aussi passé maître dans l'art de se faire accepter pour lui-même.

Même si Anthony oeuvre dans un quartier fortement peuplé de Mexicains, de Portoricains et de Cubains, il habite la partie de la ville où il dit posséder ses racines. Je le connais depuis nos jeunes années où nous étions la terreur de notre voisinage.

«Jeune garçon, j'ai grandi en compagnie de Grecs, de Syriens, de Libanais, d'Arabes; c'est pourquoi la race ne veut rien dire à mon sens. Nous étions tous des jeunes, un point c'est tout. Je m'aperçus qu'il pouvait en être autrement le jour où je fus assez âgé pour me présenter sur le marché du travail; les emplois me furent refusés en raison de mon ascendance mexicaine.»

Tony apprit rapidement à devenir monsieur Tout-le-monde. «En fait, j'ai appris davantage à frayer avec les gens et comment me faire accepter tel que j'étais.

«Vous ne sauriez deviner les préjugés nourris par les non-Mexicains à votre égard. À leurs yeux, vous êtes de parfaits ignorants, dormant au soleil sous un immense sombrero. Vous confectionnez des bijoux de pacotille. Vous ne mangez que des tortillas et de la sauce chili. On ne peut avoir confiance en aucun de vous.»

Cette dernière réflexion a donné le coup de grâce à mon ami Tony. La meilleure façon d'obtenir la confiance des gens, d'après lui, consistait à montrer ce dont il était capable, à manifester son honnêteté. «Si vous faites confiance à un Mexicain, vous l'accepterez; si vous avez confiance en moi, alors vous m'accepterez.

«À proprement parler, quelques-uns des préjugés des *gringos* contre les Mexicains ne sont pas tous à rejeter. Pourtant, une bonne partie des plus belles créations de bijoux en argent vient des Mexicains. Et puis, que pouvons-nous redire d'une bonne tortilla (omelette roulée), agrémentée d'enchiladas et de tacos (crêpes fourrées)?»

Il faut croire que beaucoup y trouvent leur compte puisque le restaurant de Tony est continuellement pris d'assaut par des gens qui arrivent de plusieurs lieues à la ronde, de banlieues huppées du nord et de l'est de Détroit, du Canada même, tout heureux et ravis d'entendre Tony les saluer par leur nom.

Cela ne s'est pas fait du jour au lendemain. Il a fallu un bon moment à Tony avant de réussir dans la restauration et il a dû apprendre à se faire accepter, à ne pas camoufler ses origines mais plutôt à s'en servir afin d'atteindre son but.

Après son service militaire durant la seconde grande guerre, de 1943 à 1945, Tony battit le pavé pendant quelque temps. Il apprit ainsi une chose surprenante: en Californie, tout près du Mexique, les gens avaient encore une plus piètre opinion des Mexicains que dans le nord du pays. Lorsqu'il tenta de trouver du travail dans le sud de la Californie, il s'entendit répondre: «Certainement, on peut te donner du boulot, mais tu ne pourras pas aller bien loin car tu es un Mexicain.» Alors que font les Mexicains? «Aussitôt qu'ils ont réussi à accumuler quelques dollars, de dire Tony, ils deviennent soudain d'enragés Espagnols. Ils arrivent de Madrid, de Barcelone, que sais-je? Ils se croient quelqu'un mais cette attitude contribue seulement à leur faire perdre leur fierté.» Non, la Californie n'était pas pour lui et il rappliqua en vitesse vers Détroit.

«J'ai toujours aimé les gens et j'aime me trouver en leur compagnie, leur parler. Je voulais faire connaissance avec toutes sortes de personnes. Un de mes copains me suggéra de devenir barman car personne ne réussit à se faire mieux accepter qu'un barman.

«Je me mis alors en quête d'un emploi de barman dans une des tavernes du centre-ville. Je ne connaissais absolument rien à ce genre de travail. De plus, la plupart des barmen étaient de race irlandaise. Mais j'étais honnête: je disais volontiers que je ne pouvais distinguer un gin avec eau tonique d'un *Bloody Mary*.»

Il ignorait même s'il allait pouvoir l'apprendre. Les barmen passent le plus clair de leur temps à se faire accepter des autres, à connaître le nom de leurs clients, toujours disposés à écouter les doléances de l'un ou de l'autre. Avant d'obtenir un poste au bar, Tony devait surtout se faire accepter de la direction.

On lui demanda: «De quelle nationalité êtes-vous?» (À cette époque-là, les employeurs pouvaient impunément poser une telle question.) Tony me dit: «J'ai réfléchi un moment et je me suis rappelé les paroles de mon père lorsque j'étais enfant: je devais toujours donner une réponse honnête à cent pour cent. Je dis alors: *Je suis mexicain, et vous?* J'ajoutai: *Mes ancêtres étaient indiens, qu'étaient les vôtres?* Et finalement: *Lesquels sont arrivés les premiers au pays?* Le patron se prit à sourire et j'obtins le poste.

«Je me suis aperçu que, si je me cantonnais dans l'honnêteté, mes origines ne me nuisaient en rien. Je n'étais pas forcé de m'en cacher, pas plus que de les lancer à la figure de qui que ce soit. Si un client commandait une certaine consommation dont j'ignorais les composantes, je le lui disais tout simplement. La majeure partie du temps, il se mettait à rire et m'indiquait la recette. Je crois que la moitié des clients aimaient faire étalage de ses connaissances, de toute façon.»

Tony aime répéter: «Je suis avant tout un être humain, mexicain de surcroît. Cependant, je sais que le fait d'être mexicain fait largement partie de ma personnalité. À mon sens, la meilleure façon de me faire accepter à l'aide de mes origines consistait à travailler dans un district fortement teinté de gens de ma race, où je me sentirais chez moi, mais où je devrais frayer avec toutes sortes de non-Mexicains à la recherche d'une soirée hors de l'ordinaire.

«Lorsqu'ils acceptent de venir chez moi, ils doivent m'accepter en premier. J'essaie de me souvenir de leurs noms, de leurs occupations, de leur standing social, de leurs préférences alimentaires et de leurs boissons favorites.

«Un client vint me trouver l'autre jour (c'était un habitué depuis plusieurs mois) accompagné de sa femme. Il me dit: *Tony, nous n'avons pas besoin de menu, tu sais ce que j'aime. Prépare-nous quelque chose de spécial et ma femme ne trouvera rien à redire. Nous avons confiance en toi.*

«Nous avons confiance en toi! Voilà des mots que j'aime entendre. Je m'en fus alors à la cuisine et je consultai mon chef. Nous leur avons alors préparé un plat fort apprécié aux environs de La Paz. Comment pouvais-je me faire mieux accepter? Cet homme avait confiance en moi. Jamais plus je ne lui offrirai la carte des plats.»

La manière d'agir de Tony dans son restaurant est certes excellente puis sa clientèle est nombreuse et assidue. Il dirige *Armando's* depuis dix ans maintenant et il est de plus en plus prospère. Au cours d'une journée ordinaire, Tony reçoit environ trois cents clients.

D'accord la nourriture est excellente, les nachos délicieux, les tortillas abondantes, les fèves au point. La nourriture est pourtant tout aussi délicieuse dans les autres restaurants mexicains de la ville (et aussi chez les Grecs, les Hongrois, les Italiens, les Chinois, etc.). Alors, il faut en conclure que la grande popularité de Tony vient de lui, du gars à qui on avait dit qu'il n'irait pas bien loin parce qu'il était mexicain. Eh bien, il a fait du chemin depuis.

À mon sens, la vie de Tony et sa façon de voir les choses peuvent se résumer ainsi: «Soyez honnête au sujet de vos origines, ne les reniez pas; faites en sorte que les gens les acceptent. Alors, ils vous accepteront aussi.»

L'amour est indispensable

Je me débrouille fort bien en Sicilien parce que je suis d'origine et je ne me gêne pas pour le dire à l'occasion. J'en suis fier. Cela ne me fait ni chaud ni froid que les gens associent mes origines à la mafia, qu'ils pensent que tous les Siciliens y sont reliés de quelque façon; je n'ai pas de «parrain», quelle surprise! Le seul conseil que je puisse vous donner et que vous ne pouvez refuser, c'est d'étudier cet ouvrage et d'apprendre ainsi comment réussir à vous faire accepter.

Soyez fier de ce que vous êtes! Relevez la tête et dites hautement: «Je suis Polonais!», (ou autre), avec un sourire qui implique: «C'est regrettable que vous ne le soyez pas, vous aussi!»

Il n'existe pas une nation qui puisse se vanter de ne pas avoir vu un des siens devenir un mouton noir ou avoir fait la honte d'une région ou de l'autre. Mais je vous assure que je ne porterai pas le blâme pour un des miens qui a mal tourné.

Si j'allais me monter la tête à propos de ma nationalité, si je passais dans la vie avec l'idée que le fait d'être Sicilien signifie avoir quelque chose à cacher, alors je bâtirais mon avenir sur un terrain instable, je douterais de ma valeur en tant qu'individu. Cette attitude finirait par influencer ma conduite et je perdrais confiance en mes moyens. Qui alors voudrait de moi?

Je pourrais en dire long sur ma façon de me faire accepter mais je préfère laisser la parole à un Sicilien, Jimmy Vento, mon coiffeur qui me connaît encore mieux que quiconque. Jimmy est né en Sicile et c'est un véritable puits d'informations.

Le petit village de Montallegro est situé à environ soixante-cinq kilomètres de Palerme. Là, Jimmy et ses huit frères et soeurs apprirent très tôt l'importance de l'amour de la famille et des compatriotes dans l'acceptation de soi-même et des autres. Son père possédait un charisme exceptionnel et les gens le lui rendaient bien. À cause de cette heureuse disposition, les gens étaient ravis de lui rendre service et il était devenu un homme influent dans son village.

Jimmy me raconta: «Les Siciliens s'attendrissent facilement. On n'accepte pas seulement les autres, on les aime. Nous aimons la vie, la famille, les amis, la bonne chère et le bon vin, le travail et l'honneur. J'ai vu ces traits chez mon père et j'ai constaté combien il était aimé et respecté dans notre village. Je ne savais pas alors toutes les vicissitudes que j'allais endurer plus tard en tentant de suivre son exemple afin de me faire accepter des Américains et de leur faire comprendre ma fierté d'être sicilien.

«Mon père me manque beaucoup. Même aujourd'hui que je suis devenu un homme, lorsque je pense à lui et à tout ce qu'il m'a enseigné, je pleure.

«Il me disait que si je voulais me faire accepter des gens, les attirer vers mon salon de coiffure, je devais leur montrer que je les aimais. Je pense qu'en Amérique, on devrait plutôt dire accepter mais, il y a plus que cela. De toute façon, l'exemple de mon père ne m'a jamais fait défaut.»

Le père de Jimmy Vento bâtissait des maisons mais, dès l'âge de dix ans, Jimmy travaillait déjà dans un salon de coiffure de son village de pêcheurs. Il apprit très rapidement. À quinze ans, il eut la douleur de perdre son père. Son seul héritage fut le désir de ce dernier d'émigrer un jour vers les États-Unis. Jimmy en fit son rêve. Le nombre d'immigrants était limité et l'entrée aux États-Unis des plus difficiles. Cependant, on l'accepta au Canada; Jimmy y avait déjà une de ses soeurs et, avec son aide, il arriva au pays à l'âge de dix-huit ans. Il se retrouva dans la ville de London en Ontario, incapable de prononcer un seul mot d'anglais mais cependant coiffeur de première classe.

Il apprit la langue à la façon de beaucoup de Canadiens, en causant avec ses clients. Il était un de ces hommes qui ne tenaient pas le haut bout de la conversation; au lieu de cela, il laissait parler et apprenait.

Étant bon danseur, Jimmy se fit un petit pécule comme instructeur dans les studios d'Arthur Murray à Toronto. Les pieds agiles de Jimmy devinrent le moyen de se faire accepter pour lui-même, si bien qu'il fut tout naturel que, rencontrant une jeune fille d'ascendance ukrainienne à une soirée de danse à London, il en devint amoureux et lui proposa le mariage. Ils se mirent en ménage et eurent des enfants. Il avait vingt-huit ans lorsqu'ils déménagèrent à Détroit. Cela fait dix-sept ans et, durant ce temps, Jimmy a réussi une percée spectaculaire sur les plans finance, amitié, mariage et famille.

Jimmy attribue encore tout le crédit à son père.

En tout premier lieu, il décrocha un emploi de coiffeur dans une station d'autobus Greyhound mais, en deçà d'un an, le jeune homme avait son propre salon. Avec le temps, il allait ouvrir quatre salons de luxe, chacun dans un des quatre meilleurs hôtels de Détroit. Plus tard, il en revendit deux à deux de ses employés et, avec les profits, il déménagea ses pénates dans le fameux Renaissance Center. Il y avait une forte concurrence de la part d'autres propriétaires de salons de coiffure mais Jimmy réussit à se faire accepter et boucla la transaction. Il est vrai de dire qu'il reçut un petit coup de pouce de la part de personnes bien placées, mais il faut remarquer qu'il avait réussi à se faire accepter d'elles au préalable. Je lui ai demandé comment il s'y était pris.

«Je savais qu'ici, tout comme au Canada, il n'était pas question de dissimuler ses origines (à propos, Jimmy parle un très bon anglais maintenant) mais d'aider les autres à comprendre. J'ai eu ma part de blagues sur les Italiens, sur les Siciliens surtout, et je décidai de montrer que nous ne sommes pas tous des membres de la mafia, des gens à la tête chaude qui se promènent avec un couteau à cran d'arrêt, des guerilleros, des gangsters ou des tueurs à gage. Nous sommes de bonnes gens tout comme des milliers d'autres ailleurs. J'ai entrepris de devenir un bon Américain tout en ne reniant pas mes origines siciliennes.

«Celui qui me donna ma première chance dans un salon de coiffure me demanda ce que j'étais: *Je suis sicilien et je travaille fort,* répondis-je. Il accepta les deux facettes de ma personnalité lorsqu'il m'embaucha.

«Je me rappelle bien la première personne qui s'assit dans ma chaise pour une coupe de cheveux. Lui aussi me demanda ce que j'étais. Je lui dis également que j'étais sicilien et que je ne pouvais parler l'anglais aussi bien que lui. Seulement, tout cela fut dit avec un large sourire. Il m'accepta tel que j'étais parce que mon sourire était engageant et depuis il est devenu un de mes clients réguliers.»

Jimmy éprouva toutes sortes de difficultés à se montrer tel qu'il était parce qu'il ne pouvait parler couramment l'anglais. Les sentiments se cachaient là sous la surface, mais les mots vinrent plus tard. Chaque fois qu'il m'arrive de penser à mon ami Vento, je me rappelle les mots de la célèbre chanson tirée du film *The King and I,* jolie chanson se rapportant au roi et à l'institutrice: «J'apprends à te connaître...» D'après Jimmy, c'est la seule façon de manifester aux gens ce que vous êtes et non ce qu'ils pensent de vous.

À mesure que Jimmy devenait mieux connu, ses affaires prospéraient. Il faut voir ses deux magnifiques salons où il emploie dix-huit coiffeurs et coiffeuses. Les dix chaises de son grand salon sont constamment occupées. Pourtant, même s'il n'a pas une minute à lui, Jimmy trouve toujours le temps de voir au bien-être de sa famille, de lui montrer son amour qui est l'essence même de sa personnalité et de ses origines. Il doit faire accepter également son héritage sicilien à ses quatre enfants qui sont de purs Américains. Pendant leur séjour au Canada, ses trois fils devinrent des fervents du hockey et ils continuèrent dans leur nouvelle ville de Détroit. Jimmy est devenu l'entraîneur d'une équipe de la Petite Ligue où ses garçons évoluent, mais il s'intéresse également à sa fille dont les aspirations sont toutes tournées vers la musique. Il réussit merveilleusement à se faire accepter pour lui-même avec ses origines. Il faut voir tout ceux qui réclament ses services de coiffeur: politiciens, juges et officiers supérieurs de plusieurs départements de comté. Il est devenu un ami personnel du gouverneur de notre état et ses clients viennent de partout dans le Michigan et d'ailleurs.

Pas si mal pour un enfant d'un petit village de pêcheurs près de Palerme qui arriva en Amérique adolescent, ne sachant pas un mot de la langue de Shakespeare, mais rempli d'amour à la façon des Siciliens et qui savait le donner.

Jimmy me répète sans cesse: «Le secret, c'est de t'assurer que les gens te connaissent vraiment pour ce que tu es. Une fois ce pas franchi, ils ne peuvent s'empêcher de t'aimer.»

Le père de Jimmy serait fier de son rejeton.

Voici quinze principes qui résument à ma façon ce que j'ai appris de mes cinq amis aussi bien que de nombre d'autres. Ils sont très pertinents lorsqu'il s'agit de se faire accepter. Si vous y êtes fidèle, vous réussirez davantage à faire accepter vos origines tout en vous faisant aimer pour vous-même. Après tout, n'avez-vous pas un excellent produit à vendre?

1. Soyez fier de ce que vous êtes. Les gens aiment ceux qui ne renient pas leur héritage.
2. Conservez vos liens avec vos origines. Ne prétendez pas être quelqu'un d'autre.
3. Parce que vous ne pouvez souffrir l'étroitesse d'esprit, faites bien attention de ne pas en faire usage vous-même à l'égard des autres. Montrez ouvertement ce que vous êtes.
4. Bâtissez-vous une grande confiance en vos moyens et vous pourrez atteindre votre but, quel qu'il soit. (William Bailey)
5. Tenez solidement les rênes, faites tout votre possible et allez même au-delà. (William Bailey)

6. Ne vous servez pas de votre couleur. Commencez par maîtriser votre vie en maîtrisant d'abord votre esprit. (William Bailey)

7. Servez-vous des choses du passé et du présent à votre avantage. (Saul Wineman)

8. Retrempez-vous dans vos antécédents juifs et soyez heureux; retrouvez votre Place du Marché. (Saul Wineman)

9. Montrez ce que vous êtes en laissant vos actions parler à votre place. (Lawrence Shinoda)

10. Soyez toujours de bonne humeur. Riez lorsque l'on vous taquine. (Lawrence Shinoda)

11. Conservez votre langue maternelle: si vous ne la connaissez pas suffisamment, apprenez-la. Elle vous aidera merveilleusement dans notre monde de communications rapides. (Lawrence Shinoda)

12. Surtout, soyez honnête! Que cette qualité soit étroitement liée à vos origines. Faites-vous accepter en attirant la confiance. (Tony Rojas)

13. N'écoutez jamais les propos de ceux qui clament que vous ne pourrez jamais aller bien loin dans la vie parce que vous êtes Chicano, Grec ou autre. Soyez persuadé de votre valeur personnelle. (Tony Rojas)

14. Aimez, ne faites pas seulement accepter les autres. (Jimmy Vento)

15. Faites tout votre possible pour que les gens vous connaissent sous votre vrai jour et vous comprennent. Ils vous aimeront en retour. (Jimmy Vento)

Quinze petits conseils très efficaces! Je le sais car je connais tous ces gens qui les ont mis en pratique et sont devenus des réussites dans leurs domaines respectifs.

Actes à poser MAINTENANT!

- Sans vous préoccuper de votre race, de votre couleur ou de vos origines, commencez dès aujourd'hui à faire passer les quinze principes cités plus haut dans votre vie.

Relisez les histoires de mes cinq amis dont je viens de vous parler. Leur expérience vous aidera.

- Chaque matin au lever, pensez aux personnes que vous devez rencontrer dans la journée et dites tout haut: «Je suis fier d'être polonais (noir, chinois, juif, indien, eskimo ou quoi encore)! Ne souhaitez-vous pas l'être aussi?»

17

Se faire accepter
avec son produit

J e voudrais parler, pendant un petit moment, d'autre
chose que du meilleur produit au monde, *vous*. Vous devriez maintenant être convaincu que vous êtes unique au
monde et que, lorsqu'il s'agit de vous faire accepter, il n'existe
pas de meilleur produit que vous-même.

Se faire accepter est une chose essentielle pour améliorer
ses rapports avec les autres, les influencer heureusement et
trouver le succès. Cela est vrai, comme nous l'avons souligné à
plusieurs reprises, peu importe qui vous êtes ou ce que vous
valez. Vous pouvez être secrétaire ou travailler à une chaîne de
montage, maîtresse de maison ou retraité; il existe autant de
professions, de vocations, d'emplois, de rapports qu'il y a de
personnes différentes.

Le présent chapitre vise tous ceux qui sont impliqués dans
la vente d'un produit où ils doivent se faire accepter naturellement; il concerne les vendeurs en particulier. Cependant,
son contenu peut s'appliquer à tous, sans acception de classe
sociale ou d'occupation dans la vie.

Vous pouvez vendre au détail ou en gros, de porte en porte,
par voie postale ou au comptoir d'un magasin. Dans presque
tous les cas, vous devez traiter avec les gens, exception faite de
la vente par catalogue où la promotion d'un produit est déjà
chose faite, où vous n'avez qu'à remplir les commandes. Pourtant, là encore, les principes s'appliquent.

Dans mon livre intitulé *How to Sell Anything to Anybody,* j'ai raconté en détail comment j'en suis arrivé à décrocher le titre de vendeur de voitures par excellence en utilisant des méthodes qui me sont particulières. Quelques-uns des trucs employés afin de dénicher un client, discuter, faire une démonstration de la voiture, répondre aux objections et suggérer la commande, étaient très connus de tous les vendeurs de voitures et de camions: seulement, *je m'en servais de façon différente.* Quelques-unes de mes méthodes venaient de mon imagination et certaines étaient sujettes à controverse. Et puis après? Elles se révélaient efficaces, me faisaient des amis et les engageaient à revenir. Un bon nombre de grands patrons en étaient ennuyés car, même si de grandes compagnies aiment réussir, elles craignent comme la peste de prendre des risques.

Eh bien, moi, je vous demande de prendre des risques et j'espère que vous suivrez mon conseil.

Même si mon bouquin traitait de ma façon de vendre des voitures et de remplir mes «premières loges» de clients, cette méthode de base vaut également pour la vente de n'importe quel produit. C'est la raison pour laquelle je l'ai intitulé *How to Sell Anything to Anybody.* Cependant, je sentis monter l'impatience en moi devant l'insistance de plusieurs animateurs de tables rondes télévisées à me mettre sur la sellette avec leur éternelle question: «Ok, Joe, vends-moi ce crayon, ce veston, ce porte-monnaie!» Un de ces énergumènes a même poussé le cynisme jusqu'à sortir un poulet de caoutchouc d'un tiroir de son bureau en disant: «Peux-tu me vendre ce poulet?» J'ai failli le lui lancer à la figure. Voyez-vous, aucun de ces animateurs ne pensait à me permettre de me faire accepter pour moi-même avant de pouvoir faire la vente de l'objet qu'il me présentait, à se renseigner sur les motifs qui font agir un client ou sur les profits à retirer d'un produit par ce dernier. Chacun désirait tout simplement faire son petit numéro.

La magie, la chance ou l'épate ne sont pas des facteurs de vente. Celle-ci exige de faire ses classes avant de s'y lancer; c'est un travail difficile, ardu mais combien satisfaisant.

Parlons un peu des principes immuables, de la façon de s'en servir et de les apprêter à la sauce Girard afin d'en retirer une vente sûre.

En votre qualité de vendeur, je suppose que vous êtes au courant des sept étapes fondamentales de la vente:

Stratégie fondamentale de la vente

1. *Recherche de clients éventuels.* Trouver des gens ou des organismes à qui on désire vendre son produit.
2. *Découvrir les besoins.* Repérer les véritables besoins des gens plutôt que ce qu'ils s'imaginent, et connaître leur solvabilité.
3. *Présentation.* Montrer son produit sous son plus beau jour, peu importe l'endroit, et éveiller le désir de se le procurer.
4. *Démonstration.* Compagne de la présentation, sauf qu'il s'agit maintenant de démontrer ce que le produit peut faire et éveiller davantage le désir de se le procurer.
5. *Répondre aux objections.* Renverser tous les arguments réels ou imaginaires qui s'opposent à l'achat.
6. *La conclusion.* C'est le moment où l'on sollicite la commande.
7. *Donner suite.* Le rappel constant au souvenir du client.

Suivre fidèlement ces sept étapes entraîne des ventes, la conservation des clients et la transformation de clients éventuels en clients réguliers.

Évidemment, le succès de cette stratégie dépend en grande partie de la préparation. Je suppose également que vous connaissez à fond votre produit, que vous en connaissez toutes les caractéristiques. La connaissance de son produit ne vaut pas cher sans une stratégie de vente, une stratégie de vente ne vaut pas plus sans la connaissance de son produit. Hâtez-vous donc d'étudier votre produit sous tous ses angles.

Il existe une différence monumentale entre *stratégie de vente* et *art de vendre*. En ce moment, c'est bien *l'art de vendre* qui nous intéresse.

Mon type particulier de vente vient de méthodes conçues par moi ainsi que de trucs appris de certains collègues. Il remonte directement à la philosophie de la vente que j'ai toujours prônée: *je ne vends pas une chose, je me vends moi-même.* Lorsque j'ai réussi à me faire accepter, je n'éprouve ensuite aucune difficulté à faire passer mon produit. Nous avons beaucoup parlé de l'art de se faire accepter; voyons maintenant ses répercussions sur la vente d'un produit. Quels sont vos rapports avec le produit que vous désirez vendre après vous être fait accepter vous-même? Voici quatre principes qui m'ont toujours été fidèles:

1. Être son propre meilleur client.
2. Se mettre dans la peau de son client.
3. Ne pas se réfugier derrière un paravent.
4. Être encore plus grand que son produit.

Étudions-les un à un.

1. *Être son propre meilleur client.* Si vous désirez que votre client en puissance soit attiré par votre produit, vous feriez bien de faire preuve de plus d'enthousiasme vous-même. Quelle confiance pensez-vous inspirer à un client auquel vous voulez vendre une Plymouth quand celui-ci sait très bien que vous vous déplacez au volant d'une Fiat?

Il va de soi qu'un vendeur de General Electric doit posséder des appareils GE dans sa cuisine et sa buanderie plutôt que des Kenmore de Sears. Et vice versa. Vous saisissez? Je ne chante les louanges ni d'une marque ni d'une autre; je me borne à mettre les points sur les «i» en ce qui concerne la loyauté que vous devez à la maison qui vous emploie.

Un vendeur de rasoirs de marque Schick, Remington ou Norelco n'ira pas loin dans ses ventes s'il utilise lui-même un rasoir de Gillette.

Soyez votre propre meilleur client. En autant que vous le pourrez, employez, conduisez, portez, faites étalage et vantez les mérites du produit que vous offrez.

Vos clients habituels et potentiels penseront: «Si ce produit est assez bon pour ce vendeur, il doit vraiment en valoir le coup.»

Il arrivera cependant que vous puissiez être à l'emploi de maisons dont les produits sont variés. Il deviendra alors assez loufoque de vous affubler ou de vous servir de chacun des produits de la place. Je connais cependant des vendeurs qui ont contourné la difficulté de façon remarquable. Leur conscience est en paix.

Un vendeur d'une maison très importante d'appareils ménagers de Détroit procède de la façon suivante: comme on s'attend à ce qu'il fasse preuve de loyauté envers certains produits de la maison, certaines marques de commerce, il possède une cuisinière, un réfrigérateur et un lave-vaisselle de trois marques différentes. Dans sa buanderie, on retrouve une lessiveuse et une sécheuse d'une autre marque encore. Il a la conscience tranquille même si sa femme se plaint que l'esthétique de sa maison en souffre.

Un vendeur de chaussures que je connais travaille dans un de nos supermarchés; il possède des souliers chics d'une marque, d'autres pour la détente d'une marque différente et des pantoufles d'une autre marque encore. On retrouve ces trois marques en plus d'autres dans son magasin; mon ami ne peut se les procurer toutes car il n'a plus d'espace dans son armoire. Pour lui, sa loyauté s'arrête à trois marques.

Je le répète, autant que possible, il est bon de faire usage des produits que nous vendons pour témoigner de notre loyauté. Sinon, nous courons le risque de voir les choses tourner à notre désavantage. Voici ce qu'un vendeur m'avouait à propos d'une bourde commise en ce sens. Dans ce cas, il s'agissait de demeurer loyal envers le produit du client.

«J'allais me présenter, Joe, auprès d'une firme importante des environs de Philadelphie qui écoule des appareils stéréo, des téléviseurs, radios, etc. et j'avais rencontré au préalable un de leurs directeurs du marketing dans le but de me renseigner avant de faire une proposition.

«J'avais besoin d'une foule de renseignements sur les produits et les coûts, y compris un prix populaire qui ne nuirait pas à leur budget. Je commis l'erreur d'enregistrer notre conversation sur mon petit magnétophone à cassettes japonais. Je ne savais pas qu'ils vendaient également des magnétophones à cassettes. Mon interlocuteur me toisa et fixa mon appareil avec des yeux réprobateurs. Il m'assura alors que si je ne connaissais pas mieux les produits de sa maison, je n'avais aucune raison de tenter de leur faire une proposition. Il coupa court à l'entretien sur l'heure. Jamais je n'ai pu par la suite trouver grâce devant lui aussi longtemps qu'il fît partie de cette maison.

«J'ai appris là toute une leçon, Joe. Ne va pas croire que mon pauvre petit magnétophone n'était pas de bonne qualité; il fit seulement l'effet d'une bombe sur un type représentant une marque rivale.»

Ici, il faut se rappeler les mots: *autant que possible.* Soyez sincère envers les marques, les produits que vous vendez mais souvenez-vous que vous pourriez être exposé à manifester également des signes extérieurs de cette loyauté envers le produit vendu par l'autre.

Dans le doute, il est encore préférable de suivre le vieil adage qui dit: «Rentre à la maison en compagnie de la même fille avec qui tu es sorti.»

2. *Se mettre dans la peau de son client.* Les gens ont *leurs* propres raisons de faire quelque chose. Ils achètent des choses pour *leurs* propres raisons également.

Il est donc important de considérer le produit que vous vendez avec les yeux du client. Donnez-vous la peine d'examiner attentivement la voiture, le tracteur, le réfrigérateur ou la robe, en vous substituant à la personne qui pourrait l'acheter. Vous devez comprendre les besoins et les désirs des clients. C'est ce que j'appelle rapprocher le produit du client et vice versa. Les gens vont acheter le produit non seulement pour ce qu'ils ressentent envers lui, mais surtout parce qu'ils se rendent compte que vous comprenez leurs besoins.

Cependant, vous ne pourrez en arriver là si vous ne prenez pas l'habitude de vous mettre dans leur peau et de considérer le produit de leur point de vue. Il peut arriver que vous soyez obligé d'en forger un spécialement pour eux.

Voici la façon dont un vendeur de réfrigérateurs procède:

«Je laisse mes clients en perspective, mari et femme, examiner le produit, je leur donne la chance et le temps d'en apprécier la beauté, la couleur. Je leur permets d'ouvrir la porte et de tomber en admiration devant les tablettes amovibles et les compartiments réfrigérants. Il se peut que l'appareil possède un concasseur intégré qui, rendez-vous compte, augmente l'espace dans le congélateur. Ils sont éblouis, c'est visible. Sais-tu qu'il existe encore des gens mystifiés par l'allumage automatique de la petite lampe d'accueil lorsque l'on ouvre la porte? Qu'est-ce que tu en penses? Je ne cherche pas à me payer ta tête, tu sais.

«À ce moment-là, je les éloigne de l'appareil... oui, oui... je leur fais prendre un peu de recul. Une fois à distance, je me mets dans leur peau et tente de voir le réfrigérateur de leur point de vue. Je joue alors sur leurs premières impressions. Je dis: *Il est superbe, n'est-ce pas? L'intérieur est tout en porcelaine, les tablettes d'aluminium anodisé, les roulements de nylon et il y a beaucoup d'espace de rangement comme vous pouvez le constater.*

«Cela me permet de voir les choses de leur point de vue et me donne une occasion de regarder moi-même le produit que je tente de vendre avec les yeux de mes clients, sans qu'ils s'en doutent. Seulement, il me faut procéder avec soin car mes paroles devront concorder avec leurs propres désirs.

«Je pose des questions sur le nombre de personnes dans leur famille, combien de fois ils doivent aller au marché; une fois, deux fois la semaine? Ont-ils des enfants? Quelle est la couleur de leur cuisine? Reçoivent-ils beaucoup? Congèlent-ils leurs restes ou aiment-ils magasiner en vue de soldes sur les viandes et les aliments surgelés? Je me sers alors de leurs réponses pour me faire une image nette de leurs besoins, non pas seulement de leur admiration. C'est bien ce qu'ils ont maintenant à l'idée, leurs *besoins,* et alors, nous avons *tous* le même point de vue.

«Sais-tu ce que cette attitude m'a apporté, Joe? Elle m'a aidé à augmenter mon pouvoir de persuasion. Ces clients ont vraiment besoin de plus d'espace de congélation. S'ils ne reçoivent pas beaucoup alors à quoi bon un concasseur? Je finis donc par leur faire accepter probablement un combiné réfrigérateur/-congélateur, peut-être bien aussi un congélateur indépendant. Considérer le produit du point de vue du client et l'aider à s'y conformer m'ont apporté des dividendes fabuleux.»

3. *Ne pas se réfugier derrière un paravent.* Un paravent peut se présenter sous la forme de n'importe quoi que vous avez placé entre vous et votre client, une chose qui vous rend invisible, vous dérobe à sa vue: tenue vestimentaire, bijoux,

illustrations sur les murs du bureau, bibelots sur la table de travail, tous font office de paravents entre vous et votre client et peuvent contribuer à vous faire rater une vente.

Par exemple, ne portez pas de choses déplaisantes à l'oeil du client. Il veut acheter votre produit, non pas payer la note de votre tailleur. Donc, ne l'éblouissez pas de vos vêtements précieux. Mon ami Ed Start, dont je vous ai parlé, me dit un jour: «Joe, si tu opères dans un district de journaliers, habille-toi autant que possible de façon à ne pas jurer dans cette atmosphère. Ta chemise blanche ne sera pas populaire.» Il a raison. Les accoutrements malencontreux agissent à la façon d'un paravent et, sans que vous vous en rendiez compte, ce paravent vous dissimule aux yeux de votre interlocuteur. Comment un client pourra-t-il vous accepter s'il ne vous voit pas?

J'ai toujours eu soin de faire asseoir mon client le dos tourné à la fenêtre dans mon bureau. Pourquoi? Parce que l'extérieur devient un paravent. Que de fois j'avais remarqué des clients éventuels jetant un regard par-dessus leurs épaules vers la fenêtre. Dès que je le pus, je fis remplacer les carreaux par du verre dépoli.

La porte ouverte sur la salle de montre devient également un paravent si le client peut voir tout ce qui s'y passe.

Vous pouvez aimer ce tableau représentant des oies sau-vages filant vers le Sud mais il deviendra un paravent si votre client laisse son imagination s'envoler à leur suite.

Une dame de mes connaissances, qui réussit merveilleuse-ment bien dans la vente de bijoux dans un magasin de Cleve-land, me disait comment elle s'y était prise pour se débarras-ser des paravents:

«On m'avait assignée au comptoir des boucles d'oreilles où je faisais de bonnes affaires. Chaque jour, je portais une paire de boucles différentes, les miennes, que je m'étais procurées en profitant de l'escompte octroyé aux employés de la maison. Les clients pouvaient ainsi constater l'effet de mes produits avec mon genre de coiffure. Je vous prie de croire que cela m'aidait réellement à écouler ma marchandise.

«Un jour, la direction me demanda de m'occuper, pour quelque temps, de la section réservée aux montures de lunettes au rayon des produits optiques, jusqu'à ce que l'on ait trouvé une autre jeune fille pour s'en occuper. Nous avions des modèles spéciaux, vous savez... Diane Von Furstenburg, Givenchy... J'ai bien aimé l'expérience. Les clients prenaient place devant moi et je devais leur faire essayer différentes sortes de montures afin de leur permettre de fixer leur choix. Ils me regardaient, c'est sûr, mais je m'aperçus que leur attention était plutôt fixée sur mes boucles d'oreilles. Il me fallait deux fois plus de temps pour boucler l'affaire que si je n'avais pas porté ces malencontreux bijoux.

«J'ai résolu mon problème en cessant tout bonnement de porter des boucles d'oreilles. De retour à mon comptoir de bijoux, je pouvais facilement en mettre une paire pour démontrer l'effet à une cliente et même en changer rapidement, et je fus ainsi en mesure de garder mon quota de ventes élevé. Lorsque je me présentais au rayon des montures de lunettes, j'avais alors les oreilles libres et plus rien n'empêchait les ventes.»

Cette vendeuse avait cessé de se dissimuler derrière un paravent et, de ce fait, les choses se mirent à fonctionner rondement. Peu importe ce qui fait figure de paravent chez vous, faites en sorte de le rendre invisible afin que le client soit en mesure de vous accepter sans restrictions.

4. *Être encore plus grand que son produit.* C'est là la meilleure manière de vous faire accepter. Avez-vous déjà remarqué sur une photographie en gros plan de vous-même à un pique-nique, dans votre jardin ou en voyage, comme votre image

cachait presque entièrement l'arbre, le bosquet ou quelque autre objet derrière vous, même si ces derniers étaient trois ou quatre fois plus gros? Vous vous étiez tout simplement placé devant et plus près de l'appareil photo, créant ainsi une illusion d'optique.

Cependant, c'est la réalité, et non un illusion d'optique, si vous vous placez devant votre produit. À ce moment-là, vous devenez plus grand que le produit que vous tentez de vendre. Ce point est important parce que le client doit vous accepter avant d'accepter votre produit.

Évidemment, en ce qui concerne l'art de vendre, je parle au sens figuré. Comme je l'ai mentionné plus haut, je ne dis jamais littéralement: «Je me tiens derrière mon produit.» Vous me voyez dans cette position? J'ai toujours affirmé que je me porte garant de la durabilité et de l'efficacité de mon produit, c'est pourquoi je me tiens *devant* lui. Les gens croient en moi et ils savent qu'ils peuvent compter sur mon honnêteté à partir de ce moment; ils savent également que je place ma réputation dans la balance.

Je suis toujours plus important que mon produit lorsqu'il s'agit de conclure une vente. Ainsi devez-vous vous comporter. Voilà la grande différence entre l'art de vendre et la stratégie de la vente. Il est regrettable que ce principe ne soit pas mis de l'avant de façon plus soutenue par tous les experts qui enseignent l'art de vendre.

Le fait est que, du moment que vous avez maîtrisé les quatre règles simples que je viens de vous donner, vous trouverez les sept étapes fondamentales de la vente plus faciles à observer.

Je ne vous fais pas là une promesse futile. Je l'ai dit et je le répète: ce que j'ai fait, vous pouvez le faire également.

Voyons maintenant quelques autres points à considérer dans l'art de se faire accepter et l'art de vendre un produit. Ce sont des trucs éprouvés, et voici comment je les utilise - c'est ce qui fait toute la différence. Encore un solide quatuor qui *vend* pour vous.

Quatre principes de vente

1. Partager votre secret avec votre client.
2. Laisser le client entrer dans votre jeu.
3. Prêter l'oreille aux objections de votre client.
4. Montrer à votre client qu'il compte à vos yeux.

Voici maintenant mon interprétation personnelle:

1. *Partager votre secret avec votre client.* Tous les humains sont plus ou moins friands de secrets: ils aiment sentir qu'ils savent quelque chose que d'autres ignorent, quelque chose qu'ils ont peut-être hâte de révéler aux autres. Ils se comporteront de cette façon surtout si vous leur demandez de ne pas en souffler un mot.

Une des règles fondamentales de la vente consiste non pas à vendre le produit tout court mais bien aussi son efficacité. Le client n'est habituellement pas intéressé à connaître le mécanisme de quelque chose, il désire plutôt être mis au courant du profit qu'il peut en retirer.

La plupart des vendeurs connaissent cette règle sur le bout des doigts. On leur a répété tellement souvent de ne pas l'oublier qu'ils en mettent quelquefois trop plein la vue du client. Ils l'abreuvent de détails sur les avantages du produit et ajoutent nombre de données plus ou moins utiles. Cela nous ramène à la vieille histoire de celui qui demande l'heure et reçoit en réponse un historique de la montre. Voici comment on devrait plutôt s'y prendre pour bien appliquer ce principe:

Souvenez-vous que l'intérêt du client ne vient pas de ce qu'il a entendu dire du produit mais bien plutôt de son utilité pour lui. Alors, dites-le-lui sans détours mais retenez un petit détail: c'est cela qui deviendra votre secret. Il n'est pas nécessaire que ce soit une caractéristique importante du produit; en fait, ce pourrait être quelque chose de bien infime. Ce qui le rendra important aux yeux du client, ce sera votre physionomie, votre attitude et le fait que vous pourriez partager ce secret avec lui. Vous avez piqué son intérêt; il n'aura de cesse que vous ne le lui disiez.

Un vendeur de machines à coudre de mes connaissances s'y prend de la façon suivante: il a appris tout ce qui concerne ses machines, les genres de points à partir des boutonnières jusqu'aux points ordinaires ou de zigzag. Son produit comporte un bouton qu'il suffit d'actionner pour obtenir le point désiré. En montrant son produit à une cliente, il dira par exemple: «Vous voyez, madame Clairmont, vous pouvez faire toutes sortes de coutures avec cette machine, en suivant n'importe quel patron.» Puis, baissant la voix, il ajoutera: «Laissez-moi vous dire un petit secret que l'on m'a passé; les grands modélistes de Paris, Rome et New York ne me le pardonneront pas. Avec cette machine, vous pouvez réussir le point Cendrillon aussi bien que si vous le faisiez méticuleusement à la main.»

En fait, madame Clairmont peut très bien apprendre ce point en suivant les instructions accompagnant la machine, mais mon ami en a fait un secret qu'il partage volontiers.

Vous pouvez faire de même avec votre produit, peu importe sa nature. J'ai toujours suivi cette routine et voilà ce qui se produit: devant votre visage énigmatique, le client sent monter le désir de connaître votre secret et, encore une fois, vous avez réussi à vous faire accepter avec votre produit.

2. *Laisser le client entrer dans votre jeu.* Jimmy Durante, dont la réputation dans le monde du cinéma et de la télévision n'est plus à faire, avait coutume de dire: «Tout le monde veut entrer dans le jeu!» Il avait raison. Chacun veut avoir sa part du gâteau.

Tous les clients s'attendent à ce que l'on fasse un petit discours pour mousser une vente; ils seraient déçus s'il en était autrement. Ils pressentent votre petit boniment, anticipent le plaisir de vous entendre gloser sur votre produit, de vous voir vous évertuer à les persuader. Mettez-leur-en plein les yeux des deux premiers mais ignorez complètement l'insistance sur l'achat comme s'il s'agissait d'une maladie contagieuse.

Au lieu de cela, faites-leur la surprise de les incorporer à votre jeu. Permettez-leur de dire et faire ce qu'ils s'attendent de vous voir faire et dire. Faites-les participer à la vente. Encore une fois, ils vous acceptent, vous et votre produit. Voici comment le procédé agit, tel que raconté par un vendeur de meubles:

«Je dis à une cliente: *Allez-y, madame Fortin. Ouvrez vous-même ce sofa. Essayez-le comme s'il vous appartenait.*

«Elle s'exécute alors avec un plaisir non dissimulé et je lui demande: *Dites-moi maintenant ce que vous en pensez, madame.*

«Elle me répondra sûrement: *Mon Dieu, comme il est souple, facile à ouvrir; c'est un charme. Si simple! Je n'aurai pas de difficultés à offrir du confort à mes invités.*

«Ce qui s'est produit, Joe, c'est que je l'ai laissée se vendre elle-même le sofa en la faisant entrer dans mon jeu. Lorsqu'elle l'ouvrira à la maison, elle pensera souvent à moi... Hé là, Joe, ne va pas t'imaginer des choses! Ne rapporte pas mes paroles.»

Naturellement que je rapporterai ses paroles parce qu'elles en disent long sur la vente. Essayez cette méthode; je l'ai toujours pratiquée même dans la vente des voitures. «Prenez le volant, monsieur Talbot.» Avec des réfrigérateurs, on peut dire: «Madame Labonté, changez la disposition des tablettes amovibles.» Avec des équipements de sport: «Venez ici, je vous prie; prenez ce bâton de golf et sentez-en l'élan et la douceur.»

Rien ne remplace le fait de faire entrer le client dans son jeu.

3. *Prêter l'oreille aux objections de votre client.* Je veux dire par là les objections que votre client peut poser devant l'acquisition de votre produit, les excuses, les raisons vraies ou imaginaires, les hésitations.

Tous les vendeurs connaissent l'importance de faire échec aux objections, ces barrières posées parfois devant la vente, et tous s'efforcent de les surmonter. Mon secret consiste à renverser les obstacles avec un brin de sympathie. Laissez le client exprimer ses objections, ses doléances, faites montre de compréhension et ensuite, passez à l'action. Bien souvent, essayer de réfuter les objections fait l'effet d'abattre une carte d'atout sur celle de votre partenaire. Vous avez réussi à renverser son objection mais le client se sent diminué devant votre savoir-faire. C'est pourquoi j'affirme qu'un peu de sympathie tempère l'effet.

Ce secret m'est venu de nombre de vendeurs et je désire vous le passer à mon tour. Par exemple, je dirai: «Je sais que le prix est un peu élevé et, croyez-moi, l'inflation ne nous a pas épargnés, ni vous ni moi. Je sympathise avec vous et je prends vos craintes en considération. Je sais comme votre budget en a été perturbé mais je suis sûr que nous pouvons faire en sorte que vos versements ne soient pas trop difficiles à absorber.»

Employez des mots dans le genre de: «Je sympathise, je comprends, je vois votre point de vue, je pense la même chose que vous.» Ils signifient que vous vous impliquez, que vous saisissez le sens de son objection; qu'il s'agisse du prix, de la dimension, de la couleur, du modèle, peu importe, mais vous pouvez être assuré que les choses se tasseront et que tout sera réglé à la satisfaction du client. Vous pouvez renverser plus d'objections de la part d'un client avec un peu de sympathie et de compréhension qu'avec des faits non déguisés.

Croyez-moi, c'est ce que je fais depuis nombre d'années.

4. *Montrer à votre client qu'il compte à vos yeux.* Je veux dire que votre client est tout aussi important à vos yeux avant la vente que plus tard, après que vous ayez conclu l'affaire.

Tant de vendeurs pensent que, une fois la commande signée, tout est fini. C'est pourtant à ce moment que tout commence, à moins que vous ne vendiez un produit qui ne s'usera jamais, et je voudrais bien le voir! Votre succès en affaires dépendra du fait que le client sera porté à revenir souvent vers vous. *La récidive dans les achats est tout ce qui compte.*

Chaque vendeur s'est vu chanter les louanges de la relance et les plus consciencieux la pratiquent régulièrement. Ils enverront peut-être des lettres, logeront un appel vers le client ou bien, à sa prochaine visite, ils s'informeront s'il est toujours satisfait du produit vendu.

Ils s'en tiennent au principe mais, à mon sens, il faut aller plus loin. Tout comme l'abolition des obstacles ne va pas sans la sympathie, l'intérêt se conjugue à la relance.

Vous faites de la relance lorsque vous vous donnez la peine de téléphoner à un client quelque temps après qu'il ait fait l'acquisition d'un produit et que vous allez le visiter chez lui, si possible; pour inattendue qu'elle soit, cette démarche lui prouvera qu'il ne vous laisse pas indifférent.

Une petite carte de remerciement après une vente est une forme de relance et une lettre signée de votre main indique votre intérêt. En fait, une lettre mensuelle manifestera non seulement votre intérêt dans le produit vendu mais également celui que vous portez à votre client que vous désirez voir revenir chez vous.

La plupart des gens n'aiment pas être touchés par une connaissance occasionnelle ou un vendeur, mais rien ne vous empêche de mentalement placer votre main sur l'épaule de votre client en lui témoignant votre sympathie.

Un de mes amis, vendeur de voitures usagées, me disait: «Joe, j'observe mon client. Bien souvent, il s'agit d'un jeune en quête de sa première voiture et je lui dis alors: «*Je veux que vous sachiez que vous êtes maintenant propriétaire d'une voiture qui vous donnera de nombreuses années de service si vous en prenez bien soin, et je suis tout à vous également. Vous pouvez compter sur mon aide dans l'avenir. À propos, je vais communiquer avec vous dans une semaine afin de voir si tout va bien.*»

Voici un vendeur de qui il fait bon acheter une voiture d'occasion, n'est-ce pas?

Ayez recours à la relance mais surtout, mettez-y de l'intérêt. Croyez-moi, c'est le secret du retour du client pour des achats futurs.

Si vous suivez ces règles de mon cru, vous verrez s'accroître votre crédibilité et le volume de vos ventes.

On me demande souvent: «Que faites-vous, Joe, lorsque le produit ne vaut pas grand-chose?»Voilà une bonne question! Très souvent, un produit n'est que de la pacotille et, en ce cas, le vendeur fait face à un dilemme.

Bon, supposons que vous, en votre qualité de vendeur, êtes convaincu que le produit que vous offrez est moins que désirable. Le genre de produit importe peu ici: ce pourrait être un article au comptoir, au détail ou dans le gros. Il pourrait présenter d'importantes dimensions ou être bien menu. Il importe peu également où vous le vendez: magasin de détail, salle de montre, magasin à rayons, pharmacie, quincaillerie, entrepôt de bois de construction, maison d'escompte ou boutique de luxe. Vous me comprenez?

Le point le plus important en l'occurence est que la personne qui en fait l'acquisition deviendra la perdante. Supposons également que votre diagnostic soit véridique: le produit ne vaut absolument rien.

À propos de ce dilemme, j'ai causé avec plusieurs personnes impliquées dans la vente et j'ai reçu les bonnes suggestions que je vous transmets.

Un grossiste au service de différentes maisons dit: «Quand vous vendez comme moi, vous le faites ordinairement à partir d'un catalogue. La firme offre un éventail assez étendu de produits et de marques diverses. Bon, votre expérience vous dit que l'article NB-16332, par exemple, est déficient. Vous avez déjà reçu des plaintes, vous avez éprouvé le produit en autant qu'il vous était possible de le faire; d'autres vendeurs ont aussi reçu des plaintes. Il s'agit alors d'aller trouver la direction et de les convaincre d'abandonner la vente de cet article, leur prouvant que non seulement votre réputation est en jeu mais que leur renommée en souffrira.

«Si vous pouvez obtenir l'appui des autres vendeurs du même article, vous avez de grandes chances de voir disparaître l'objet.»

Un vendeur de détail au comptoir affirme: «Si les plaintes affluent sur un produit et que vous commencez à croire qu'il s'agit vraiment d'un citron, vous pouvez aller trouver le gérant du magasin ou du rayon et lui démontrer que, même si vous offriez l'article en question gratuitement, vous ne trouveriez pas preneur. Tâchez de faire baisser le prix, faites-en une offre spéciale mais arrangez-vous pour qu'il disparaisse de l'étalage. Suggérez au patron de demander au représentant des ventes de passer à un autre produit. La méthode est efficace au détail comme dans le gros.»

Un vendeur d'appareils radio et stéréo explique: «Je vends différentes marques et je n'insiste pas lorsque je vois un client tendre vers un produit plutôt qu'un autre. Mais, si je sais que tel produit ne vaut pas le prix proposé, je me fiche si le client l'aime ou pense l'aimer, je ferai tout pour l'empêcher de l'acheter. Après tout, quand vous présentez six marques de radioréveils sur votre étalage, il vous reste encore cinq genres que vous pouvez mousser à la place de celui dont la qualité est douteuse.»

Ma vie a été consacrée presque entièrement à la vente. Voici comment je vois la chose: vous avez véritablement quatre choix:

1. Orienter le client vers un produit plus valable.
2. Présenter le produit tel qu'il est.
3. Tenter de faire disparaître tel produit de l'inventaire.
4. Changer d'emploi.

1. *Orienter le client vers un produit plus valable.* C'est ce qu'il y a de mieux à faire quand vous travaillez dans les produits multiples. Persuadez le client de l'avantage de se procurer tel autre produit au lieu du citron qu'il contemple. Si un client insiste sur l'achat de tel article que vous savez ne pas être à la hauteur, dites la vérité sans ambages. Vous pourrez perdre une commission mais vous obtiendrez des compensations sur la vente de tel autre produit et vous aurez la conscience tranquille.

2. *Présenter le produit tel qu'il est.* Supposons, par exemple, que vous décidiez que le produit ne vaut pas le coup parce que la confection n'est pas soignée; il s'agit peut-être d'un produit pour usage à court terme ou présenté à rabais. Souvenez-vous que certains clients doivent se contenter d'une certaine qualité permise par leur budget, peut-être pour un certain temps, mais c'est ainsi parfois. Vendez-leur le produit en leur rappelant qu'ils en ont pour leur argent, pas plus. Ne brodez pas sur la vérité, vendez ce que vos clients peuvent s'offrir. Supposons que vous doutiez de la qualité d'un article parce qu'il ne se vend pas beaucoup; vous pouvez résoudre ce problème en

mettant l'accent sur les raisons de sa petite quantité. Un article considéré comme mauvais en raison du peu d'acheteurs ne signifie pas qu'il le soit véritablement. Vendez-le à ceux qui en veulent et avec bonne conscience.

3. *Tenter de faire disparaître tel produit de l'inventaire.* Cette étape pourrait être très simple à franchir avec votre surveillant, votre directeur des ventes ou votre patron si l'article en question est un outil dans une quincaillerie ou une marque de poudre à pâte dans un épicerie. Mais le processus s'avérera plus ardu s'il s'agit d'une concession automobile. Autant que possible et en raison de ce que vous vendez et de l'endroit de la transaction, faites en sorte que le produit soit enterré six pieds sous terre si c'est tout ce qu'il mérite.

4. *Changer d'emploi.* Ce n'est peut-être pas la chose la plus facile à faire mais c'est probablement la meilleure solution. Si vous êtes bon vendeur, vous réussirez tout aussi bien, peut-être mieux qui sait, dans la vente d'un autre produit que celui pour lequel vous ne vous sentez aucune affinité. Une conscience tranquille vaut davantage qu'une grasse commission. Assurez-vous simplement que votre opinion sur le produit n'est pas seulement basée sur des raisons émotives mais repose sur des faits certains: l'expérience, les plaintes nombreuses, le fléchissement des ventes, etc. Le principe devant présider à votre décision est celui-ci: il s'agit de vous faire accepter vous-même avant de faire accepter un article quelconque. Votre produit doit être aussi bon que vous l'êtes.

Rappelez-vous! Vous pouvez vendre un produit que le manufacturier vante comme le meilleur au monde mais, en dernier ressort, c'est vous qui êtes le plus grand. Alors, allez-y! Faites-vous accepter pour ce que vous êtes comme si la signature du client en dépendait. Elle en dépend effectivement.

Actes à poser MAINTENANT!

- Saturez votre pensée du produit que vous devez vendre, examinez-le sous tous ses angles et voyez son efficacité. Découvrez ses caractéristiques, ses avantages, les bénéfices qu'il peut procurer. Si vous ne connaissez pas votre produit à fond, vous n'aurez aucune raison de tenter de le vendre.
- Relisez les sept étapes fondamentales de la vente d'un produit, puis souvenez-vous de vous impliquer profondément par votre art de la vente.
- Apprenez et mettez en pratique les quatre principes de la vente de soi-même avec son produit: soyez votre meilleur client, mettez-vous dans la peau de votre client, ne vous réfugiez pas derrière un paravent et soyez encore plus grand que votre produit.
- Apprenez et mettez en pratique les quatre principes de vente: partager votre secret avec votre client, laissez-le entrer dans le jeu, prêtez l'oreille à ses objections et montrez-lui qu'il compte beaucoup à vos yeux.

18

Se faire accepter
avec ses services

Les gens qui vendent un service plutôt qu'un produit
offrent des idées, peut-être même l'efficacité d'un produit, sans pour cela vendre le produit lui-même. Les médecins
vendent leurs diagnostics, leur habileté chirurgicale, leur spé-
cialité, leur compréhension, leurs connaissances en art dentaire, en obstétrique, en psychiatrie ou autre et leur expérience. Il s'ensuit qu'ils désirent faire accepter leurs services
en même temps que leur personnalité, et le tout est contenu
dans une idée, l'idée de guérir ou de retenir une maladie de
quelque nature qu'elle soit, d'empêcher par des moyens préventifs qu'elle ne s'installe définitivement.

Les avocats agissent toujours fondamentalement d'après
une idée de justice: leurs services et leur habileté, leur expérience et leur savoir sont centrés sur le désir d'assurer à leurs
clients la protection des lois et des statuts de nos gouverne-
ments.

Un professeur base son travail sur son espoir de développer
et d'enseigner. Un technicien ou un mécanicien se fait accepter par sa volonté de maintenir la machinerie en bon état de
fonctionnement avec le moins de perte de temps possible.

Les agents d'assurance vendent la sécurité future à ceux
qui visent une vie agréable pour tous ceux qu'ils aiment; les
conseillers offrent le secours de leur jugement sous tous rapports, des carrières au mariage; un ministre du culte, un

prêtre, un rabbin vendent, à proprement parler, la paix de l'âme; un agent de voyages propose ce que l'on pourrait appeler du romantisme, de l'aventure; un officier de police offre sa protection. Peu importe l'idée qui préside à chaque vente, il faut absolument se faire accepter soi-même si l'on veut réussir à placer son produit.

Les gens qui vendent leurs services en même temps qu'eux-mêmes y pensent rarement en termes d'idées ou de concepts. Lorsqu'ils apprennent enfin à le faire, il leur devient de plus en plus facile de se faire accepter. Il ne fait aucune différence que le produit soit intangible. Vous pouvez être postier, préposé à la livraison, vérificateur d'impôts, médecin, maître nageur, chef d'une troupe scoute, conseiller municipal, préposé au déneigement, fille ou garçon de table, placier ou ouvreuse dans un théâtre ou un cinéma, gérant d'un lave-auto, directeur d'un salon funéraire, caissier dans une banque, reporter auprès d'un journal, artiste de la télévision, de la radio, de la scène ou du cinéma, peu importe. Vous comprenez certainement le sens de ce qu'il est convenu d'appeler service.

Il importe peu que vous soyez payé grassement pour votre service ou que vous agissiez comme bénévole: spécialiste en chirurgie esthétique dont les honoraires se chiffrent dans les milliers de dollars ou responsable non rétribué de louveteaux ou de jeannettes:

> *...Tous ces gens réussiront mieux à*
> *se faire accepter, eux et leurs services,*
> *s'ils apprennent à inclure*
> *le CONCEPT de ces services dans leur vie.*

Briques et cathédrales

Je me ferai mieux comprendre en vous racontant l'histoire, dont l'auteur m'est inconnu, d'un voyageur traversant une certaine ville. Il s'arrêta pour observer un maçon alignant patiemment brique sur brique et semblant s'y adonner avec beaucoup d'amour. Curieux, le voyageur demanda: «Pourquoi mettez-vous tant de soin à disposer de sales briques?»

L'homme lui répondit: «Je ne pose pas des briques, je bâtis une cathédrale.»

Vous voyez, derrière le travail de cet homme se cachait une *idée* merveilleuse. Le fait de savoir qu'il travaillait à l'érection d'une cathédrale lui permettait de se vendre lui-même d'une merveilleuse façon. Le voyageur continua son chemin, impressionné, se disant: «Avec des travailleurs comme celui-ci, cette cathédrale durera des milliers d'années.»

Voici comment on peut se substituer à un produit absent et se faire accepter. La meilleure façon de pousser les autres à adopter l'*idée* plutôt que le produit, c'est encore de l'exprimer de la manière la plus simple possible tout comme le briqueteur le fit pour l'étranger. La personne qui vous entend saisit bien plus rapidement. Alors, il se produira une chose remarquable: l'idée deviendra plus claire dans votre esprit, donnera plus de poids à votre service. Elle prendra probablement des proportions plus grandes que celles d'un vendeur à l'égard de son produit. Le service accolé à la personnalité représente toujours la meilleure transaction.

Stratégie de la vente d'un service

Dans le chapitre qui précède, je m'en suis tenu à la façon de vendre un produit concret, qu'il se soit agi de dépistage de clients, de sélection de ces derniers, de démonstration, de présentation, d'objections à renverser, de conclusion d'une transaction ou de relance.

Cette même stratégie s'applique dans la plupart des cas de vente de service plutôt que de produit. La maîtriser, de la façon exposée au chapitre précédent, vous sera également utile dans la vente de vous-même et du service que vous offrez.

Dans ce même chapitre, j'ai parlé aussi de l'art de vendre par opposition à la stratégie de la vente. Souvenez-vous des quatre principes directeurs: être son meilleur client, se mettre dans la peau du client, ne pas se réfugier derrière un paravent et être encore plus grand que, dans le cas présent, son service. Ces principes sont tout aussi importants dans la vente de soi-même et de ses services que dans la vente d'un produit palpable. Relisez le chapitre précédent, assimilez les principes directeurs et la stratégie de la vente, puis faites passer le tout dans votre vie.

Cependant, il y a service et service. Si vous travaillez dans la réparation ou le dépistage de problèmes de toutes sortes, jardinier-paysagiste, démolisseur, graphiste ou concepteur, ou autres occupations du genre, il faut alors avoir recours à la stratégie de la vente. Vous devez trouver des clients par voie de dépistage et suivre les étapes successives jusqu'à la relance. Ce genre de travail s'applique normalement dans le cas d'un service à donner à un produit dont une personne fait l'achat: une voiture, un appareil ménager, une maison, une propriété, des vêtements; vous saisissez?

L'autre genre de service concerne habituellement l'amélioration de la condition humaine, et il appartient par exemple aux médecins, dentistes, avocats, enseignants, conseillers, policiers, fonctionnaires, garçons et filles de table, pour ne vous en citer que quelques-uns. Évidemment, une fille de table qui donne un service essentiel ne doit pas nécessairement se mettre à la poursuite de clients, c'est le travail du propriétaire; et elle ne fait d'autre vente de son service que de faire pencher le client pour le «spécial du jour» plutôt qu'un autre repas au menu.

De fait, dans cette dernière catégorie d'occupations, les gens sont encadrés de règles strictes auxquelles ils ne doivent pas déroger, règles de jeu impératives pour les médecins, avocats ou psychiatres dans la recherche de clients.

Toutefois, sans égard au service que vous proposez, pour la façon dont vous vous y prenez, les principes directeurs s'appliquent dans tous les cas, tout comme ils s'appliquent dans la vente de produits tangibles.

Afin d'illustrer ce que j'avance, permettez-moi de vous citer l'exemple de quatre de mes amis qui doivent se faire accepter selon leurs idées dans les fonctions qu'ils exercent, sans pour cela présenter un produit palpable. L'un est représentant d'assurances, l'autre enseignant, un troisième oeuvre en communications et le quatrième est médecin. J'ai bénéficié personnellement des services de deux d'entre eux.

Tous quatre réussissent admirablement bien dans l'art de se faire accepter en même temps que leur service; les faits sont là pour le prouver.

Incidemment, ces quatre personnes dont je vais vous entretenir sont d'origines diverses; ils sont juif, polonais ou italien.

Faire accepter un certain avenir

Mon copain d'enfance, John LoVasco, est un agent d'assurance habitant Grosse Pointe au Michigan. Jumeau identique, il subit, à la mort de son frère Eugene, un terrible traumatisme.

«Perdre son jumeau dépasse l'entendement, me disait-il (naturellement, je connaissais également bien Eugene), et j'en fis une véritable dépression. Jeunes hommes, nous étions très unis, plus encore que de simples frères de sang à ce qu'on nous disait. Je me retrouvais sans une épaule compatissante, dépourvu de ressources, comme si j'avais soudain perdu le meilleur de moi-même.

«Ma femme, que j'ai eu le bonheur de rencontrer à peine un an plus tard, m'a sauvé de la détresse dans laquelle j'étais plongé. Elle m'a appris à continuer à vivre, à me grandir.

Auparavant, je travaillais dans le commerce des fruits et légumes mais je me trouvais terriblement malheureux dans ma peau. Je désirais faire quelque chose pour aider les autres car je pensais que c'était cela qu'Eugene aurait voulu. Les hommes, femmes et enfants laissés seuls ont besoin d'autant d'aide que moi lors de la mort de mon jumeau. Je ne pourrais probablement pas leur procurer la consolation mais je pourrais alléger leur fardeau financier par le truchement des assurances.

«Alors, je quittai les fruits et légumes pour me lancer dans la vente de polices d'assurance pour le compte de La Métropolitaine.»

La douleur de John lui avait servi à découvrir le moyen d'atténuer celle des autres. Le service qu'il choisit dans ce but tendait à bâtir un avenir certain et rentable pour ceux que la mort laisse derrière. Il n'a probablement pas réalisé la portée de son geste à ce moment-là, mais la véritable raison qui le poussa à opter pour cette occupation, l'idée motrice, fut le commencement de son engagement envers les autres.

Ne jouissant pas d'un gros capital, il pensa à une compagnie d'assurance qui lui permettrait de découvrir ses propres clients. La Métropolitaine l'affecta à ce que John appelle encore «la rentrée des fonds», c'est-à-dire qu'il devait aller de porte en porte percevoir les primes échues de polices vendues par d'autres représentants. Il faillit lamentablement à cette tâche et, au bout de quatre mois, se déclara vaincu. «Je voulais commencer au bas de l'échelle, dit-il, car la chute serait moins dramatique si j'essuyais un échec.»

Au début, il se rendit compte que la tâche n'était pas de tout repos et que le fait de se présenter aux examens de l'état entraînait un labeur intense, mais il bénéficia des encouragements de son directeur: «Il me conseillait, de dire John, de ne pas me décourager. Beaucoup de gens réussissent l'épreuve de conduite sur route mais cela ne signifie pas qu'ils soient bons conducteurs.» John ignorait si son directeur supposait que, même en cas de réussite à l'examen, il ne serait peut-être pas un bon vendeur.

Le directeur ne connaissait pas mon ami qui aimait répéter: «J'aime relever les défis et, lorsque la pression se fait sentir, je me sens à mon meilleur. Je crois que vous avez besoin d'un défi encore plus grand dans les assurances car vous vendez vraiment de l'intangible.»

Donc, relevant le défi, John continua à travailler ardemment. Il passa l'examen de l'état et signa un contrat avec la New England Life. Tout comme je l'avais fait dans la vente de voitures en recrutant mes premiers clients parmi les gens de la construction, John rechercha la clientèle des commerçants de fruits et légumes.

Lui et sa femme ont élevé dix enfants. Homme pieux, il a coutume de dire: «Il faut avoir la foi dans ce que vous faites et croire que le service que vous offrez sera utile à vos clients. Je ne vaudrais pas grand-chose comme vendeur si je n'appliquais pas mes principes à ma vie personnelle, ceux que je tente de passer aux autres. Alors, je me hâtai de doter ma famille de polices d'assurance propres à assurer leur avenir si je venais à disparaître. Votre conduite est encore le meilleur sermon.»

Je laisse John LoVasco terminer son histoire: «Au commencement, les affaires avançaient à pas de tortue mais je ne m'étais pas lancé dans ce domaine pour acquérir du prestige. Je comprenais qu'il y avait beaucoup d'autres choses plus importantes: ma vie conjugale et ma famille. Je savais pertinemment que je me refuserais à travailler les dimanches et les jours fériés et j'ai toujours manoeuvré de façon à me retrouver à la maison pour le repas du soir. Mes enfants savaient qu'ils pouvaient compter sur ma présence à ce moment-là, peu importent les obstacles qui se dresseraient sur ma route. Il faut travailler également à la bonne marche de la maison, vous comprenez? Je sentais que si je voulais me poser en exemple, je devais commencer par ordonner ma propre demeure.

«Si vous ne réussissez pas à vous rendre utile et indispensable à la maison, n'allez pas croire que vous réussirez dans le domaine de la vente. On ne peut leurrer les gens... vous vous faites des illusions! Des signes extérieurs comme la possession d'une Mark V peuvent parfois servir de palliatifs, dissimuler des problèmes familiaux. Vendre de l'assurance se résume à vendre de la sécurité pour ceux qu'on aime. Vous devez avoir quelqu'un à aimer si vous voulez vous faire accepter, vous et votre service.

«Vous devez de plus vous attendre à consacrer énormément de temps et de patience pour réussir dans le domaine de la vente d'un service, encore plus, je crois, que si vous vendiez un produit, mais je ne sais pas. Voici ce que je veux dire: j'avais essayé de vendre une police à un homme depuis une bonne quinzaine d'années. Il y eut des moments où je rentrais à la maison au bord des larmes. Le client pouvait acheter une police d'un million de dollars d'un certain représentant et une autre de deux cent cinquante mille d'un second. Je lui disais en badinant: *Gardez-moi au moins quelques miettes.* C'est bien ce que j'obtenais.

«Durant une dépression récente dans les affaires, cet homme rencontra de véritables difficultés financières. Il dut se défaire de toutes ses polices d'assurance. Ce fut à ce moment précis que tous ces représentants d'assurances disparurent dans la nature sans plus s'occuper de lui, tout comme s'il n'avait jamais existé. Je restai là, me rappelant à son souvenir, lui disant qu'il devait avoir confiance, que les choses reviendraient à la normale. Un jour, je l'appelai: *Comment aimeriez-vous obtenir 20 000$? Pensez-vous que vous pourriez vous en servir?* Il n'en croyait pas ses oreilles. *Où allez-vous dénicher 20 000$,* me dit-il? Je lui fis remarquer alors qu'il pourrait les obtenir à l'aide de l'une de ses assurances-vie, polices qu'il croyait ne pas pouvoir toucher parce qu'elles faisaient partie d'un trust. Je me mis à la tâche et découvris qu'il pourrait emprunter sur cette police et lui fis parvenir un chèque de vingt mille dollars. Cela lui fit l'effet d'une glace offerte à un voyageur altéré dans le désert.

«Les choses se tassèrent pour cet homme et il fut tellement reconnaissant de ce que j'avais fait pour lui que, il y a deux ans, il m'acheta une police de cinq cent mille dollars. Il revint cette année pour une autre d'un million en me disant: *Je n'oublierai jamais ce que tu as fait pour moi quand j'avais besoin de secours, lorsque tous m'avaient abandonné.*»

La patience, la sympathie, la stratégie de la vente avaient fait merveille pour John. À long terme, il avait recueilli beaucoup plus que des miettes, et combien!

John LoVasco est membre de la *Million Dollar Round Table* (table ronde du million de dollars) depuis bientôt douze ans. Il m'affirme que c'est un cercle où, pour devenir membre, un représentant d'assurance doit avoir atteint un certain sommet dans la vente. Cet organisme ne compte que 5% des 250 000 représentants des États-Unis. John a plus que fait ses classes, il a passé l'examen haut la main car, depuis vingt-deux ans qu'il est au service de la New England Life, il a réussi en moyenne deux ou trois millions de dollars de ventes de polices par année.

«J'essaie de donner entière satisfaction et, pour cela, il faut ne pas être avare de son temps et de sa sympathie. *Vous devez vous vendre vous-même.* J'ai toujours été d'avis qu'il valait mieux avoir moins de clients, mais des clients satisfaits, que des milliers que vous devez négliger en partie.»

Eugene, le jumeau de John qui mourut si jeune, serait fier de son frère.

Vous apprenez de vos élèves

Joel M. Wolfson est directeur-fondateur de deux camps d'été destinés aux jeunes, institutions de grande renommée dans l'Est des États-Unis: le Kirkland pour les garçons et le Wingate pour les filles, tous les deux situés à Yarmouth dans le Massachusetts.

J'ai rencontré Joel pour la première fois à Miami, en Floride, à l'époque où je faisais la publicité de mon bouquin en format de poche: *How to Sell Anything to Anyone*. Nous étions tous deux près de la piscine de l'hôtel, un endroit tout indiqué pour faire connaissance... moi qui n'avais pas terminé mes études secondaires, lui, détenteur d'un baccalauréat ès arts de Harvard, d'une maîtrise en éducation et spécialiste en mathématiques de l'Université de Boston. De plus, Joel pouvait se réclamer du titre de membre honoraire de plusieurs sociétés fabuleuses. Il avait fait de l'enseignement aux niveaux élémentaire, secondaire et dans des classes spécialisées pour les surdoués. Il a également apporté sa contribution à des projets pour l'intégration de machines éducatrices, la préparation de budgets scolaires et fut président ou membre actif de comités pour la campagne de bienfaisance au profit des malades mentaux, pour les guides et l'éducation professionnelle. Il remplit actuellement les fonctions de président du Harvard Club de Cape Cod au Massachusetts et, durant l'été, dirige les deux camps (qu'il a fondés) pour la jeunesse.

Pendant qu'il accumulait cette somme effarante de crédits dans un domaine entièrement différent du mien et de mes expériences personnelles, il trouva le temps de se marier et d'élever quatre enfants.

Croyez-moi, je me sentais bien petit en face de tant de succès. Il existe une blague à l'effet que l'on peut toujours reconnaître un ancien de Harvard parce qu'il n'a plus rien à apprendre. Ces paroles proviennent probablement d'un étudiant de Yale. Peu importe, là n'est pas la question. Je me suis rendu compte que Joel Wolfson paraissait aussi intéressé à mon genre d'activité que je l'étais au sien. Voici un homme qui a consacré la majeure partie de sa vie à faire accepter un service et, en même temps, à se faire accepter lui-même de façon tellement intéressante et remplie d'inspiration que mon séjour à Miami s'est écoulé à la vitesse de l'éclair.

Comment s'y prend-il pour vendre sa personnalité et ses services? Tout simplement en prêtant l'oreille, en sachant écouter, en sympathisant, en offrant son amour. Voici ce qu'il me dit plus tard:

«Ma carrière s'est amorcée quand, par hasard, j'acceptai un poste de moniteur dans un camp de vacances pour les jeunes. Je m'aperçus que je pouvais diriger mon groupe de cinquième et sixième années parce qu'ils désiraient vivement mon attention et mon affection.»

Comme il le fait remarquer: «La sympathie et l'affection ne découlent pas d'un produit. Une cuisinière sur laquelle vous faites cuire vos aliments ne peut vous donner de la sympathie et une scie à bricolage ne vous aimera pas davantage. Un vendeur de produits pourra certainement vous consacrer toute son attention comme il doit le faire mais il ne pourra vous donner de l'affection, à moins qu'il ne soit à la recherche d'aventures.»

Joel continua: «Jeune professeur, je me suis aperçu que le même phénomène se produisait avec mes étudiants. Je pouvais rejoindre davantage l'esprit de mes élèves une fois que je m'étais fait aimer d'eux. Je suis persuadé que, avant qu'une personne ne décide de modeler sa conduite sur celle d'une autre ou transforme ses attitudes et ses agissements, elle doit être animée du désir de faire comme elle et de respecter sa personnalité. Cette démarche exige énormément d'une personne qui a choisi la carrière d'éducateur où il n'y a pas de place pour l'hypocrisie et les sentiments négatifs.

«En ma qualité d'administrateur d'une école publique et de conseiller auprès de surintendants scolaires, je consacre la première partie de la rencontre à tâcher de les convaincre de ma sincérité et de mon dévouement à la cause de l'éducation.

«Directeur d'un camp d'été, mon travail consiste à persuader les moniteurs de la nécessité de se consacrer entièrement à leur tâche. Rappelez-vous que ce genre d'activité rapporte beaucoup moins de dividendes en pièces sonnantes que la plupart des emplois aux exigences moindres.»

Joel fait remarquer ici, comme je l'ai fait plus tôt, que des gens vendant un service tout en se faisant accepter découvrent que le chèque peut ne pas être aussi fabuleux que celui d'un vendeur de produit connu. Cependant, la récompense en satisfaction personnelle dépasse toute imagination. Mon ami conclut:

«Les gens, de quelque classe qu'ils soient, répondent volontiers à l'expression de sympathie et d'intérêt qu'on leur manifeste. Pour cela, il faut savoir écouter et témoigner de ses sentiments. Donc, se faire accepter ne suppose pas étaler ses hauts faits mais plutôt démontrer la sûreté de ses visées et l'honnêteté de sa vie de sorte que l'on sente le fruit de votre réussite et que l'on désire marcher sur vos traces.»

À mon sens, si quelqu'un mérite de porter une épingle indiquant qu'il est le plus grand, c'est bien Joel Wolfson.

Le solutionneur de problèmes

Mon ami le psychologue Sidney Lutz est président de Sidney A. Lutz & Associates de Southfield au Michigan. S'il est quelqu'un qui vend de l'intangible, c'est bien lui car il travaille constamment sur les esprits.

Son service consiste essentiellement à solutionner les problèmes. Il offre une nouvelle façon de concevoir, auprès de personnes et d'organismes, des problèmes spécifiques et de trouver des solutions de rechange.

Parmi les services offerts par le docteur Lutz, on peut compter, comme il le dit si bien, des services de consultation afin de stimuler en vue d'un changement, de créer un tel changement ou de le mettre en oeuvre; de tirer des conclusions clairement et simplement; d'aider ses clients, car ses services sont efficaces et rentables.

Dans son cas, une manière de se faire accepter consiste à ne pas se montrer trop indispensable à trop de personnes, à ne pas diluer ses énergies.

Il dit: «C'est vrai, mais voilà seulement un aspect de ma manière de me comporter. En dépit de mes aptitudes réelles en communication, surtout dans le domaine de l'audio-visuel (en fait, j'ai créé mes propres productions sur vidéo, et ceci inclut le maniement de la caméra), je dispose également de nombreux associés. Ils forment ce que j'appelle mon «personnel d'experts», tous professionnels dans les domaines touchant les affaires sociales, la loi, l'ingénierie, l'éducation, la médecine, la psychologie. Si besoin est, je vendrai mes services dans plus d'une langue.»

Oeuvrant sur les deux plans de l'individu autant que des affaires, appuyant davantage sur ces dernières, Sid s'est occupé de planification, de recherches, de rédaction, de création, d'entrevues, de séances de conseil, d'organisation et d'initiation de programmes auprès d'organismes, à partir de groupes à but non lucratif jusqu'à des manufactures importantes, des corporations privées aux agences gouvernementales.

«Vous voulez un aperçu de mon approche, Joe? Je considère toutes ces organisations comme de grandes familles, tout comme les États-Unis sont une grande famille de nations. Chaque individu sent le besoin de dire son mot dans les petites querelles de famille, de se sentir soutenu par la famille au complet dans l'effort de trouver une solution à un problème. Alors, comment s'y prendre?

«Eh bien, le fait de se faire accepter joue un grand rôle dans la façon dont vous réussissez à vous placer sur la même longueur d'ondes que votre interlocuteur. Je crois que vous devez tout simplement vous mettre à sa place et tenter de juger la façon dont il réagira au conseil que vous vous proposez de lui donner. Cette philosophie a présidé au programme d'entraînement dans l'une de nos compagnies de voitures les plus importantes. Nous avons dû nous substituer à cette compagnie, adopter ses tracas, endosser ses attentes et nous représenter sa réaction à nos services. Il s'agit de revêtir l'habit de son client, en d'autres termes, de se mettre dans sa peau.

«En fait, dans le processus de la vente de vous-même en même temps que de vos services, vous devez agir à l'instar d'un caméléon. Vous devez être capable de vous transformer lorsque la situation le commande dans vos rapports avec un individu ou un organisme.

«C'est une question de savoir d'où viennent vos clients et quels sont leurs besoins, leurs origines en même temps que ce qui a motivé leur recours à vos services et ce qu'ils peuvent vous apporter. Écoutez, vous devez faire preuve d'un esprit alerte afin de découvrir les rapports que vous devez avoir avec vos clients.»

Sid me rappela que le phénomène s'était réalisé dans mon propre cas. Il pointa du doigt la photo sur le mur de mon bureau qui me représente garçonnet en train de cirer des chaussures, ma façon à moi de garder à la mémoire ce que j'étais réellement, un gamin des rues qui avait dû commencer bien jeune à subvenir à ses besoins. Même si je n'y avais pas pensé dans cette optique, cela m'a aidé à établir plus facilement des rapports aimables avec ceux qui se présentaient chez mon concessionnaire. Ce souvenir rendait mes relations plus naturelles avec mes clients.

«Plus une personne possède d'expérience, répète Sid, dans la vie comme au travail, plus elle est en mesure de vendre effectivement ses services. Plus les relations humaines sont intéressantes, plus grande est la chance d'être accepté.»

Au fond, le conseil que veut faire passer mon ami le docteur Lutz consiste à acquérir de l'expérience, à bâtir sur son passé, surtout sur les relations humaines. Voilà la meilleure manière de vendre un produit intangible. Il n'est jamais trop tard pour augmenter la somme de ses expériences: les limiter entraîne infailliblement la limitation de sa capacité à se faire accepter. «En fait, conclut-il, je crois que ceux qui se bornent à un petit nombre d'expériences agissent à la façon d'un enfant. Ils ont peu de contact avec les choses de la vie et les gens qui les entourent. De telles personnes ne possèdent pas de ressort, sont sans couleur et sans énergie; il en va de même pour un organisme sans vie. Je possède un tampon encreur qui se lit *Enfantillage* avec lequel je marque tout ce qui se rapporte à ce sujet et que je range dans mon tiroir à inutilités sous mon bureau.»

J'ajouterai ceci aux paroles de mon ami Sid: «Faites-vous accepter pour ce que vous êtes et non en tant qu'image sans couleur et sans valeur. Après tout, vous vendez un service, non un produit.»

Représentez-vous au chevet d'un malade

Mon ami le docteur Arthur Seski est un gynécologue de renom à Détroit. Je le connais depuis de nombreuses années. Ses efforts afin de se faire accepter sont axés sur les femmes, naturellement: il est également obstétricien et a présidé à la naissance de mes deux enfants.

J'ai rencontré le docteur Seski en 1953 dans des conditions que je ne voudrais pas revivre. Ma femme, June, tomba dangereusement malade. La nature de sa maladie importe peu ici sauf pour dire que cela impliquait les services d'un spécialiste pour femmes. Je l'avais fait transporter d'urgence à l'hôpital St-Francis où je demandai aux religieuses de l'institut quel était le meilleur médecin que l'on pouvait me recommander. Sans hésitation, l'une d'elles me répondit: «Le docteur Seski!»

Il était trois heures du matin quand j'appelai le docteur Seski pour lui demander de venir à l'hôpital examiner ma femme. Je le réveillais au beau milieu de la nuit et il pouvait penser avoir affaire à un autre de ces maris affolés perdant facilement le nord devant la maladie de leurs femmes et exigeant que l'on réponde immédiatement à l'appel. J'aime à penser que le docteur Seski n'a jamais renié son serment d'Hyppocrate; en fait, j'en suis persuadé. Il est rare de nos jours de voir un médecin se déranger pour venir à nous mais le docteur Seski accoure volontiers. Il me répondit sans plus: «J'arrive tout de suite!» En moins de deux, il était là.

En toute hâte, il fit entrer mon épouse dans la salle d'opération. Plus tard, il en ressortit et demanda à me parler seul à seul. Il me montra alors une énorme seringue remplie d'un fluide et me dit sans hésiter! «Votre femme n'aurait pas passé la nuit si je n'avais pu extraire ceci, monsieur Girard.»

Voilà un homme qui est allé plus loin que le commun des mortels, un homme qui avait compris la nécessité de sauver la vie de ma femme et de soulager mon anxiété. Je remercie Dieu tous les jours que la religieuse m'ait recommandé le docteur Seski (je reparlerai dans un chapitre ultérieur de ce principe du secours au prochain). Le docteur Seski a redonné la vie à ma femme; s'il n'avait pas agi aussi rapidement, il n'y aurait jamais eu de Joe fils et de Grace.

Je n'oublierai jamais cette autre fois où il est allé au-delà de ses obligations. De fait, j'aurais beaucoup de mal à l'oublier car l'incident se produisit le jour du Souvenir, le 30 mai 1954, jour anniversaire de grand-mère Stabile dont je vous ai parlé plus tôt et du docteur Norman Vincent Peale. Cette fois-là, j'eus recours aux bons offices du docteur Seski parce que grand-mère Girardi se mourait. Il m'objecta: «Mais, monsieur Girard, je suis gynécologue!« J'insistai et il accourut! Il m'assura alors que tout ce que nous pouvions faire, c'était de lui procurer le plus de confort possible. Il ne pouvait la guérir mais là n'est pas ce que je veux dire; tout simplement, il a cru bon de se présenter. Il savait comment vendre ses services en même temps que de se faire accepter lui-même.

Son travail en gynécologie et en obstétrique signifie qu'il doit prendre en même temps que donner. Dans le premier cas, il s'efforce d'améliorer la condition de la patiente afin que son accouchement soit plus facile ou, par la chirurgie, d'enlever ce qui pourrait être nuisible à sa santé. Il doit se faire accepter complètement et réussir dans les deux domaines. Vous connaîtrez son secret dans un moment; pour l'instant, écoutons-le parler de ses origines.

«Voici comment j'ai agi pour obtenir mes premières clientes, dit-il. À mes débuts dans la profession, j'avais fait imprimer une série de cartes de visite portant mon nom et je me faisais un devoir d'assister à tous les mariages auxquels j'étais invité. Je distribuais ces cartes aux jeunes gens et à quiconque était passible d'avoir un bébé, y compris la mariée. Certaines de ces personnes vinrent me visiter plus tard et je les traitai comme des membres de ma famille. Je crois qu'il est extrêmement important de faire tout son possible, surtout auprès de ses premiers patients. En retour, ils répondent mieux à ce qu'on leur prescrit et ils contribuent à m'amener de nouveaux clients en disant: *C'est un docteur sympathique.*»

Dans le domaine de l'obstétrique, le docteur Seski donne davantage. On pourrait même dire qu'il y a un produit dans ce domaine: un bébé.

«Si vous êtes obstétricien, avoue le docteur Seski, vous vous trouvez vraiment dans l'obligation de vous faire accepter de façon surprenante, parfois. Durant la grossesse, vous devenez en quelque sorte un suppléant jusqu'au moment de l'accouchement. J'ai souvent remarqué que la future mère se sert de son obstétricien comme d'une panacée à tout ce qui l'environne, y compris son mari. Quelques-unes deviennent très dépendantes de leur médecin durant ce temps d'attente, même si cet état d'esprit n'est que temporaire. Ce dernier doit donc respecter cette attitude et la faire tourner à l'avantage de la patiente.

«Durant la période qui suit l'accouchement, je trouve qu'il faut encore s'occuper activement de la mère car elle est sujette à une certaine dépression. On appelle cela «la nostalgie du petit être sorti de son ventre». Donc, lorsque la nouvelle maman quitte l'hôpital, je lui dis: *«Maintenant, vous avez deux bébés et l'un d'eux est votre mari. Vous devez vous occuper de lui autant que de votre petit.»*

Au fond, ce que mon ami le docteur Seski veut dire, c'est qu'en plus de se faire accepter lui-même, il communique de l'assurance, de la détente, de la confiance en même temps que de l'espoir - tous des intangibles comme vous pouvez le constater. Ces aptitudes deviennent encore plus importantes lorsqu'elles sont appliquées au domaine de la gynécologie, science qui traite de tout le système reproducteur chez la femme. On a souvent recours à la chirurgie et voici comment il affronte ce côté de sa profession et se fait accepter par la même occasion:

«Si je recommande un traitement spécial, la chirurgie par exemple, j'expose le procédé avec soin, je dis exactement ce qui doit se faire et ce à quoi on doit s'attendre. En démontrant que je connais bien le sujet, je me fais accepter moi-même; on sait que je suis membre de la faculté de médecine et du personnel de plusieurs hôpitaux. Je désire que mes patientes se sentent en sécurité.

«Habituellement, cette façon de procéder est rassurante à leur endroit. Je les renvoie alors chez elles pour leur donner le temps de réfléchir. Je ne me précipite pas sur le téléphone pour les faire entrer tout de suite à l'hôpital et allons-y! Cela signifie, à mon sens, les pousser trop fort et je risque de les perdre.

«Je remarque que mes patientes sont ravies de cette attitude qui repose sur le fait que bien souvent elles viennent me trouver pour obtenir simplement l'avis d'un autre médecin: je n'ai aucune objection à cela. Il se peut qu'elles pensent être poussées par un autre docteur vers une solution qu'elles redoutent, qu'elles se sentent bousculées, même si ce n'est pas le cas. Alors, je fais en sorte qu'elles passent par une période de détente, de réflexion; de la sorte, une personne qui ne m'a pas encore accepté se sent plus à son aise. Par la suite, très souvent, lorsque je suggère l'intervention chirurgicale, elles me laisseront les coudées franches.

«Mais me faire accepter de mes patientes dépasse ce premier degré de confiance. Je continue même à l'hôpital. J'arrive tôt le matin auprès de mes malades, souriant et joyeux, la seule attitude normale à mon sens.» Incidemment, le docteur Seski a la réputation d'être toujours l'un des premiers arrivés à l'hôpital le matin.

«Si une opération est indiquée pour l'après-midi, je fais tout ce que je peux pour mettre ma patiente à l'aise et la rassurer. Ceci comprend également la présence de sa famille si possible, surtout celle de son mari tout près de la salle d'opération.

«Dans la salle même, je fais ce que de rares docteurs font: mon visage est le dernier qu'elle voit avant de s'endormir et le premier qu'elle voit à son réveil. Avant l'intervention, je lui tiens la main pendant qu'on lui administre l'anesthésique. La patiente se sent encore plus en sécurité du fait qu'elle sait que je veille sur elle. Vous savez, il existe des patientes vraiment très craintives qui ont l'impression que vous passerez le bistouri à un autre. Mais si vous êtes là à leur prodiguer des paroles d'encouragement, elles vont se détendre, s'endormir doucement et ne causeront aucune difficulté à l'anesthésiste. Toutes ces petites choses contribuent vraiment à me faire accepter de mes patientes.

«Puis, après l'opération, je visite la patiente au moins deux fois par jour, le matin et l'après-midi, même en ces jours dits de congé. J'entre dans la chambre avec un joyeux bonjour aux lèvres, chantant et sifflant et avec un bon mot qui fait des merveilles, comme: *C'est le soleil que je vous apporte, madame!*»

Le docteur Seski ajoute que, lors de la visite après intervention, ses patientes semblent s'attendre à le voir offrir sa chansonnette.

Je n'épiloguerai pas sur cette partie de sa thérapie mais je dirai seulement: si j'allais devenir le premier homme à donner naissance à un enfant, je voudrais que le docteur Seski préside à l'accouchement.

Les services du docteur Seski s'adressent surtout aux femmes; donc, j'aimerais ajouter quelques mots à l'adresse de ces dernières. Plus tôt, au chapitre **Se faire accepter comme femme,** je vous ai entretenues de deux femmes qui se tiraient merveilleusement d'affaire en mettant leur condition féminine à contribution. Chacune d'elles vend un service: Delvern Bell est caissière dans une banque du centre-ville et Maria Piacentini vend de l'immeuble.

Madame Bell dit: «Je m'occupe de toutes sortes de transactions bancaires, j'encaisse des chèques, je m'occupe du courrier et d'une foule d'autres services au client. Je m'aperçois que si je m'acquitte de ma tâche avec le sourire, si je parais affable chaque fois qu'un client fait un dépôt ou retire des fonds, il se sent bien et moi aussi par ricochet. Lorsque je vois la réflexion de mon sourire sur le visage de mon client, je sais alors que j'ai réussi à me faire accepter en même temps que mes services.»

Madame Piacentini dit à son tour: «Il est vrai qu'il s'agit d'un produit, d'une maison en l'occurence. Mais je ne me vois pas en train de vendre un objet, je vends une personne. Ma tâche consiste à voir à ce que mes clients soient satisfaits, que je les aide à vendre ou à acheter. Pour me faire accepter avec mon produit, je me mets dans leur peau: je vends avec eux, non pour eux. Je me fais en quelque sorte leur partenaire et ils apprécient cette attitude au plus haut point.»

Actes à poser MAINTENANT!

- Peu importe que votre produit soit du plus haut calibre ou de l'espèce la plus humble, proposez-vous de bâtir une cathédrale plutôt que d'aligner des briques.
- Découvrez l'idée maîtresse de votre service; cela représente plus que le profit à retirer. C'est une attitude constructive envers votre produit ou votre service.
- Adopter la bonne attitude est vraiment tout ce qui importe. Après tout, vous ne vendez pas un produit: il n'y a pas grand-chose à lever, toucher, sentir, manier ou voir.
- Suivez les étapes de la stratégie de la vente partout où elles s'appliquent en tout ou en partie.
- Observez les principes directeurs de l'art de vendre en tentant de faire accepter un service.

19

Se faire accepter
sans se détruire

M aintenant, nous allons parler de certaines choses qui
ressortent à l'intégrité. Voilà un sujet formidable dont
on peut dire beaucoup en peu de mots.

C'est justement ce que je me propose de faire. Il n'est pas
besoin d'une foule de mots pour faire le tour du sujet. Vous
vous connaissez ou bien vous ne vous connaissez pas. Si vous
ne faites pas preuve d'honnêteté envers vous-même maintenant, il est amplement temps de remédier à la situation. Si
vous ne vous connaissez pas, il est plus que temps de vous découvrir.

L'intégrité consiste à se voir tel que l'on est. Si vous ne valez
pas grand-chose, ou si vous *pensez* ne pas valoir grand-chose,
vous montrez de la sincérité en pensant ainsi. Mais où se
trouve le profit dans une telle attitude? Lorsque vous consta-
tez que vous avez des principes, que l'on ne peut pas vous
acheter et que vous tenez à ces principes et à cette connaissance de vous-même, votre intégrité vaut alors plus que tout
au monde.

La perte de l'intégrité surgit du fait que l'on se laisse influencer par n'importe quel faux-fuyant. Certaines personnes
deviendront la proie de l'appât du gain, d'autres du prestige,
de la gloriole, de la puissance, de la popularité et même de la
crainte.

Lorsqu'on dit que l'on abandonne la partie, on signifie par là qu'on se laisse influencer. Benedict Arnold a abandonné l'Amérique aux Anglais, Judas a abandonné le Christ pour trente deniers. À la vérité, lorsque vous abandonnez la partie, vous vous abandonnez vous-même. De plus, quand vous commencez à vous laisser manipuler, ce ne sera pas long avant que vous n'agissiez de la même façon à l'égard des autres. Remplacez *laisser faire* par *acceptation* et vous en reviendrez au point que vous n'auriez jamais dû quitter.

Ce chapitre tentera brièvement de traiter des effets incontestables de l'attachement à ses principes et du refus des compromis. Je vais vous passer quelques règles à suivre découvertes par moi-même et d'autres personnes.

Je ne me propose pas de vous entretenir de personnes que je connais personnellement, ou dont on m'a parlé, qui ont laissé tomber leurs principes car je n'en connais aucune. Vous vous souvenez que je vous ai suggéré maintes et maintes fois de ne vous associer qu'avec des gens victorieux, des gagnants, et de fuir les perdants comme la peste? Ces derniers se spécialisent dans l'abandon continuel de leurs principes. Ils le font en disant des sottises telles que: «Je travaillerais bien encore une heure mais je me sens fatigué.» Ou bien: «Je sais que je devrais m'occuper du problème d'un tel mais je préfère aller luncher avec les gars.» Ou encore: «Il est bien plus amusant de vendre à des idiots que de suggérer de faire une démonstration du produit.» Et encore: «Je ne vois pas comment je pourrais obtenir de l'avancement dans cette maison à moins que je ne me mette à flatter le patron dans le bon sens du poil.»

Vous connaissez le genre et vous me connaissez; je ne me tiens pas avec cette engeance. Je ne veux pas entendre leur éternelle rengaine défaitiste. Ils manquent totalement d'intégrité.

Qu'est-ce donc que l'intégrité? Certaines personnes affirment qu'elle représente les sentiments que vous nourrissez envers vous-même, le fait que vous savez devoir vivre avec vous-même, que vous devez vous regarder dans la glace tous les matins pour vous raser ou vous maquiller. Mais écoutez-moi bien: l'intégrité se traduit par le refus de se laisser embarquer par le premier venu et la volonté de demeurer fidèle à ce que l'on est foncièrement.

Voyons quelques exemples pour illustrer ce que j'avance. Étudions certaines façons ou certains endroits où les gens abandonnent.

Un bon nombre de célébrités sportives ont été accusées de s'être laissé berner, avec ou sans preuves à l'appui. Il y eut des boxeurs qu'on a soupçonnés ou dont on a eu la preuve de s'être tout simplement couchés pour le compte. Il en fut ainsi de certains joueurs de football ou de basketball, de jockeys à qui on a reproché d'avoir donné une course. Beaucoup de parieurs ont mordu la poussière parce qu'ils avaient misé sur celui qui devait gagner quand celui-ci a décidé de se laisser acheter. Je ne nommerai personne mais je suis persuadé que vous avez vos idées là-dessus et que vous savez très bien de quoi je veux parler.

Il y eut des personnages politiques de portée internationale, nationale, au niveau d'un état ou d'une municipalité qui ont vendu leur pays, leurs principes, leur honneur et leurs électeurs. Eux seuls le savent et l'Histoire les jugera. Même en ce cas, l'Histoire reste un peu floue. Il existe des gens qui pensent que le roi Édouard VIII a trahi l'empire britannique lorsqu'il abdiqua pour «épouser la femme que j'aime». Il se trouve également des personnes qui optent pour le contraire: Édouard VIII fut fidèle à ses principes et le royaume ne comptait plus pour lui. Tout comme il existe des gens qui ont l'impression que les États-Unis ont abandonné Taïwan afin de pouvoir reconnaître la République chinoise. Il existe probablement plus de personnes pour penser le contraire.

Récemment, nous étions les témoins scandalisés de la conduite d'un président et d'un vice-président qui ont fait fi de la confiance d'un peuple et furent contraints de résigner leurs fonctions. Des perdants! En fait, les politiciens s'en tirent souvent avec une pirouette, s'appuyant sur l'attitude habituelle du bon peuple qui ferme les yeux en disant: «Politique que tout cela!»

Croiriez-vous qu'une foule de personnes s'attendent à ce que leurs congénères abandonnent facilement la partie une fois ou l'autre? C'est devenu presque un fait divers, un lieu commun. Il y a quelques semaines, un de mes amis dans le domaine de la construction fit une soumission pour une série de canaux destinés à écouler les eaux sous une autoroute. Il me confia: «Joe, je suis sûr que je n'obtiendrai pas le contrat.»

«Et pourquoi donc?»

«Il y a trois autres compagnies qui ont soumissionné en même temps que moi et je sais que leurs prix sont inférieurs aux miens. On m'a coupé l'herbe sous le pied, un peu ici, un peu là. Mais je me refuse à vendre du matériel de deuxième ordre: écoute, je dois vivre avec moi-même. On retrouve partout des voies d'évitement surélevées qui croulent de toutes parts et qui ont déjà besoin de réparations car le béton employé ne valait pas son pesant d'or. Dans ma soumission pour ces canaux, je suggère les meilleurs matériaux, de ceux que le sel et le sable n'éroderont pas. Je vais certainement me casser la figure.»

Il avait vu juste. Il perdit le contrat parce qu'il ne voulait pas s'abaisser. Le pire de l'affaire, c'est que les gens qui acceptaient l'offre savaient qu'ils jouaient un jeu dangereux. Mon ami a perdu la course mais il peut se regarder sans honte dans la glace.

Cet épisode me rappela une blague à propos d'un astronaute à qui on demandait: «À quoi pense un astronaute lorsqu'il est catapulté en orbite dans l'espace, sachant que la capsule qui l'abrite fut construire par le plus bas soumissionnaire?» Heureusement qu'il ne s'agit là que d'une blague!

Il y a de l'espoir pour tous ceux qui refusent de se laisser berner. Vous pouvez m'en croire: *vous pouvez sortir victorieux tout en ne reniant pas vos principes.* Dans l'édition du 4 mars 1979 du *New York Times,* on peut lire une anecdote intéressante sortie de la plume de Joseph Wershba à propos de son ancien associé de 1950, Edward R. Murrow. Elle se situe au temps où le pays était au prises avec le McCarthyisme. Murrow préparait une émission de sa série télévisée *See It Now* où il se proposait d'exposer le sénateur McCarthy et de le montrer sous son vrai jour. Le président de la chaîne CBS, William S. Paley, lui avait donné son consentement tacite et Murrow était certain qu'il n'allait rencontrer aucun obstacle de la part du commanditaire, l'Aluminum Company of America. Pourquoi? Murrow avait pris soin au préalable de bien exposer ses convictions. D'après Joseph Wershba, plusieurs années auparavant, lorsque Alcoa avait accepté de commanditer *See It Now,* Murrow avait rencontré les gros bonnets de la compagnie. L'un d'eux lui avait demandé: «Dites-moi, monsieur Murrow, quelle est votre politique d'action?»

Il avait répondu carrément: «Messieurs, je crois que cela ne regarde que moi.»

Au lieu de bondir d'indignation, le cadre d'Alcoa avait réagi avec enthousiasme: «Je *savais* que c'est ce que vous répondriez!» Alcoa accepta d'emblée Murrow et n'a jamais tenté de s'ingérer dans sa façon d'aborder ses émissions.

Qu'il s'agisse du domaine du spectacle, des communications, de la politique, des sports, des affaires, de l'éducation, de produits manufacturés ou autres, vous pouvez toujours sortir victorieux si vous vous en tenez à vos principes. Jamais vous ne serez perdant de cette façon.

Voici quelques trucs qui, observés, ne peuvent pas nuire à votre intégrité. Soyez-y fidèle et vous ne serez jamais aux prises avec la tentation de vous laisser aller.

Trucs pour ne pas manquer à ses principes

1. Veillez sur votre réputation.
2. Surveillez vos fréquentations.
3. Tenez à vos principes.
4. Attention aux compromis!
5. Il est bon parfois de dire non.

Voyons ces principes un à un, voulez-vous?

1. *Veillez sur votre réputation.* Tout être humain est doté d'un nom presque dès le moment où il naît.

Un nom. Souvent plusieurs noms. Plus tard, des femmes changeront le leur pour celui de l'homme qu'elles épouseront. Ou bien, un homme et une femme feront de leurs deux patronymes un nom composé. Un grand nombre traversent la vie affublés d'un surnom. Il y en a même qui recourent à la loi pour changer leur patronyme ou le légaliser. D'autres encore sont mieux connus sous leur nom de plume ou leur pseudonyme de vedette de la scène ou de l'écran.

Peu importe le nom que vous portez, il est étroitement lié à votre bonne réputation et doit être ce que vous possédez de plus précieux; il doit demeurer sans tache. Il est probable qu'il en soit ainsi toute votre vie. Tant mieux! Il se pourrait aussi qu'il ait subi un petit accroc une fois ou l'autre. Si tel est le cas, vous devez consacrer tous vos efforts à faire disparaître cette tache.

Dès qu'une personne entend prononcer votre nom, elle devrait pouvoir évoquer la sincérité et l'intégrité. On devrait pouvoir vous faire confiance. C'est là votre vraie marque de commerce. Il est donc important que vous employiez toutes vos énergies à ne pas tomber dans la catégorie des gens placés sur la liste noire. Votre but doit donc se résumer à présenter une image radieuse sur une simple mention de votre nom.

Malheureusement, il arrive que des images décevantes soient créées à la seule mention de certains noms.

Rappelez-vous certains personnages de notre Histoire toute récente qui se sont compromis. Lorsque le premier ministre britannique Neville Chamberlain, armé de son éternel parapluie, sortit de sa rencontre avec Adolph Hitler où il avait été question du sort de la Tchécoslovaquie en 1938, il pensait bien passer à l'Histoire comme celui qui avait réussi à ramener la paix dans le monde. Au lieu de cela, son nom devint synonyme de «cataplasme sur une jambe de bois».

Lorsque le chef du parti nazi de la Norvège, Vidkun Quisling, vendit sa patrie à l'ennemi durant la guerre de 1939-1945 et fut récompensé par Hitler, il venait de trahir sa bonne réputation. Depuis ce jour, quand on dit d'une personne qu'elle est une *quisling,* on la qualifie de traître à sa patrie.

Penchons-nous maintenant sur la vie d'autres personnages de notre Histoire récente dont la célébrité peut faire pâlir les étoiles tellement leur réputation et leur nom sont éblouissants.

Durant la crise des missiles de Cuba, lorsque les États-Unis étaient sur un pied d'alerte, prêts à capturer les vaisseaux soviétiques, Adlaï Stevenson prononça calmement ces paroles devant le Conseil de Sécurité des États-Unis, refusant par là toute compromission sur une position dont il connaissait la justesse: «Messieurs, je suis prêt à demeurer ici jusqu'à ce qu'il gèle en enfer: nous ne céderons pas d'un pouce.» Tout le pays en fut témoin par le truchement de la télé.

En dépit des obstacles posés par la plus importante compagnie de voitures au monde, Ralph Nader persista à clamer que la Corvair manquait de sécurité à n'importe quelle vitesse. Tous les consommateurs du pays furent ou auraient dû être fiers de son courage. Sans égard pour ma réputation internationale, je suis content de dire que, même en sachant que je pourrais augmenter mon volume de ventes, j'ai toujours refusé de vendre une Corvair et j'ai toujours fait en sorte de convaincre mes clients de se procurer un autre modèle.

Voyez-vous, il s'agissait aussi pour moi de sauvegarder ma bonne réputation puisque mes ventes en dépendaient.

Un auteur de mes amis me disait qu'il n'oublierait jamais les funérailles de son grand-père. Le vieil homme, un cultivateur, mourut presque sur la paille. Il avait perdu sa ferme, sa maison et les dépendances avaient été incendiées, son bétail avait disparu. Il ne lui restait que son nom encore intact. Son éloge funèbre fut courte mais combien sentie. Elle consistait en quelques versets de la Bible: «*Certains d'entre eux laissèrent un nom qu'on cite encore avec éloge. D'autres n'ont laissé aucun souvenir et ont disparu comme s'ils n'avaient pas existé. Leurs corps ont été ensevelis dans la paix et leur nom est vivant pour des générations. ...Ton nom retentit jusqu'aux confins de la terre.*» (Ecclésiastique)

Que vous vous nommiez Pierre, Jean ou Jacques, ne laissez personne salir votre nom car c'est votre meilleur atout ici-bas.

Peu de temps avant que la Proclamation de l'indépendance des États-Unis ne soit signée, Benjamin Franklin s'adressa aux personnes présentes: «Messieurs, nous devons tous nous serrer les coudes ou nous serons brisés.» Alors tous, fidèles à leurs principes, prirent la plume et signèrent le document qui faisait des États-Unis non seulement un pays libre mais nous permettait aussi de nous gouverner nous-mêmes.

Attention maintenant que nos actions soient limpides et justifiables!

2. *Surveillez vos fréquentations.* Vous connaissez tous l'expression: «Dis-moi qui tu fréquentes et je te dirai qui tu es.»

Un des meilleurs et des plus populaires quarts arrière du football professionnel se vit placé devant une alternative: ou bien il se débarrassait de ses intérêts dans certains bars et salons de consommations ou bien il était suspendu. La Ligue nationale de Football ne prisait pas les compagnons qu'il fréquentait car ils ne cadraient pas avec les normes du football professionnel.

Un des plus grands lanceurs de la Ligue américaine de Baseball vit sa carrière tomber à plat pour les mêmes raisons.

Un acteur de cinéma bien connu, célèbre pour ses rôles de dur-à-cuire, de gangster, se vit fermer les portes de l'Angleterre parce qu'on le soupçonnait de fréquenter et même d'avoir des intérêts dans des maisons de jeu et des tripots.

Un des cadres les mieux cotés de l'industrie automobile fut assassiné, il y a quelque temps. Après sa mort, on découvrit ses affiliations avec un groupe louche de personnes dont sa femme ignorait même l'existence.

Vous pourriez continuer la liste vous-même car je suis persuadé que vous connaissez également de tels cas. Ce qu'il importe de se rappeler, c'est que vous êtes jugé non pas tant sur la foi de ce que vous dites ou faites, mais sur le calibre de vos fréquentations.

Comment, par exemple, un enseignant peut-il conserver une réputation d'intégrité si on le retrouve le soir dans des bars pour personnes «seules»? Un cas de meurtre commis dans un tel endroit fit la manchette des journaux et, plus tard, devint le sujet d'un bouquin intitulé: *Looking for Mr. Goodbar* (À la recherche de monsieur Goodbar).

Une bonne règle de conduite: *Ne fréquentez pas les endroits où vous n'aimeriez pas mourir subitement.*

Évitez *les situations qui sentent mauvais à dix lieues à la ronde.*

Ne fréquentez pas *les endroits à réputation douteuse.*

Il est vrai que voilà des expressions assez galvaudées mais il n'en reste pas moins qu'elles sont véridiques.

Faites en sorte de ne jamais être vu en compagnie de personnes dont vous ne prisez pas la réputation. Parfois, il est impossible de le découvrir au premier chef mais, dès que la lumière se fait, fuyez à toute vitesse.

Dans la vie, il faut toujours s'efforcer de lire en filigrane et rechercher la compagnie de gens dont vous connaissez l'honnêteté, la franchise, la crédibilité et la loyauté.

Ne jouez pas au plus fin. Je crois que mon père a réussi mieux que moi à résumer ce que je tente de vous dire. Il avait l'habitude de répéter qu'il est essentiel de *se garder les mains nettes.* Je crois qu'il avait mis le doigt sur le secret.

3. *Tenez à vos principes.* Personne n'osera vous dire que c'est facile.

Vous possédez des principes inculqués depuis votre tendre enfance. Vous les avez conservés durant vos années d'études et plus tard dans votre vie active, tout au long de votre vie adulte. Le hic, c'est qu'il s'est toujours trouvé quelqu'un sur votre route pour essayer de vous les faire oublier.

Ne cédez pas car, lorsque tout semble aller à l'encontre de vos désirs et que l'avenir paraît sombre, ces principes fondamentaux constitueront toujours la base solide de votre existence. Vous pourrez constamment vous reposer sur eux. Un ami à moi est entraîneur auprès d'une équipe de jeunes joueurs de basketball dans un centre de la localité. C'est un groupe de durs. Parfois, dans le feu de l'action, ils oublient les principes du jeu. C'est à ce moment que mon ami fait entendre son sifflet et dit: «Très bien, les gars! Retournons maintenant aux principes de base!» Plusieurs d'entre eux ne prisent pas ce genre d'entraînement mais ils ont découvert que le système leur fait remporter des victoires.

Tenir à ses principes signifie ne pas céder sur ce que nous savons être juste, même si nous devons pour cela perdre une vente, un étudiant, un poste. C'est dur, n'est-ce pas? Pourtant, c'est la seule vraie voie!

Je connais une dame, habile musicienne et excellent professeur, qui donne des leçons de piano. Pour vivre, elle dépend de ses élèves. Elle me dit: «Vous seriez surpris, Joe, de voir combien de parents d'enfants sans talent insistent pour que ces derniers apprennent le piano. Il me suffit d'une seule session avec l'enfant pour me rendre compte qu'il n'a aucune disposition. Même lorsque vous tentez de persuader les parents de l'inutilité de ces leçons, ils refusent de vous croire. J'ai dû à maintes reprises trancher dans le vif. Je refuse de donner des leçons à un enfant qui est incapable d'apprendre même si on me paye grassement, semaine après semaine. Des amis essaient de me convaincre de prendre l'argent et de laisser porter, mais j'en suis incapable. Si je faisais ces compromis, mes émoluments tripleraient mais je ne ferais qu'endormir ma conscience.»

Tous les gens n'ont pas les mêmes principes: souvent, des jeunes font montre de principes plus élevés que des gens plus âgés; ils ne sont pas encore trop vieux pour être influencés dans le mauvais sens. Les principes subissent des transformations en raison du temps et de l'époque, de la tendance nationale et des systèmes de valeurs. À l'instar de bon nombre de mes compatriotes, j'ai approuvé la nécessité de la seconde grande guerre et l'importance de combattre le nazisme et le facisme dans le monde. Une génération plus tard, les jeunes ont éprouvé des sentiments aussi forts, cette fois contre la guerre du Vietnam et l'ingérence américaine. La situation avait changé mais les principes restaient les mêmes.

Voici ce à quoi vous devez être fidèle: l'honnêteté, la fidélité à votre parole, l'accomplissement de vos promesses, le respect des droits des autres et de vos idéaux.

Tout comme mon père avait trouvé le mot juste quant à mes fréquentations, il avait eu également un mot aussi juste quand il s'agissait des principes: «Sois fidèle à tes principes», disait-il.

4. *Attention aux compromis!* Le fait de s'en tenir à ses principes est encore la meilleure façon de se faire accepter pour soi-même. Dans ce cas, le compromis devient la pire menace; il effrite et affaiblit votre détermination et votre volonté.

Le compromis attire les concessions. Il est possible que vous ne voyiez rien de mal dans l'abandon de certaines choses en autant que les autres fassent de même. Vous pouvez vous disculper à vos yeux en disant: «Eh bien, je ne fais que rajuster certains côtés de ma vie et de mon travail.»

Ce que vous faites vraiment, c'est vous leurrer, vous mettre un bandeau sur les yeux: vous ne vous faites certainement pas accepter pour ce que vous êtes. J'ai appris, et nombre d'autres personnes avec moi, qu'il existe plus de traquenards dans le compromis que d'avantages. D'après mon dictionnaire personnel, faire un compromis vous place devant le danger de ternir votre caractère et votre bonne réputation. Il peut également vous exposer au risque et aux soupçons.

La meilleure façon d'éviter les compromis est encore de rester soi-même, en tout temps. Vous pourrez ne pas être dans les bonnes grâces de certaines personnes qui cherchent toujours à vous entraîner dans leur sillage, à partager le fruit d'une transaction douteuse ou à suivre le courant. Se faire accepter ne signifie pas nécessairement remporter un concours de popularité.

Deux choses se produisent lorsque vous faites un compromis: 1. Vous vous êtes placé dans les griffes de quelqu'un, ce que vous ne devez jamais vous permettre. 2. Vous avez grugé votre intégrité en vous laissant aller à la compromission.

Vous vous souvenez du vieux dicton: «Donnez un pouce à quelqu'un et il en prendra dix.» C'est tellement vrai! Faites une petite concession et, bientôt, vous vous retrouverez dans la nécessité d'en faire d'autres. Cela s'applique aussi bien dans votre vie personnelle que dans vos rapports avec les autres.

Le compromis ne fait pas que vous pousser à abandonner certains principes, il vous amène également à vous léser vous-même. De là à conclure que vous ne réussissez pas aussi bien que si vous restiez vous-même, il n'y a qu'un pas. Il est possible que toute votre vie, vous ayez permis à des influences externes de guider vos actions; vous avez fait des compromis à tour de bras lorsque cela signifiait faire une encoche à vos principes tout en sachant bien ce qui se produirait.

Il se peut également que vous sachiez pertinemment que vous vous faites du tort en faisant des compromis dans votre vie de famille, votre travail, vos études; il est possible aussi que vous n'en soyez pas toujours conscient. Les psychiatres font fortune avec les gens qui ont agit de la sorte. Je ne veux pas descendre la profession, plusieurs de mes amis y sont engagés. Il existe pourtant des manières de se connaître davantage: par exemple, des cours sur l'entraînement à la connaissance de soi. Je n'insiste pas sur ces cours non plus que je ne les décrie. Je dis simplement que s'ils peuvent vous être profitables, tant mieux!

Mieux vous vous connaîtrez, moins vous serez porté aux compromis. Vous serez en mesure de vous dire: «Holà! Un instant! Cette personne veut me faire abandonner tel principe, pourquoi?» Souvenez-vous toujours que, si quelqu'un tente de vous faire renoncer ou reculer un peu, cela signifie une seule chose: votre attitude le pousse au pied du mur et il n'aura de cesse que vous ne relâchiez votre emprise. La minute où vous le ferez, vous deviendrez son obligé.

Un de mes amis est fabricant de petites pièces automobiles. Il fait affaire avec les marchands locaux et dispose de ses propres camions de livraison. Voici ce qu'il me disait durant le lunch, il y a deux mois: «Joe, j'ai une petite flotte de camionnettes, tu sais, neuf ou dix à peu près, mais elle m'appartient, j'en suis le maître. Si un client m'affirme qu'il a besoin de ceci ou de cela pour hier, je peux le lui livrer; et quand je dis que ce sera livré, c'est comme si c'était déjà fait.»

«J'en suis persuadé, mais où veux-tu en venir?»

«Depuis quelque temps, des compagnies de transport font pression sur moi pour me convaincre que je ne devrais pas garder tant de matériel en réserve, que je devrais me départir de certaines camionnettes et réduire mon personnel à vingt employés. Je n'aurais plus à me tracasser du plein d'essence...»

Je dis alors comme si je continuais sa pensée: «...si vous nous laissez assurer la livraison.»

«En plein dans le mille, Joe! On m'assure que j'épargnerais beaucoup de cette façon. Mais voilà! En agissant de la sorte, je perds le contrôle de mon entreprise car je me sers des services d'une compagnie externe. Tout ce que je peux faire, c'est espérer que la livraison se fera à temps. Je ne pense pas que cela m'intéresse.»

«De livrer à temps?», dis-je, un tantinet espiègle.

«Non, non, je parle de l'argent que je ferais. Si je me laisse aller à ces compromis, ma réputation en prend pour son rhume et ça ne me sourit pas. Je n'ai jamais manqué à ma parole envers un client à venir jusqu'ici et je ne veux pas voir cette fichue compagnie de camionnage devenir mon maître.»

Il fut fidèle à sa parole. Il ne prêta pas l'oreille aux conseils venant de l'extérieur (c'est vrai qu'il aurait pu épargner beaucoup) et il est encore maître de sa petite flotte de camionnettes.

Alors, suivez son exemple et fuyez les compromis dans les affaires aussi bien que dans la vie.

5. *Il est bon parfois de dire non.* C'est tellement un petit mot, trois lettres qui pourraient cependant faire des miracles. Pourtant, bien des gens éprouvent de la difficulté à le prononcer. Cependant, dire *oui* à tous peut vous faire tomber dans plus de pièges que vous ne pourriez supposer et ces pièges sont de véritables obstacles dans votre montée vers la réussite. Pis encore, la plupart vous entraîneront vers votre perte.

Parfois, il est encore plus difficile de dire *non* que de laisser porter. Cela signifie, en ce cas, laisser les autres gaspiller votre temps précieux, leur permettre de se servir de votre cerveau, prendre leur fardeau sur vos épaules, leur allouer toute la place. Bref, *passer votre gouvernail aux autres.*

Repensez aux épisodes de votre vie passée où un *oui* irréfléchi, un *oui* arraché de force, ou encore le manque de courage pour dire *non,* vous ont placé dans l'eau bouillante.

Voudriez-vous faire partie du comité préposé aux rafraîchissements? Eh bien... *oui...*

Voulez-vous vous occuper du stationnement? Bien, je pense que je pourrais peut-être le faire...

Veux-tu être un ami et me passer tes notes de cours pour les examens? Je ne les ai pas prises en classe. Eh bien... euh... oui.

Voudrais-tu... ferais-tu... servirais-tu... donnerais-tu... prendrais-tu...?

Des questions du genre se multiplient à l'infini et deviennent presque des obligations.

Quand avez-vous répondu un *non* décidé à ces gens-là, la dernière fois?

Non, je ne veux pas jouer aux quilles en équipe parce que je n'en ai pas le temps.

Non, je ne promets pas de lire ce livre. À vrai dire, il ne m'intéresse pas.

Non, je ne veux pas faire quelque chose pour la tombola de l'église. Pourquoi? J'ai mes raisons.

Les premières fois que vous tenterez l'usage du *non,* vous ferez sursauter certaines personnes qui avaient pris l'habitude de votre consentement automatique, le *oui* qui vous faisait abandonner encore une autre portion de vous-même parce que vous n'aviez pas le courage de dire *non.* N'allez pas croire qu'on va dorénavant vous laisser dans votre coin parce que vous avez cessé d'être consentant. En fait, personne n'aime les gens qui disent toujours *oui.* Avec le temps, vous y gagnerez en respect, on exigera moins de vous et, lorsque vous consentirez à quelque chose, votre réputation en sortira grandie.

Devez-vous pour cela vous arrêter de faire de bonnes actions? Loin de là. Il se présentera des occasions où vous voudrez et devrez dire *oui,* en fait. Vous n'abandonnez pas vos devoirs de civisme, vos amis, votre église, votre club, vos voisins. Vous avez simplement établi votre juste position dans la société.

J'ai toujours dit, surtout lorsque j'étais vendeur, que je n'acceptais jamais «*non*» comme réponse. Fadaise! Le fait est que j'ai souvent accepté un «*non*» et cela me fut profitable.

J'aime beaucoup une anecdote qu'un de mes amis, ministre du culte, raconte et où il est question de la prière: «Tous les gens prient, ou presque tous, et habituellement, c'est pour demander quelque chose: un meilleur emploi, le redressement de la conduite chez un enfant, la guérison, la chance, etc... On vient ensuite me trouver pour me dire qu'on a prié avec ferveur mais que Dieu n'a pas daigné écouter nos prières. Je souris alors, je leur dis qu'Il les a probablement entendues mais que la réponse était négative.»

Si Dieu peut dire non, pourquoi pas vous?

Voilà pour les cinq principes très simples susceptibles de vous empêcher de vous laisser aller et vous garder dans le droit chemin. Comme d'habitude, le bon vieux Will Shakespeare les résume à sa façon et, à mon point de vue, c'est la meilleure. Vous pouvez vous empêcher de tomber dans les pièges du laisser-aller et vous pouvez vous faire accepter des autres. Voici ce que le poète propose et je parle d'abondance car j'ai eu le plaisir d'assister à des représentations de plusieurs de ses pièces.

En tout, soyez fidèle à vos principes
et il adviendra, tout comme
la nuit suit le jour, que vous
ne pourrez faire de tort aux autres.

Actes à poser MAINTENANT!

- À partir d'aujourd'hui, prenez la résolution de faire passer les cinq grands principes dans votre vie.
- Sachez que, lorsque vous cesserez de prêter l'oreille autour de vous, vous finirez par entendre la voix de votre conscience.
- Recopiez l'extrait de Shakespeare et placez-le dans la glace de votre salle de bains, sur le mur de votre bureau ou de votre boutique, dans le casier de votre vestiaire à

l'école, dans votre voiture, ou portez-le simplement dans votre poche.

20

La chaîne de miracles de Joe Girard

V ous connaissez tous le principe du domino? Vous disposez les pièces à la verticale les unes à la suite des autres; vous poussez ensuite le premier qui fait chuter le second qui, à son tour, abat le troisième jusqu'à ce que tous les dominos soient par terre.

J'ai déjà été témoin d'une démonstration de ce formidable principe au cours d'une émission de variété à la télé nationale. Un jeune invité à l'émission s'en était servi pour faire un numéro extraordinaire. Des milliers de dominos avaient été disposés debout pour former des arabesques époustouflantes: anneaux, virages en épingle à cheveux, montagne, retours en arrière. S'approchant de son étalage, le jeune homme se mit à l'oeuvre.

D'un seul doigt, il fit gentiment basculer le premier domino et tac, tac, tac... L'élan donné à la première pièce fit tomber les autres une à une dans un ordre déjà prévu et s'étendit bientôt aux milliers de pièces: courbes, virages, angles droits, rangée sur rangée. La performance était bien amusante mais elle démontrait en même temps une facette de notre habileté à persuader les autres, chose à laquelle nous n'avions jamais pensé.

Une réaction en chaîne!

Vous en avez certes été témoin sur les routes et les auto-routes, aux heures de pointe, dans la neige, sur la glace, dans la pluie, sur des chaussées glissantes par suite de neige fondante ou molle. Une voiture fait peut-être un tête-à-queue, elle dérape, elle ne peut s'arrêter à temps lorsque le véhicule qui la précède stoppe soudainement. La voiture fait une embardée, emboutit celle de devant qui, à son tour, frappe celle qui la précède, et ainsi de suite. On a probablement rapporté un tel carambolage dans les journaux récemment. Les occupants de la voiture de devant ignoraient même ce qui s'était produit deux voitures derrière. Le chauffeur de la voiture à l'origine de l'accident ne se rendait probablement pas compte de la chaîne d'accidents qu'il avait entraînée et des dommages causés à la voiture, là-bas.

Réaction en chaîne! ᐧ

Il peut en résulter des conséquences désastreuses. Cependant, ce principe peut également entraîner d'heureuses suites dans d'autres domaines. Aucun individu n'aime mordre la poussière lorsqu'il essaie de se faire accepter. Personne ne veut faire partie de la coterie des briseurs de réputations. Pourtant, il est possible, dans votre vie, d'empêcher les dominos de tomber les uns après les autres et de générer un élan qui éliminera les aspérités de la vie au lieu de les multiplier.

La loi du 250

J'ai toujours qualifié le principe suivant de loi du 250. Dans le passé, je me suis borné à mettre les gens en garde contre les effets nocifs de cette loi sur la vente. Je vais maintenant mettre l'accent sur ses effets positifs dans votre vie et vos occupations.

Nous vivons dans un monde où tout tourne autour des relations de cause à effet. Toute chose ou toute personne en influence une autre qui, à son tour, produira un effet sur d'autres. Qui peut dire quand la chaîne sera brisée?

Il y a plusieurs années, dans le but de comprendre cette relation de cause à effet, j'intitulai ce principe «loi du 250». En fait, ce chiffre possède une base. Ceux qui ont lu mon bouquin intitulé *How to Sell Anything to Anybody* ou qui ont entendu parler de ce principe au cours d'une conférence, se rappelleront qu'il m'est venu d'un directeur funéraire. Je vais vous en donner une idée.

En ma qualité de vendeur de voitures, je travaillais avec ce que nous possédions en stock et je me suis souvent rendu compte que nous étions à court de tel modèle, de telle couleur ou de telles options; parfois, nous en avions une peste d'autres sortes. Je me suis souvent demandé comment il se faisait que personne ne semblait savoir exactement combien de voitures commander; on savait que le concessionnaire pouvait facilement en obtenir sur commande. Je ne reçus aucune réponse.

J'ai alors demandé au directeur funéraire de mes amis comment il pouvait calculer le nombre de cartes «In Memoriam» ou de messes à commander, de ces cartes qui portent le nom du défunt, les dates de naissance et de décès en plus des noms paraissant au registre des visiteurs.

Il me répondit que sa longue expérience dans le domaine et la loi de la moyenne lui avaient enseigné la magie du chiffre 250, qu'avec 250 cartes en main, il ne risquait pas d'être à court ou d'en avoir trop en surplus.

«C'est fantastique, Joe, mais chaque individu, même décédé, représente environ 250 autres personnes.»

Plus tard, je discutais de ce phénomène avec un imprimeur de mes amis qui me confirma que la même chose se produisait quand il s'agissait de mariages, invitations ou remerciements après la cérémonie.

«À long terme, Joe, j'ai découvert que la moyenne de cartes à imprimer pour invitations ou faire-part d'un mariage, d'avis suite à un mariage secret, revenait toujours à environ 250.»

Dernièrement, j'ai eu une autre confirmation de la magie de ce chiffre de 250. Je venais de terminer une causerie à Miami durant laquelle j'avais fait mention de ma loi du 250. Quelques heures plus tard, à l'hôtel Omni, je remis un exemplaire de mon ouvrage sur la vente à mon ami Joel Wolfson du Massachusetts. Naturellement, j'y fais allusion à ma règle de 250 avec force détails. Lorsqu'il en eut terminé la lecture, il paraissait bouleversé.

«Joe, me dit-il, j'ai travaillé dernièrement avec mes collègues sur un projet de construction d'une aile pour notre synagogue où je suis le président au Conseil d'administration. Un de nos principaux problèmes consistait à délimiter les dimensions de la salle. Nous avions besoin d'espace en vue de réceptions, de confirmations, de bar mitzvahs, vous savez. En nous référant aux expériences passées et en étudiant attentivement nos besoins, nous en sommes arrivés à la conclusion qu'il nous fallait un endroit pouvant contenir vingt-cinq tables de dix places chacune.»

Je revois encore ses yeux tout brillants d'excitation avant qu'il n'ajoute ce que je m'attendais bien à l'entendre dire:

«C'est incroyable, Joe! 250!»

Moi, je le croyais vraiment!

Avez-vous déjà remarqué, lors de votre entrée dans un restaurant couru, un bar ou un salon de consommations, une affiche indiquant: 250 places assises? Il en va de même pour de nombreux foyers dans les théâtres où l'on retrouve encore une petite affiche, habituellement sur l'ordre du Service des incendies, avisant qu'il n'est pas permis à plus de 250 personnes de se tenir debout. Un de mes amis est activement impliqué dans le monde du théâtre local. Une de ses salles de spectacles, propriété d'un groupe d'amateurs, compte exactement 250 places. S'il arrive que l'on vende un siège de plus, on est tenu d'en aviser le Service des incendies qui dépêchera à l'instant un de ses hommes afin de voir à ce que les choses tournent rond. 250! Faites-en la preuve vous-même!

La règle du 250 est vraiment la pierre angulaire sur laquelle repose toute publicité, je vous en donne ma parole. C'est elle qui contribue à vendre des billets pour le cinéma, attire vers les bons restaurants, mousse la vente de livres, augmente la clientèle des médecins et des dentistes. Mieux encore, cette règle aide à vous faire accepter davantage.

Vendeur, j'ai toujours veillé à me monter un dossier de propriétaires et un dossier de clients éventuels. Je suis devenu ainsi l'inventeur d'un des plus précieux dossiers du pays; autrement, comment aurais-je pu vendre 1 400 voitures neuves au détail dans une seule année? Depuis, je l'ai passé à mon fils qui continue sur ma lancée. Si jamais quelqu'un me détrône dans l'annuaire Guinness, ce sera sûrement mon fils Joe. Il possède l'instrument idéal pour le faire; il n'en tient qu'à lui de s'en servir.

Un jour, je me mis à examiner attentivement ce dossier. La pensée me vint soudain que chacun des noms dans ma liste représentait 250 autres personnes et que chacune de ces dernières en valait encore un autre groupe de 250, et ainsi de suite. Je n'en revenais pas car il était alors impossible de faire le décompte des clients éventuels. Il me vint alors à l'esprit qu'il pouvait exister des côtés négatifs à cette loi du 250.

Il se peut que les vendeurs, moi y compris, aient l'impression que l'on ne pense jamais de bien des gens de notre espèce, la plupart du temps. On dira: «Il n'est rien d'autre qu'un vendeur!» Ou bien: «Attention à monsieur Pousse-Trop!» Je me concentrai donc sur les aspects négatifs de ma loi du 250.

Je me dis, et je le dis également à d'autres vendeurs: «Si vous vendez à une personne et qu'elle se montre insatisfaite de votre produit, elle en parlera certainement à d'autres et, par une sorte de réaction à la chaîne, à 250 autres. Le mouvement fera boule de neige. Donc, il faut surveiller ses paroles.» Je prévins alors: «Vous pourriez vous casser la figure. Si votre transaction est déloyale et que le client pense qu'il se fait passer un sapin, il ira certainement le dire à d'autres. Vous pouvez perdre 250 clients en en traitant un seul de cette façon.»

Il faut donc éviter ces choses à tout prix!

Mettez l'accent sur le côté positif

J'ai commencé, un bon bout de temps avant ma rencontre avec Wolfson, à mettre l'emphase sur le côté positif et à éliminer tout ce qu'il comportait de négatif. Auparavant, dans les années soixante, je faisais encore état des choses à éviter. Vous avez remarqué que, à la fin de chaque chapitre, je suggère une liste d'actes à poser. Très rarement, seulement lorsque la nécessité m'y obligeait, ai-je cité des actes à ne pas faire.

Aux alentours de 1963, j'ai reçu un conseil en or de mon directeur des ventes qui m'a fait opérer une volte-face complète vers le positif. Je ne pouvais me tromper en l'écoutant car il réussissait merveilleusement bien lui-même.

«Joe, me dit-il, pense toujours aux bons résultats. Si tu vends à une personne, tâche de la satisfaire le plus possible et ne t'occupe pas de ce qu'elle pourra dire de toi par la suite. Je te promets qu'elle ne pourra certainement pas te descendre. Si elle est contente, elle s'empressera d'en faire part à d'autres (tes 250 si tu veux), et une foule d'autres à part cela. Si tu dis une bonne chose à un client, tu en récolteras des bénéfices personnels. Assure-toi que ce que tu proposes à un client est honnête et juste et tu deviendras à ses yeux un homme intègre à qui on peut se fier. Tu peux très facilement te créer une clientèle de 250 clients éventuels si tu traites le premier de la façon dont tu aimerais être traité toi-même. Arrête de t'en faire et de craindre de le maltraiter.»

Il m'indiquait par là la façon de garder mes dominos dans la position verticale. C'est à ce moment que je commençai à appeler la règle du 250: la chaîne de miracles de Joe Girard.

Pensez-y bien! Chaque personne à qui vous parlez, avec qui vous communiquez, que vous regardez, représente 250 autres personnes se tenant derrière elle, 250 paires de bras prêts à vous aider à réussir miraculeusement, 250 bouches disposées à chanter vos louanges. Croyez-moi, voilà un atout inestimable.

90% des personnes qui m'entendent au cours d'une causerie, 90% des personnes formant l'auditoire d'émissions radiophoniques ou télévisées, me posent toujours des questions sur ma chaîne de miracles, ma loi du 250. J'ai répété mon histoire tellement souvent que j'en ai presque perdu le souffle. Les gens ne semblent jamais se lasser de l'entendre. «Joe, disent-ils, vous savez que votre règle du 250 a bien du bon sens.»

Au printemps de 1979, alors que je me préparais pour une entrevue au *Mike Douglas Show,* l'animateur me dit: «Tu sais, Joe, cette loi du 250 est vraiment extraordinaire.» Quelqu'un ajouta: «Je n'avais jamais pensé aux gens de cette façon. La prochaine fois que j'ouvrirai la bouche, je vais faire doublement attention afin d'éviter de dire quelque chose de mauvais ou d'irréfléchi. Hé là, c'est une des choses les plus intéressantes de votre bouquin.» Je dis à Mike et à son personnel, tout comme je vous l'ai dit, qu'il ne s'agissait pas tant de dire quelque chose de négatif comme de dire et faire quelque chose de positif et dans le bon sens.

Et les résultats?

Puisqu'il vous est impossible de vous faire accepter de 250 personnes, la meilleure manière de manoeuvrer consiste à faire mouche auprès de la personne qui est devant vous: elle se chargera de rejoindre les autres par une réaction à la chaîne. Lorsque les membres du jury sont en caucus, il est bien difficile d'évaluer le verdict. Aucun vendeur ne peut se vanter d'avoir vendu des voitures à sept autres nouveaux clients simplement parce qu'il avait fait preuve de loyauté envers le premier qui les connaissait. Aucun individu ne peut dire davantage que, parce qu'il a fait la conquête d'une fille à la patinoire, il a par le fait même conquis les quatorze autres membres de sa famille. C'est tellement aléatoire!

Voici cependant certaines conclusions auxquelles sont arrivées des personnes qui ont vraiment réussi à se faire accepter pour elles-mêmes.

Un vendeur de nouvelles voitures de Détroit. «Dans l'espace de six mois, j'ai vendu soixante-cinq voitures. De ce nombre, onze sont allées à des gens qui m'avaient été référés par des clients précédents. Chacun vint me trouver parce qu'un ami l'avait assuré avoir été bien traité par moi. Il est possible qu'il y en ait eu douze. De toute façon, retournons au premier de ces onze clients: il avait fait confiance en la parole d'un type à qui j'avais vendu deux mois auparavant. Et cela continue...»

Un participant à un séminaire de formation à la vente. «Il n'y a pas longtemps, j'ai signé une entente pour participer à un séminaire de formation de quatre jours. Un de mes amis californiens me l'avait recommandé comme parfaitement dynamique. En fait, par ses bonnes paroles, ce type a contribué à mousser énormément la réputation de ces séminaires partout le pays. Je suivis les séances et, depuis, j'ai fait en sorte que quatres autres de mes amis en fassent autant. À son tour, l'un d'eux a déjà passé le mot à deux autres qui ont demandé d'y participer également. J'ignore jusqu'où cela va aller mais je puis vous assurer que ce séminaire n'a plus besoin de payer pour sa publicité, les finissants s'en chargent.»

Un courtier en fonds mutuels de Détroit. «Notre maison de courtage est accréditée auprès de la bourse de New York. J'ai passé un bon moment là-bas. Je représente environ cinquante solides clients que j'aide à se fabriquer un bon portefeuille de valeurs. Chacun me fut envoyé par un autre qui l'avait précédé auprès de moi. Je n'ai que quelques maisons d'affaires dans mes dossiers, mais mes gros clients me sont tous venus parce que d'autres clients satisfaits de mes services m'avaient recommandé auprès d'eux.»

Le gérant d'un gros immeuble à appartements. «J'ai bien failli écoper d'une contravention l'autre jour en me rendant à mon bureau mais le policier a décidé de fermer les yeux. J'ignore pourquoi j'ai eu tant de veine mais je n'oublierai pas son large sourire lorsqu'il me fit signe de continuer mon chemin. Peut-être sa femme avait-elle été particulièrement délicieuse envers lui le soir précédent. De toute façon, simplement parce que j'avais été chanceux ce matin-là, j'ai conservé mon sourire toute la journée dans mes démêlés avec mes locataires. Je peux vous affirmer que ce n'est pas toujours facile. Les plaintes sont toujours tellement nombreuses. Je m'aperçus soudain que les locataires qui me quittaient repartaient avec un sourire qu'ils passaient ainsi à d'autres. La petite-fille d'une dame âgée la visitait ce jour-là et, dans le hall d'entrée, je l'entendis dire à sa grand-mère: «Grand-maman, il y a longtemps que je ne vous avais vue sourire de la sorte; votre dos vous fait moins souffrir?» La jeune souriait également. Elle emporta son sourire vers sa mère qui était venue la chercher et j'ai vu celle-ci le lui rendre. Ce policier n'a jamais su ce qu'il avait commencé en me laissant aller avec le sourire, ce matin-là.»

Un fleuriste de Birmingham. «Il y a de cela environ un mois, un homme vint commander une gerbe funéraire. Nous sommes une de ces firmes qui expédient des fleurs par télégraphe ou téléphone et nous offrons un catalogue complet de nos choix. Cet homme n'aimait aucun de nos arrangements. Il me pria de composer quelque chose de joli et de faire en sorte que le tout soit livré au salon funéraire avant la soirée car il se proposait d'aller y réciter le rosaire. Je lui promis qu'il en serait comme il le désirait mais j'eus l'impression, à son départ, qu'il ne croyait pas un mot de ce que je lui avais dit. Il est possible qu'il ait été trompé quelque part ailleurs auparavant.

J'ai tenu parole. Il me rappela le jour suivant pour me féliciter sur les fleurs splendides et m'exprimer sa satisfaction de voir qu'elles étaient arrivées à temps. Cela fait toujours plaisir à entendre. Je dois ajouter que depuis, cinq autres clients que je n'avais jamais vus auparavant sont venus à moi et tous me répétèrent la même chose: ils avaient entendu parler de moi par le client satisfait. Une dame ajouta qu'on l'avait assurée que je tenais parole.»

Se multiplier

En fait, ces exemples démontrent tous la façon de se faire accepter indéfiniment. Que vous le vouliez ou non, vous serez multiplié. Et voici un des meilleurs exemples de multiplication que je connaisse:

On a beaucoup écrit sur Ray Kroc, le président du Conseil d'administration de McDonald's, le Big Mac. Voici donc quelques-unes des choses que j'ai lues à son sujet: Ray Kroc a débuté dans la vente de machines à confectionner le lait malté pour le compte des frères McDonald qui faisaient le commerce des mets à préparation rapide, surtout les hamburgers. Avec le temps, monsieur Kroc devint le gérant de l'entreprise bientôt connue sous le nom de McDonald. À cette époque, il faisait montre d'une philosophie particulière et, qu'il en fut conscient ou non, elle se basait sur la réaction en chaîne. Les gens vont, viennent, parlent entre eux... relation de cause à effet, n'est-ce-pas? Alors, il fit en sorte que ce dont ils parlaient vaille la peine que l'on se dérange pour l'essayer.

Kroc observait le principe que chaque client a droit au meilleur; il refusait d'en voir partir un mécontent. La qualité de ses hamburgers devait être de premier plan, les frites de même. (Je connais de nombreuses personnes qui jurent que les frites de McDonald sont les meilleures au monde.)

Kroc s'assura que chacune de ces succursales soit surveillée attentivement et tenue dans la plus stricte propreté. Il en est bien ainsi. Les fenêtres doivent briller et allez-y voir! Chaque employé doit se conformer aux règlements. Son but est de s'assurer que jamais une personne ne ressorte insatisfaite de l'une de ses maisons. Mieux encore, il désire que chaque client y vienne par plaisir et en sorte en chantant ses louanges.

À ma connaissance, il a parfaitement réussi car McDonald est une des entreprises les plus réputées au monde pour son commerce d'aliments vite préparés.

Remarquez les affiches sous les arches jaunes de McDonald indiquant les milliers de hamburgers vendus par la maison à ce jour. Ces affiches vous en disent plus long qu'une série de chiffres alignés sur papier. Les hamburgers ne furent pas vendus simplement par accident. Ils le furent selon le principe des dominos... les gens se poussant les uns les autres pour se faire servir.

Chaque fois que je passe devant un de ces édifices, mes yeux sont toujours attirés par le *M* gigantesque: cette lettre représente pour moi le signe de la multiplication. Quelle sorte de multiplication? Voici: supposons que vous réussissiez à vendre vos services à un client éventuel - un ami, un collègue, un employé quelconque, une personne qui aime bien manger et désire un bon hamburger - *juste deux fois la semaine*. À la fin de l'année, cela représente 104 personnes. Ajoutez à celles-ci 250 derrière chacune d'elles et vous avez exercé une influence sur 26 000 personnes, de même que les 250 derrière chacune de ces 26 000. Sidéré, vous vous grattez la tête? Je vous comprends. Alors, imaginez ce qui se produirait si vous réussissiez à vous faire accepter d'un client chaque jour de l'année.

Il n'est donc plus surprenant que les *Big Macs* soient devenus aussi populaires et se vendent par milliers.

Voici une autre façon de procéder que je conseille aux admirateurs sportifs. Mon ami Augie Bergamo, qui avait l'habitude de jouer au baseball dans les terrains vagues lorsque nous étions jeunes et devint par la suite membre de l'équipe des Cardinaux de St. Louis, me dit un jour que je lui parlais de la règle du 250: «Joe, à 26 000 personnes par année, tu pourrais en deux ans remplir le stade Memorial Park des Orioles de Baltimore et le Riverfront des Reds de Cincinnati. Tu pourrais presque remplir également le Candlestick Park, le Tiger Stadium ou le Yankee Stadium, le mémorial de Babe Ruth. Cela suffirait à faire tourner la tête à Casey Stengel.»

Dans les pages de ce bouquin, je vous ai répété à plusieurs reprises que la confiance attire la confiance, que votre attitude positive apporte des dividendes, que l'enthousiasme est contagieux, que l'honnêteté est toujours la meilleure ligne de conduite, que tenir ses promesses est une source de puissance, que le sourire peut opérer des miracles, que la jeunesse, la maturité ou le sexe ne sont pas des empêchements au succès dans les entreprises et que vos origines peuvent militer en votre faveur.

Mais jusqu'à ce que vous ajoutiez le facteur multiplication, la chaîne de miracles de Joe Girard, vous ne pourrez vous rendre compte du pouvoir de la confiance, de l'enthousiasme, de la vérité, de la fidélité à sa parole et de l'influence d'un sourire. Les dividendes en sont tout simplement renversants.

Pour résumer, voici ce que je vous conseille afin d'aider à multiplier vos possibilités et faire en sorte que les dominos ne tombent pas à la renverse:

Actes à poser MAINTENANT!

- Si vous avez de l'enthousiasme, partagez-le.
- Si vous aimez quelqu'un, dites-le lui.
- Si vous avez confiance, montrez-le.
- Si vous vous sentez bien dans votre peau, faites-en part à d'autres.
- Si vous êtes heureux, partager votre sourire.
- Si vous promettez quelque chose, tenez parole.

- Si vous pouvez aider quelqu'un, n'hésitez pas.
- Si vous savez que c'est la vérité, dites-la sans ambages.

21

La persévérance récompensée

R ien ne peut remplacer la persévérance.
Le talent en est incapable:
Rien de plus commun qu'un homme malheureux et bourré de talent.
Le génie en est incapable:
Le génie non reconnu est proverbial.
L'éducation en est incapable:
Le monde regorge d'épaves instruites.
La persévérance et la détermination sont toutes-puissantes.»

Je crois fermement en ces paroles. Je n'en connais pas l'auteur mais je serais heureux que l'on m'en fît part. Ce sont cependant certaines des paroles choc qui ornent les murs de mon bureau. Il est possible qu'aux yeux de certains, elles paraissent simplettes, platitudes dignes d'un écolier comme, par exemple: «Si tu ne réussis pas la première fois, essaie, essaie encore.»

Eh bien, je vous dis ceci: si un slogan est efficace, servez-vous-en. S'il vous faut des affiches sur les murs de votre bureau, dans la glace de votre salle de bains, à l'intérieur de votre coffre à outils, au-dessus de votre cuisinière ou dans votre casier au gymnase pour vous remonter le moral, allez-y! Ne vous découragez pas, continuez à tirer profit de tout ce qui peut vous être utile.

La persévérance et la détermination vont faire l'objet de ce dernier chapitre. *Essayer, essayer encore:* mots clés dans la devise de tout écolier. *Redouble d'efforts jusqu'à ce que tu réussisses:* mots clés de toute ma vie.

Ty Cobb, un des immortels du baseball et membre célèbre de mes chers Tigers, détint le championnat des frappeurs de la Ligue américaine durant quatre années consécutives, de 1912 à 1915 inclusivement. Durant ce temps, sa moyenne s'est maintenue à 0,410. En ce temps-là, les équipes étaient différentes, la Ligue aussi de même que la période d'entraînement pré-saison. On rapporte que Ty Cobb a répondu à un reporter sportif attaché à l'un des meilleurs quotidiens de Détroit qui lui demandait comment il en était arrivé à ce haut degré d'efficacité au bâton et comment il avait fait pour se maintenir en tête, qu'il lui avait fallu de la détermination et de la persévérance. Il possédait de bons bras, mais les muscles ne comptent que si vous êtes animé du désir de les maîtriser, de leur faire poser les actes voulus. On dit que lorsqu'il n'y avait pas de pratique en vue d'un match, Ty avait coutume d'aller dans les champs déserts et de mesurer la distance entre lui et un gros arbre, à peu près l'équivalent de la distance entre le marbre et les derniers gradins. Il se mettait alors à frapper des balles, sans relâche, dans la direction de cet arbre. Plus il répétait le geste, plus il réussissait à faire voler la balle par-dessus la cime de l'arbre. Ty était d'avis que n'importe qui pouvait frapper, viser même, mais il faut travailler sans relâche si l'on veut réussir à expédier la balle exactement où l'on veut et aussi loin qu'on le désire. Un champion connaît la recette.

J'ai déjà lu un article sur Bobby Jones, un des plus grands golfeurs à faire son apparition sur le vert; il disait presque la même chose que Ty Cobb.

Il n'y a pas que le sport pour nous fournir des exemples de ce que j'avance. C'est la *persévérance* et la détermination qui ont soutenu Annie Sullivan Macy dans sa tâche quasi inhumaine d'enseigner à Helen Keller, sourde et aveugle de naissance, à se tailler une place dans un monde qu'elle ne pouvait ni voir ni entendre.

C'est la *persévérance* qui a permis à Kettering d'inventer le démarreur automatique.

La *persévérance* fut également la bougie d'allumage de l'ardeur dont témoignait Thomas Edison devant sa planche à dessin et sa lampe électrique jusqu'à ce qu'il ait réussi. Il essaya mille et une choses avant d'en arriver au filament recherché. S'il en avait été autrement, nous en serions probablement encore à la lampe au kérosène.

Bette Davis est un parfait exemple de *persévérance,* qualité qui l'a poussée à se dresser, elle, une de nos plus grandes vedettes de l'écran, devant ses producteurs pour exiger des rôles à la mesure de son talent. Sa lutte, elle la faisait à son insu pour une pléiade d'autres acteurs qui se sentaient diminués par des directeurs et des producteurs qui avaient peur de leur propre ombrage.

La persévérance est-elle toujours récompensée? Pas toujours! Nous vivons dans un monde réaliste, ne l'oublions pas. Dernièrement, j'assistais à un lunch à Minneapolis. Mon voisin de table était natif de la ville et me parla d'un de ses concitoyens devenu gouverneur de l'état, Harold Stassen. «Prononcez le mot persévérance, dit-il, et vous avez nommé Harold Stassen. Depuis cent ans déjà, il essaie de devenir président des États-Unis, il ne le deviendra jamais.»

«Vous avez probablement raison, dis-je, mais voyez tout le plaisir qu'il éprouve en cours de route.»

La récompense peut être fabuleuse et elle entraîne de grandes joies. Bien sûr, il ne faut jamais perdre de vue la cible que l'on s'est fixée mais ce n'est pas la récompense qui compte le plus, c'est d'avoir *essayé.* Quel est donc ce vieil adage? «Il

vaut mieux avoir aimé et perdu que de n'avoir jamais aimé!»
Qu'en pensez-vous?

Quand la récompense se présente (et c'est plus souvent
qu'autrement en dépit de l'exemple de Stassen), quelle merveilleuse sensation! Mais personne n'a jamais osé dire que la
persévérance était chose facile.

Plus vous essaierez, plus vous rencontrerez d'obstacles.
C'est pourquoi j'affirme que se faire accepter avec bonheur
signifie presque une course à obstacles. Vendre un produit ou
un service est synonyme de renversement d'obstacles. Le fait
de vendre un service peut rencontrer plus d'empêchements
que l'on en trouve sur le parcours du terrain de golf de Pine
Valley dans le New Jersey que les professionnels qualifient
d'extrêmement difficile. Un des obstacles est considéré comme le plus imposant au monde (on l'appelle, en termes de golf,
le *demi-acre du diable*); il faut donc se souvenir que *tous les
pièges sont là pour qu'on s'en sorte*. Il faudra donner de nombreux coups de bâton mais, avec le temps, on en sortira.

Tout au long de votre montée vers les sommets, vous rencontrerez un nombre incalculable de ces obstacles juste au
moment où vous auriez pu vous en dispenser; des gens tente-
ront de ralentir votre élan. On dirait que c'est l'essence même
de la nature humaine que d'empêcher les autres d'avancer
quand on n'avance pas soi-même. Avez-vous déjà fait l'expérience de tenter de perdre du poids? Vous avez été fidèle à votre
régime et vous voyez fondre les livres tranquillement, mais
voilà que l'une de vos connaissances vous dit: «Tu as l'air
fatigué; es-tu certain que tu doives en perdre encore?» Si vous
faites carrière dans la vente, je suis sûr que vous pouvez me
citer des milliers de cas où, ayant décidé de placer un appel
supplémentaire, de rester au bureau une heure de plus, il s'est
trouvé alors un confrère pour vous engager à tout laisser en
plan et à aller prendre un verre avec les camarades. Il semble
que la nature soit ainsi faite qu'on ne peut souffrir la persévérance chez un autre.

Je vous incite à faire tous les efforts possibles pour vous maintenir dans la voie du succès et je vous préviens que vous aurez de désagréables surprises en cours de route: vous serez confus, embarrassé parfois, heurté, frustré devant les obstacles sans nombre dressés sous vos pas. Je vous suggère également la possibilité de ramper sous les barbelés ou de sauter par-dessus les murs de béton du découragement sans trop de blessures profondes et sans vous accrocher en cours de route. Vous pouvez ensuite continuer sans chuter.

La vie est un véritable marathon

Un de mes bons amis est le père d'un jeune homme dans la vingtaine qui courut le marathon de plus de vingt-six milles récemment à Détroit. C'était un événement international car il comportait également des coureurs canadiens; le parcours faisait la navette entre les deux rives de la rivière Détroit, notre frontière commune. Le jeune homme s'était soumis à un entraînement intensif pendant longtemps mais il n'avait jamais couru sur une aussi longue distance et il doutait de pouvoir le faire.

Durant une bonne partie de la course, il fut en butte à une douleur dans la région thoracique, à des crampes dans les mollets ajoutées à une ampoule aussi grosse qu'un oeuf au pied. Comme tous les coureurs de longue distance, il me parla du mur que chacun rencontre à un certain moment, lorsqu'il croit ne pas pouvoir faire un pas de plus mais qui est surmontable si le coureur pousse encore plus loin. Le phénomène se produisit pour le fils de mon ami mais il tint ferme et se rendit au but. Il ne remporta pas la course, c'est-à-dire qu'il n'arriva pas le premier, mais il ne fut pas perdant non plus. Comme pour toutes choses dans la vie, la véritable course se faisait entre lui et le temps; en ce sens, tous ceux qui ont terminé la course, peu importe le rang, furent gagnants.

La vie est une course. Dans votre détermination à vous faire accepter, la plus grande concurrence vient de vous-même.

Tout en vous agrippant à votre tâche qui consiste à vous faire accepter, c'est votre persévérance qui vous fera vaincre.

L'ascenseur est en panne

Le secret de la réussite consiste à suivre le vieux principe de ne faire qu'un pas à la fois. Si, le long de votre route, vous rencontrez un problème ou un obstacle, attaquez-le, solutionnez-le puis passez au suivant. De cette façon, les problèmes ne semblent plus démesurés. Le fait de faire disparaître le premier obstacle pourra, dans de nombreux cas, résoudre une bonne partie du suivant. Le temps est un grand guérisseur, à ce que l'on dit. La meilleure façon de persévérer, de vous persuader qu'une seule fois n'est pas coutume, de vous relever et de reprendre le collier, de développer l'énergie nécessaire pour demeurer dans la course, c'est encore de s'en tenir à la règle qui consiste à franchir une étape à la fois.

Vous avez lu plus tôt dans cet ouvrage que je possède encore une autre affiche dans mon bureau. Elle se lit comme suit: «L'ascenseur vers le succès étant en panne, vous devez gravir l'escalier une marche à la fois.» Le principe s'applique toujours. Si vous prenez l'habitude de vous attaquer à un seul problème à la fois, vous n'aurez plus à vous préoccuper si l'ascenseur est en panne ou non. Aussi longtemps qu'il existera des escaliers ou des échelles pour vous faciliter la montée vers votre but, la partie sera belle. Vous n'aurez qu'à continuer à gravir un échelon à la fois.

On dit des gens oisifs, de ceux qui ne combattent pas pour survivre ou ne réussissent pas à se tenir la tête hors de l'eau (cela s'applique également à l'art de se faire accepter) qu'ils sont tout simplement des morts en puissance. Un travail acharné et de la persévérance, la détermination d'accomplir la tâche que l'on s'est fixée, se faire accepter de plus d'une façon, sont encore la meilleure manière de vivre. Mais l'ennui, l'oisiveté, le gaspillage du temps, les rêvasseries, l'échec à avancer,

ne serait-ce qu'à pas de tortue, tous ces facteurs sont destruc-
teurs.

Persévérer signifie devenir chef de file, non suiveur. Ne
vous contentez pas de marcher dans les voies déjà tracées,
ouvrez-en de nouvelles. Naturellement, cela implique que
vous sachiez où vous désirez aller. Une autre affiche dans mon
bureau (je vous ai dit que mes murs en étaient tapissés) se lit
comme suit: «Tout le secret de vivre consiste à savoir ce que
l'on veut, à le noter, puis à se mettre à l'oeuvre.»

Maintenant, vous savez pourquoi je vous ai soumis tant
d'actes à poser à la fin de chaque chapitre et pourquoi je vous
incitais à les recopier. Ce dernier geste renforce votre esprit de
détermination. Il vous confère une sorte de puissance qui
vient à votre secours lorsqu'il s'agit de vous faire accepter car,
si vous n'êtes pas fidèle à ces actes à poser, le succès vous
fuira. Comment ces recommandations pourraient-elles vous
aider? Rien ne se produira si vous n'avez pas pris la précaution
de programmer vos actes. Nombreuses sont les personnes
venues me trouver pour me dire: «Joe, j'ai assisté à vos causeries, j'ai lu vos articles, tout semble si intéressant; mais comment puis-je être sûr du succès en suivant vos conseils?»

J'ai toujours répondu à ces gens: «Comment pouvez-vous
être sûrs que vous ne réussirez pas? Vous ne le saurez pas tant
que vous n'aurez pas essayé et persévéré.»

Je suis presque sûr que ces personnes viendront me voir ou
m'écriront pour me dire: «Joe, je suis heureux d'avoir persévéré; c'est justement ce qui a fait la différence.»

Comme c'est vrai! Une règle ne vaut pas grand-chose sur
papier, à moins qu'on ne la mette en pratique. Un principe
directeur n'est valable que si vous lui permettez de vous guider. Une suggestion ne servira à rien si vous la laissez croupir
dans la boîte aux suggestions.

La persévérance est toujours récompensée. C'est elle qui a fait reculer nos frontières, amené l'exploration de nos rivières et de nos fleuves, de nos montagnes, de nos forêts, c'est elle qui a bâti l'Amérique. Pensez à la vie comme si vous étiez un voyageur traversant la rivière en canoë comme nos ancêtres l'on fait dans les premiers temps de la colonisation. Je ne parle pas des miens car le canoë n'est pas populaire en Sicile. Les pionniers américains, peu importe leurs lieux d'origine, se sont aventurés dans une foule de rapides aux eaux bouillonnantes. Tant qu'ils ont continué à avironner à tour de bras et à combattre le courant qui cherchait à les entraîner, ils ont progressé vers la source de la rivière. Heureusement, l'Amérique n'a pas éfé fondée par des gens qui se laissaient emporter par le courant.

Nos pionniers ne se sont pas laissés influencer par des défaitistes et n'ont pas prêté la moindre attention aux cyniques. Il est possible que d'aucuns souriront devant vos efforts supplémentaires, sourires non pas d'encouragement mais frôlant le ridicule. Vous entendrez probablement des remarques méchantes. Bouchez-vous les oreilles. Ces remarques émanent de personnes du genre de celles qui disent: «Êtes-vous sûr que vous deviez encore perdre du poids? Vous paraissiez tellement mieux lorsque vous étiez plus corpulent.»

Les défaitistes dont nous avons parlé dans un autre chapitre font partie des risques que vous devez prendre. Ils représentent les gens qui n'osent jamais rien. Ne les imitez pas. Nous sommes encore trop nombreux à refuser de nous impliquer, à désirer rester sur un terrain solide, à ne pas apprécier que quelqu'un ose agiter notre nacelle. Eh bien, j'ai des nouvelles pour vous en ma qualité d'ancien vendeur professionnel. Si vous laissez votre voiture dans le garage, vous ne risquez pas les accidents. Pourtant, les voitures ne sont pas construites pour être remisées. J'ai lu cela quelque part et j'en accorde avec plaisir le crédit à l'auteur, dont le nom m'échappe, parce que c'est vrai.

J'ai appris une leçon formidable de la part d'un type qui savait, lui, pourquoi les voitures avaient été construites et qui les mettait là où elles devaient être: sur la route. En même temps, il m'assura que la persévérance était véritablement la clé du succès.

Pendant des années, ce vendeur en question occupa le bureau voisin du mien chez le concessionnaire où je travaillais. J'étais constamment renversé devant son habileté à persévérer dans la vente d'une voiture. Chaque année, son record était des plus impressionnants et il n'y a rien que j'admire davantage qu'une personne qui sait attirer le succès.

Si un client faisait mine de se lever pour partir, il lui touchait légèrement le bras, très doucement car beaucoup n'aiment pas qu'on les touche, simplement un petit geste qui signifiait: «Ne partez pas, j'aimerais vous compter parmi mes clients.» On lisait alors sa détermination sur son visage de même que dans sa voix. Je n'ai jamais rencontré un type aussi décidé à ne pas lâcher. Un jour, je lui demandai quel était son secret pour pouvoir lui ressembler, pour jouir de son pouvoir sur les gens.

«Joe, dit-il, c'est bien simple. Je ne crois pas à ce que les gens disent sur le pouvoir du non. À mon sens, ce mot signifie «peut-être», rien de plus. Et «peut-être» équivaut toujours à un «oui». Persuade-toi de ces choses et elles t'aideront à persévérer.»

Je n'ai jamais oublié ce conseil. Je me suis fait un devoir de le passer à d'autres. Lorsque vous avancez pas à pas et que votre corps fatigué vous dit «non» en même temps que votre esprit devant l'obstacle suivant, dites-vous que vous entendez «peut-être» et continuez. Peut-être vaincrez-vous ce nouvel obstacle si vous essayez vraiment; peut-être réussirez-vous à la fin. Puis, dites-vous que «peut-être» signifie «oui». Dès l'instant où vous prononcez ce mot, vous avez gagné la partie tout comme mon jeune ami du marathon devant son mur de béton.

Trois moyens de persister

1. Sachez ce que vous voulez et mettez-vous à l'oeuvre.
2. Puisque l'ascenseur est en panne, gravissez les marches une à la fois vers votre but.
3. Enterrez le mot «non» six pieds sous terre. Il veut dire seulement «peut-être» et «peut-être» signifie toujours «oui».

Lecteurs, nous voilà arrivés au terme de ce que j'avais à vous dire. J'ai partagé avec vous autant de mon expérience dans l'art de se faire accepter que je l'ai pu. Je vous ai passé des trucs et des façons de procéder que des amis et des associés avaient trouvé rentables. J'ai également traité de choses que j'avais lues et dont je me souvenais.

Vous ne pouvez accomplir tout cela d'un seul coup car, à ce rythme, vous risqueriez de vraiment manquer le bateau. Faites un pas à la fois, observez les règles du jeu, persistez dans l'application des principes et des suggestions.

Bientôt, vous remarquerez une transformation chez vous, dans le bon sens. Votre enthousiasme, votre confiance en vous en prendront un coup de renouveau. Vous vous apercevrez que vous souriez plus souvent, que vous perdez ou gagnez du poids en raison de ce que vous vous proposez, que vous concluez plus de ventes si c'est votre domaine et que vos relations avec les autres s'améliorent. Vous verrez que vous ne serez plus porté à vous apitoyer sur vous-même; au contraire, vous respirerez le bonheur et vous serez surpris de voir ces sentiments se refléter sur le visage de ceux qui vous entourent.

Vous serez content de votre âge, de votre maturité, et vous ne céderez plus à l'impatience des jeunes. Femme, vous serez encore plus heureuse de l'être et, homme, vous ressentirez moins le fait que les femmes tentent de percer dans votre genre d'occupation.

Pour la première fois de votre vie peut-être, vous apprécierez vos origines à leur juste valeur; vous y trouverez une nouvelle force stimulante.

Les promesses seront plus faciles à tenir, la vérité sortira plus aisément de votre bouche, tout comme le jeune Galilée vit le monde sous un angle nouveau dès que son père lui présenta l'autre bout du télescope. Votre succès en dépendra.

Comment suis-je persuadé de tout ceci? Tout simplement, c'est l'image de ma vie, ces quinze dernières années. Si ces principes ont pu opérer un tel miracle chez moi, faillite lamentable à trente-cinq ans, et me faire entreprendre un virage à 180 degrés, ils peuvent faire la même chose à votre endroit. Les principes directeurs, les règles, les suggestions sont là pour tous. Ils sont un peu comme un étalage appétissant d'aliments dans une cafétéria. Pourtant, aucun d'eux ne sera bénéfique s'il reste là. Ils vous appartiendront réellement dès le moment où vous tendrez la main pour vous en saisir et les déposer sur votre plateau.

Allons, servez-vous!

Actes à poser MAINTENANT!

• Vendez...

Et vendez...

Faites-vous accepter...

Avec succès dès maintenant!

Achevé d'imprimer au Canada
sur les presses de
l'Imprimerie Gagné Ltée
Louiseville